Дина Рубина

Дина Рубина

Русская канарейка

Блудный сын

ЭКСМО
Москва
2015

УДК 821.161.1-31
ББК 84(2Рос=Рус)6-44
Р 82

Оформление серии *Н. Ярусовой*

Рубина, Дина.

Р 82   Русская канарейка. Блудный сын : роман / Дина Рубина. — Москва : Эксмо, 2015. — 448 с. — (Дина Рубина. Собрание
сочинений).

ISBN 978-5-699-76883-7

Леон Этингер, уникальный контратенор и бывший оперативник из-
раильских спецслужб, которого никак не отпустят на волю, и Айя, глухая
бродяжка, вместе отправляются в лихорадочное странствие — то ли побег, то
ли преследование — через всю Европу, от Лондона до Портофино. И, как во
всяком подлинном странствии, путь приведет их к трагедии, но и к счастью;
к отчаянию, но и к надежде. Исход всякой «охоты» предопределен: рано или
поздно неумолимый охотник настигает жертву. Но и судьба сладкоголосой
канарейки на Востоке неизменно предопределена.

«Блудный сын» — третий, и заключительный, том романа Дины Рубиной «Русская канарейка», полифоническая кульминация грандиозной саги
о любви и о Музыке.

УДК 821.161.1-31
ББК 84(2Рос=Рус)6-44

ISBN 978-5-699-76883-7

Посвящается Боре

Луковая роза

1

Невероятному, опасному, в чем-то даже героическому путешествию Желтухина Пятого из Парижа в Лондон в дорожной медной клетке предшествовали несколько бурных дней любви, перебранок, допросов, любви, выпытываний, воплей, рыданий, любви, отчаяния и даже одной драки (после неистовой любви) по адресу рю Обрио, четыре.

Драка не драка, но сине-золотой чашкой севрского фарфора (два ангелочка смотрятся в зеркальный овал) она в него запустила, и попала, и ссадила скулу.

— Елы-палы... — изумленно разглядывая в зеркале ванной свое лицо, бормотал Леон. — Ты же... Ты мне физиономию расквасила! У меня в среду ланч с продюсером канала *Mezzo*...

А она и сама испугалась, налетела, обхватила его голову, припала щекой к его ободранной щеке.

— Я уеду, — выдохнула в отчаянии. — Ничего не получается!

8   У нее, у Айи, не получалось главное: вскрыть его, как консервную банку, и извлечь ответы на все категорические вопросы, которые задавала, как умела, — уперев неумолимый взгляд в сердцевину его губ.

В день своего ослепительного явления на пороге его парижской квартиры, едва он разомкнул наконец обруч истосковавшихся рук, она развернулась и ляпнула наотмашь:

— Леон! Ты бандит?

И брови дрожали, взлетали, кружили перед его изумленно поднятыми бровями. Он засмеялся, ответил с прекрасной легкостью:

— Конечно, бандит.

Снова потянулся обнять, но не тут-то было. Эта крошка приехала воевать.

— Бандит, бандит, — твердила горестно, — я все обдумала и поняла, знаю я эти замашки...

— Ты сдурела? — потряхивая ее за плечи, спрашивал он. — Какие еще замашки?

— Ты странный, опасный, на острове чуть меня не убил. У тебя нет ни мобильника, ни электронки, ты не терпишь своих фотографий, кроме афишной, где ты — как радостный обмылок. У тебя походка, будто ты убил триста человек... — И встрепенувшись, с запоздалым воплем: — Ты затолкал меня в шкаф!!!

Да. В кладовку на балконе он ее действительно затолкал, — когда Исадора явилась наконец за указаниями, чем кормить Желтухина. От растерянности спрятал, не сразу сообразив, как объяснить консьержке мизансцену с полураздетой гостьей в прихожей, верхом на дорожной сумке... Да и в кладовке этой чертовой она отсидела ровно три минуты, пока он судорожно объяснялся с Исадорой: «Спасибо, что не забыли, моя радость, — (пальцы путаются в петлях рубашки, подозрительно выпущенной из брюк), — однако получается, что уже... э-э... никто никуда не едет».

И все же вывалил он на следующее утро Исадоре *всю правду*! Ну, положим, не всю; положим, в холл он спустился (в тапках на босу ногу) затем, чтобы отменить ее еженедельную уборку. И когда лишь рот открыл (как в песне блатной: «Ко мне нагрянула кузина из Одессы»), сама «кузина», в его рубахе на голое тело, едва прикрывавшей... да ни черта не прикрывавшей! — вылетела из квартиры, сверзилась по лестнице, как школьник на переменке, и стояла-перетаптывалась на нижней ступени, требовательно уставясь на обоих. Леон вздохнул, расплылся в улыбке блаженного кретина, развел руками и сказал:

— Исадора... это моя любовь.

И та уважительно и сердечно отозвалась:

— Поздравляю, месье Леон! — словно перед ней стояли не два обезумевших кролика, а почтенный свадебный кортеж.

На второй день они хотя бы оделись, отворили ставни, заправили измученную тахту, сожрали подчистую все, что оставалось в холодильнике, даже полузасохшие маслины, и вопреки всему, что диктовали ему чутье, здравый смысл и *профессия*, Леон позволил Айе (после грандиозного скандала, когда уже заправленная тахта вновь взвывала всеми своими пружинами, принимая и принимая неустанный сиамский груз) выйти с ним в продуктовую лавку.

Они шли, шатаясь от слабости и обморочного счастья, в солнечной дымке ранней весны, в путанице узорных теней от ветвей платанов, и даже этот мягкий свет казался слишком ярким после суток любовного

10 заточения в темной комнате с отключенным телефоном. Если бы сейчас некий беспощадный враг вознамерился растащить их в разные стороны, сил на сопротивление у них было бы не больше, чем у двух гусениц.

Темно-красный фасад кабаре «Точка с запятой», оптика, магазин головных уборов с болванками голов в витрине (одна — с нахлобученной ушанкой, приплывшей сюда из какого-нибудь Воронежа), парикмахерская, аптека, мини-маркет, сплошь обклеенный плакатами о распродажах, брассерия с головастыми газовыми обогревателями над рядами пластиковых столиков, выставленных на тротуар, — все казалось Леону странным, забавным, даже диковатым — короче, абсолютно иным, чем пару дней назад.

Тяжелый пакет с продуктами он нес в одной руке, другой цепко, как ребенка в толпе, держал Айю за руку, и перехватывал, и гладил ладонью ее ладонь, перебирая пальцы и уже тоскуя по *другим, тайным* прикосновениям ее рук, не чая добраться до дома, куда плестись предстояло еще черт знает сколько — минут восемь!

Сейчас он бессильно отметал вопросы, резоны и опасения, что наваливались со всех сторон, каждую минуту предъявляя какой-нибудь новый аргумент (с какой это стати его оставили в покое? Не пасут ли его на всякий случай — как тогда, в аэропорту Краби, — справедливо полагая, что он может вывести их на Айю?).

Ну не мог он без всяких объяснений запереть *прилетевшую птицу* в четырех стенах, поместить в капсулу, наспех слепленную (как ласточки слюной лепят гнезда) его подозрительной и опасливой любовью.

Ему так хотелось прогулять ее по ночному Парижу, вытащить в ресторан, привести в театр, наглядно показав самый расчудесный спектакль: постепенное преображение артиста с помощью грима, парика и костюма. Хотелось, чтоб и ее пленил уют любимой гримерки: неповторимая, обворожительная смесь спертых запахов пудры, дезодоранта, нагретых ламп, старой пыли и свежих цветов.

Он мечтал закатиться с ней куда-нибудь на целый день — хотя бы и в Парк импрессионистов, с вензелистым золотом его чугунных ворот, с тихим озером и грустным замком, с картинным пазлом его цветников и кружевных партеров, с его матерыми дубами и каштанами, с плюшевыми куколями выстриженных кипарисов. Запастись бутербродами и устроить пикник в псевдояпонской беседке над водоемом, под картавый лягушачий треп, под треск оголтелых сорок, любуясь плавным ходом невозмутимых селезней с их драгоценными, изумрудно-сапфировыми головками...

Но пока Леон не выяснил намерений *друзей из конторы*, разумнее всего было если не смыться из Парижа куда подальше, то, по крайней мере, отсидеться за дверьми с надежными замками.

Что там говорить о вылазках на природу, если на ничтожно малом отрезке пути между домом и продуктовой лавкой Леон беспрестанно озирался, резко останавливаясь и застревая перед витринами.

Вот тут он и обнаружил, что одетой фигуре Айи чего-то недостает. И понял: фотоаппарата! Его и в сумке не было. Ни «специально обученного рюкзака», ни кофра с камерой, ни этих устрашающих объективов, которые она называла «линзами».

— А где же твой *Canon?* — спросил он.

Она легко ответила:

— Продала. Надо ж было как-то к тебе добраться... Башли твои у меня тю-тю, сперли.

— Как — сперли? — Леон напрягся.

Она махнула рукой:

— Да так. Один наркуша несчастный. Спер, пока я спала. Я его, конечно, отметелила — потом, когда в себя пришла. Но он уже все спустил до копейки...

Леон выслушал эту новость с недоумением и подозрением, с внезапной дикой ревностью, ударившей набатом в сердце: какой такой *наркуша?* как мог *спереть* деньги, когда она спала? в какой ночлежке оказался так вовремя рядом? и насколько же это *рядом?* или не в ночлежке? или не *наркуша?*

Мельком благодарно отметил: хорошо, что Владка с детства приучила его смиренно выслушивать любой невероятный бред. И спохватился: да, но ведь *эта* особа врать не умеет...

Нет. Не сейчас. Не вспугни ее... Никаких допросов, ни слова, ни намека на подозрительность. Никакого повода к серьезной стычке. Она и так искрит от каждого слова — рот открыть боязно.

Свободной рукой обнял ее за плечи, притянул к себе и сказал:

— Купим другую. — И, поколебавшись: — Чуть позже.

Честно говоря, отсутствие такой весомой приметы, как фотоаппарат, с угрожающими хоботами тяжелых линз-объективов, сильно облегчало их передвижения: перелеты, переезды... исчезновения. Так что Леон не торопился восполнить потерю.

Но скрывать Айю, неуправляемую, издалека заметную, не открывшись перед ней хотя бы в каких-то разумных (и в каких же?) пределах... задача была не из легких. Не мог же он, в самом деле, запирать ее в кладовке на время своих отлучек!

Он ужом вертелся: понимаешь, детка, не стоит тебе одной выходить из дома, здесь не очень спокойный район, много шляется разной сволоты — сумасшедшие, маньяки, полно каких-то извращенцев. Никогда не знаешь, на кого наткнешься...

Глупости, хмыкала она, — центр Парижа! Вот на острове, там да: один сумасшедший извращенец заманил меня в лес и чуть не задушил. Вот там было о-о-очень страшно!

— Ну хорошо. А если я просто тебя попрошу? Пока без объяснений.

— Знаешь, когда наша бабушка не хотела что-то объяснять, она кричала папе: «Помолчи!» — и он как-то сникал, не хотел старуху огорчать, он же деликатный.

— В отличие от тебя.

— Ага, я совсем не деликатная!

Слава богу, она хотя бы к телефону не подходила. Звонки Джерри Леон игнорировал и однажды просто не открыл ему дверь. Филиппа водил за нос и держал на расстоянии, дважды отклонив приглашение поужинать вместе. Две ближайшие репетиции с Робертом отменил, сославшись на простуду (вздыхал в трубку бесстыжим голосом: «Я ужасно болен, Роберт, ужасно! Перенесем репетицию на... да я сам позвоню, когда приду в себя», — и, похоже, небу следовало упасть на землю, чтобы он *пришел в себя*).

Ну, а дальше, как дальше-то быть? И сколько они смогут так отсиживаться — звери, обложенные опасным счастьем? Не может же она торчать с утра до вечера в квартире, как Желтухин Пятый в клетке, вылетая погулять под присмотром Леона по трем окрестным улочкам. Как объяснишь ей, не раскрываясь, странное сопряжение его светской артистической жизни с привычной, на уровне инстинкта, конспирацией? Какими отмеренными в гомеопатических дозах словами

14   рассказать про *контору*, где целая армия специалистов считает недели и дни до часа икс в неизвестной бухте? Как, наконец, не потревожив и не вспугнув, нащупать бикфордов шнур в тайный мир ее собственных страхов и нескончаемого бегства?

И вновь накатывало: насколько, в сущности, они беззащитны оба — два беспризорника в хищном мире всесветной и разнонаправленной охоты...

* * *

— Мы поедем в Бургундию, — объявил Леон, когда они вернулись домой после первой хозяйственной вылазки с чувством, что совершили кругосветное путешествие. — В Бургундию поедем, к Филиппу. Вот отпою спектакль тринадцатого, и... да, и четырнадцатого запись на радио... — Вспомнил и простонал: — О-о-о, еще ведь концерт в Кембридже, да... Но потом! — увлекающим и бодрым тоном: — Потом мы обязательно уедем на пять дней к Филиппу. Там леса, косули-зайцы... камин и Франсуаза. Ты влюбишься в Бургундию!

За туманную кромку этих пяти дней боялся заглядывать, ничего не соображал.

Он вообще сейчас не мог соображать: все внимание его, все нервы, все несчастные интеллектуальные усилия были направлены на то, чтобы ежесекундно держать круговую оборону против своей возлюбленной: вот уж кто не заботился о подборе слов, кто забрасывал его вопросами, не спуская требовательных глаз с его лица.

— А как ты узнал наш адрес в Алма-Ате?

— Ну-у... Ты же его называла.

— Врешь!

— Да это простейшая задача справочной службы, клещ ты мой ненаглядный!

Как-то выходило, что ни на один ее вопрос он не мог дать правдивого ответа. Как-то получалось, что вся его крученая-верченая, как поросячий хвост, проклятая жизнь была вплетена в замысловатый ковровый узор не только личных тайн, но и совершенно закрытых сведений и кусков биографий — и своей, и чужих, — на изложение которых, даже просто на намек он права не имел. Его Иерусалим, его отрочество и юность, его солдатская честная и другая, тайная, рисковая, а порой и преступная по меркам закона жизнь, его блаженно растворенный в глотке, гортанно перебирающий связки *запретный* иврит, его любимый *богатый* арабский (который он иногда прогуливал, как пса на поводке, в какой-нибудь парижской мечети или в культурном центре где-нибудь в Рюэе) — весь огромный материк его прошлого был затоплен между ним и Айей, как Атлантида, и больше всего Леон боялся момента, когда, отхлынув естественным отливом, их утоленная телесная жажда оставит на песке следы их беззащитно обнаженных жизней — причину и повод задуматься друг над другом.

Пока спасало лишь то, что квартирка на рю Обрио была до краев заполнена подлинным и насущным сегодняшним днем: его работой, его страстью, его Музыкой, которую — увы! — Айя не могла ни прочувствовать, ни разделить.

С осторожным и несколько отчужденным интересом она просматривала на «Ютьюбе» отрывки из оперных спектаклей с участием Леона. Выбеленные гримом персонажи в тогах, кафтанах, современных

16 костюмах или мундирах разных армий и эпох (загадочный выплеск режиссерского замысла) неестественно широко разевали рты и подолгу так застревали в кадре, с идиотским изумлением в округленных губах. Их чулки с подвязками, ботфорты и бальные тапочки, пышные парики и разнообразные головные уборы, от широкополых шляп и цилиндров до военных касок и тропических шлемов, своей неестественной натужностью просто приводили в оторопь нормального человека. Айя вскрикивала и хохотала, когда Леон появлялся в женской роли, в костюме эпохи барокко: загримированный, в пудреном парике, с кокетливой черной мушкой на щеке, в платье с фижмами и декольте, обнажавшем слишком рельефные для женского образа плечи («Ты что, лифчик надевал для этого костюма?» «Ну-у... пришлось, да». «Ватой набивал?» «Зачем, для этого есть специальные приспособления». «Ха! Бред какой-то!» «Не бред, а театр! А твои "рассказы" — они что, не театр?»).

Она старательно пролистала пачку афиш, висящих за дверью в спальне, — по ним можно было изучать географию его передвижений в последние годы; склонив голову к плечу, тихо трогала клавиши «стейнвея»; заставила Леона что-то пропеть, напряженно следя за артикуляцией губ, то и дело вскакивая и припадая ухом к его груди, будто стетоскоп прикладывала. Задумчиво попросила:

— А теперь — «Стаканчики граненые»...

И когда он умолк и обнял ее, покачивая и не отпуская, долго молчала. Наконец спокойно проговорила:

— Только если всегда сидеть у тебя на спине. Вот если бы ты басом пел, тогда есть шанс услышать... как бы издалека, очень издалека... Я еще в наушниках попробую, потом, ладно?

А что — потом? И — когда, собственно?

Она и сама оказалась отменным конспиратором: ни слова о главном. Как он ни заводил осторожных разговоров о ее лондонской жизни (подступался исподволь, в образе ревнивого любовника, и видит бог, не слишком притворялся), всегда замыкалась, сводила к пустякам, к каким-нибудь забавным случаям, к историям, произошедшим с нею самой или с ее безалаберными друзьями: «Представляешь, и этот детина, размахивая пистолетом, рявкает: живо ложись на землю и гони *мани!* А Фил стоит как дурак с гамбургером в руках, трясется, но жалко же бросить, только что купил горячий, жрать охота! Тогда он говорит: "А вы не могли бы подержать мой ужин, пока я достану портмоне?" И что ты думаешь? Громила осторожно берет у него пакет и терпеливо ждет, пока Фил рыщет по карманам в поисках кошелька. А напоследок оставляет ему пару фунтов на проезд! Фил всё потом изумлялся — какой гуманный попался гангстер, прямо не бандит, а благотворитель: и от гамбургера ни разу не отхарчил, и дорогу до дому профинансировал...»

Леон даже засомневался: может, в *конторе* ошиблись — вряд ли она бы выжила, если б кто-то из *профессионалов* поставил перед собой цель ее уничтожить.

Но что правда, то правда: была она чертовски чувствительна; мгновенно реагировала на любое изменение темы и ситуации. Про себя он восхищался: как это у нее получается? Ведь ни интонации не слышит, ни высоты и силы голоса. Неужели только ритм движения губ, только смена выражений в лице, только жесты дают ей столь подробную и глубокую психологическую картину момента? Тогда это просто детектор лжи какой-то, а не женщина!

— У тебя меняется осанка, — заметила она в один из этих дней, — пластика тела меняется, когда звонит телефон. Ты подбираешься к нему, будто выстрела

18 ждешь. А в окно смотришь из-за занавеси. Почему? Тебе угрожают?

— Именно, — отозвался он с глуповатым смешком. — Мне угрожают еще одним благотворительным концертом...

Он шутил, отбрехивался, гонялся за ней по комнате, чтобы схватить, скрутить, обцеловать...

Два раза решился на безумие — выводил ее погулять в Люксембургский сад, и был натянут как тетива, и всю дорогу молчал — и Айя молчала, будто чувствовала его напряжение. Приятная вышла прогулочка...

День ото дня между ними вырастала стена, которую строили оба; с каждым осторожным словом, с каждым уклончивым взглядом эта стена становилась все выше и рано или поздно просто заслонила бы их друг от друга.

* * *

Через неделю, вернувшись после концерта — с цветами и сластями из полуночного курдского магазина на рю де ля Рокетт, — Леон обнаружил, что Айя исчезла. Дом был пуст и бездыханен — уж Леонов-то гениальный слух мгновенно прощупывал до последней пылинки любое помещение.

Несколько мгновений он стоял в прихожей, не раздеваясь, еще не веря, еще надеясь (пулеметная лента мыслей, и ни одной толковой, и все тот же ноющий в «поддыхе» ужас, будто ребенка в толпе потерял; мало — потерял, так его, этого ребенка, и не докричишься — не услышит).

Он заметался по квартире — с букетом и коробкой в руках. Первым делом, вопреки здравому смыслу и собственному слуху, заглянул под тахту, как в детстве, дурацки надеясь на шутку — вдруг она там спряталасьзамерла, чтобы его напугать. Затем обыскал все видимые поверхности на предмет оставленной записки.

Распахнул дверцы кладовки на балконе, дважды возвращался в ванную, машинально заглядывая в душевую кабину — словно Айя могла вдруг материализоваться там из воздуха. Наконец, бросив на стиральной машине букет и коробку с булочками (просто чтобы дать свободу рукам, готовым смять, ударить, отшвырнуть, скрутить и убить любого, кто окажется на пути), выскочил на улицу как был — в смокинге, в бабочке, в накинутом, но не застегнутом плаще. Презирая себя, умирая от отчаяния, беззвучно повторяя себе, что у него наверняка уже и голос пропал *на нервной почке* («и черт с ним, и поздравляю — недолго музыка играла, недолго фраер танцевал!»), минут сорок он болтался по округе, отлично сознавая, что все эти жалкие метания бессмысленны и нелепы.

На улицах и в переулках квартала Марэ уже пробудилась и заворочалась еженощная богемная жизнь: мигали лампочки над входом в бары и пабы, из открытых дверей выпархивали струйки блюза или утробная икота рока, за углом по чьей-то пухлой кожаной спине молотили кулачки и, хихикая и всхлипывая, изнутри этого кентавра кто-то выкрикивал ругательства...

Леон заглядывал во все подвернувшиеся заведения, спускался в полуподвалы, обшаривал взглядом столы, ощупывал фигуры-спины-профили на высоких табуретах у стоек баров, топтался у дверей в дамские комнаты в ожидании — не выйдет ли она. И очень зримо представлял ее под руку с кем-нибудь из этих... из вот таких...

В конце концов вернулся домой в надежде, что она слегка заблудилась, но рано или поздно... И вновь угодил в убийственную тишину со спящим «стейнвеем».

На кухне он выхлестал одну за другой три чашки холодной воды, не думая, что это вредно для горла, тут

20 же над раковиной ополоснул вспотевшие лицо и шею, заплескав отвороты смокинга, приказал себе уняться, переодеться и... думать, наконец. Легко сказать! Итак: в прихожей не оказалось ни плаща ее, ни туфель. Но чемодан-то в углу спальни, он...

Да что ей чемодан, что ей чемодан, что ей все на свете чемоданы!!! — это вслух, заполошным воплем... А может, она ускользнула, почуяв опасность? Может, в его отсутствие сюда явился какой-нибудь Джерри (по какому праву Натан приволок этого типа, подарив полную свободу появлений в моей частной жизни, — черт побери, как я их всех ненавижу! бедная моя, бедная гонимая девочка!).

...Вернулась она в четверть второго.

Леон уже разработал стратегию поиска, стал собран, холоден, знал, где и через кого раздобудет оружие, и был полностью готов к любому сценарию отношений с *конторой*: шантажировать их, торговаться с ними, угрожать. Если понадобится, идти до последней черты. Ждал трех часов ночи, чтобы первым делом нагрянуть к Джерри — *правильным образом...*

И вот тогда в замке простодушно и обыденно крякнул ключ, и вошла Айя — оживленная, в распахнутом плаще, с букетом пунцовых хризантем («от нашего стола — вашему столу»). Ее щеки, надраенные ветерком, тоже нежно-пунцовые, так чудно отзывались и хризантемам, и полуразвязанному белому шарфику на белой шее, а широкий разлет бровей так победно реял над ее *фаюмскими* глазами и высокими скулами...

Леон призвал все силы, всю свою выдержку, чтобы спокойно снять с нее плащ — руками, подрагивающими от бешенства; сдержанно коснулся губами леденцовых от холода губ и не сразу, а целых полминуты спустя спросил, улыбаясь:

— Где ты была?

— Гуляла. — И дальше охотно, с шутливым удовольствием: представь, облазила все вокруг и обнаружила, что года четыре назад меня сюда приводили в студию к одному фотографу. Может, ты с ним знаком? Он работает в таком размывающем стиле типа «романтизьм», загадочный полет в рапиде. Мне-то лично никогда не нравились эти трюки, но есть любители подобного застарелого дерьма...

— Ты, верно, забыла, что я просил без меня не... — всё еще улыбаясь, оборвал он.

И она, тоже улыбаясь в ответ:

— Может, стоит на меня уж и колодки надеть?

После чего оба заорали, спущенные с поводков, сблизив разъяренные лица, будто собираясь сшибиться лбами.

Он орал как резаный, чуть не впервые в жизни (вот где дремал до поры до времени *повышенный звуковой фон Дома Этингера*: в потайном ядре его страхов, выпущенных на свободу), наслаждался: можно выораться всласть, стены бывшей конюшни вынесут пронзительную сирену разъяренного контратенора, а эта *глухомань* все равно ни черта не услышит; можно выорать весь минувший страх за нее, бешенство и ненависть (да, да, ненависть!!! — как он мог, безумец, окончательно спятивший на *этой помойной оторве*, представить себе, что *контора*... да нет, его друзья, его соратники! — могут переступить с ним черту, которую!!!..)

Айя выпевала, оплетая собственное лицо плеском обезумевших ладоней:

— Я-а-а уе-е-еду-у-у!!! Я-а не в тюрьме-е-е! Не в тюрьме-е-е!!!

Он тихо произнес, четко выговаривая:

— Ни пуха, ни праха!

Ушел в спальню, хлопнул дверью, рухнул на тахту лицом вниз.

Через пять минут, отгрохотавших в его висках, она вошла на цыпочках, легла рядом и стала тихо гладить его плечи несусветными своими руками — гладить, перебирать, танцевать и вышивать пальцами. Прокралась ладонями под свитер, переплела руки у него на животе, вжалась грудью в его спину, сказала хрипло, гундосо:

— Не прогоняй меня...

Он взвыл, перевернулся, взвился над нею...

...и так далее...

Но не эта очередная — исступленная, упоительная, горькая, сладкая — ссора оказалась переломной в их первых мучительных днях.

Перелом наступил чуть позже, под утро.

Впоследствии, вспоминая эти минуты, он мысленно произносил: «Хамсин сломался» — как говорят обычно в Иерусалиме, когда вся тяжесть пустынного ветра с мутной взвесью песка, с его трехдневным мороком и тоской, с его удушьем в вязком плотном воздухе внезапно дрогнет; прогнется и освободит стрелу невидимая тетива, неизвестно откуда потянет налетевшим ветерком. Провеется воздух, становясь все прозрачнее и свежее — и вдруг рассеется обморок и тлен, как не было их, и певуче округлятся застывшие гребни волн Иудейской пустыни, а фиолетовый шелк туго обтянет далекие призывные груди Иорданских гор.

Она уже засыпала, и он почти заснул, и другой бы не услышал, что там она бормочет на выдохе, но он своим тончайшим слухом уловил и эти несколько слов:

— Гюнтер тоже... — бормотнула она, — те же уловки...

Леон открыл глаза: будто ткнули кулаком под ребро; перестал дышать... Тихо обнял ее, чтобы и во сне она его *услышала*, легко и внятно шепнул:

— Кто это — Гюнтер? Твой бывший *хахаль?*

Она открыла глаза, два-три мгновения испуганно глядела в потолок... вновь опустила веки и — в полусне, жалобно:

— Нет, Фридриха сын... *Нох айн казахе...*

И уже до утра Леон не заснул ни на минуту. Встал, оделся, долго сидел в кухне, не зажигая лампы, то и дело вскакивая и высматривая в окно предрассветную, погруженную в сонный обморок улочку, монастырскую стену напротив, желтую в свете навесных фонарей.

Вошел и постоял в гостиной. Свет уличного фонаря лепил на крышке «стейнвея» рельефы двух серебряных рамок с фотографиями: юная Эська с бессмертным кенарем и послетифозная, в рыжем «парике парубка» Леонор Эсперанса. Глубокий и тайный колодезь, что-то запретное, смутное, нежное (он говорил себе: *политональное*) между двумя этими давно минувшими лицами — бездна, из которой извлечены были его имя и образ.

Он повторял себе, что дольше так тянуться не может, что бездействие и обоюдное их молчание смертельно опасны, что время не ждет: их непременно выследят, если не мясники Гюнтера, то уж за милую душу — востре *следаки конторы*.

И неужели, жестко спросил он себя, неужели дела *конторы* ближе тебе и дороже, чем твоя — наконец-то встреченная — твоя, твоя женщина?!

Нет, моя жизнь не станет вашей мишенью. Никаких уступок! И Айю вы не получите!

И уже знал, что способен на все: сопротивляться, пружинить и ускользать. Если понадобится — лгать и шантажировать. Если придется — убивать...

Утром был готов к разговору.

Долго стоял под душем, запрокинув лицо, будто вспоминая, для чего вообще сюда забрался. Тщательно, не торопясь, побрился, натянул тонкий черный пуловер и черные джинсы — любимый рабочий прикид, в котором обычно репетировал (хотя знал, что ждет его отнюдь не репетиция, а один из решающих в жизни *выходов*). Глянул в зеркало и отшатнулся: лицо какое-то костяное, диковатые гиблые глаза... Мда: герой-любовник, иначе не скажешь.

Айя все спала. И пока готовил ей завтрак, Леон напряженно размышлял только над тем, как проведет их двухвесельную лодочку в фарватере опасной беседы, с чего начнет этот немыслимый разговор, что *сможет* рассказать, а что *должен* скрыть. О чем будет ее умолять, какую отсрочку выпрашивать.

Он готовился к разговору. И все же — *как это отныне всегда между ними будет* — опоздал.

Она вышла из спальни — тоже полностью одетая. Так стеснительная гостья для любого прошмыга по коридору облачается чуть ли не в парадный костюм, включая перчатки и шляпу.

Он поднял голову и опешил. И она растерялась, увидев его одетым, выбритым, напряженным: оба вышли друг к другу, как переговорщики в судьбоносном процессе между двумя государствами.

— Ты... что это? — озадаченно спросил он. — Куда собралась?

— А ты куда? — в ответ спросила она. И стояли оба, как тогда, на острове — чужие, но одного роста, незнакомые, но с одинаковым выражением в глазах; настороженно оглядывали друг друга — два беспризорника в опасном и враждебном мире.

И разом она побелела, будто в эту минуту узнала и решительно приняла какую-то безысходную весть.

— Присядь, — сказала. — Леон, я тебе... несколько слов. Не могу больше...

Молча сели друг против друга за столик величиной с поднос в столовке Одесского судоремонтного. И Айя заговорила, запинаясь, умолкая, выпаливая по два-три слова, не помогая себе, как обычно, руками-певуньями, а пряча их на коленях, заталкивая между колен и под столом ломая, выкручивая пальцы, заставляя их молчать.

— Я поняла, что должна уехать, — сегодня, сейчас... Подожди, дай сказать, а то... а то я запла́чу раньше времени, я же плакса. Родной мой... видишь, как все у нас получается... Молчи! — вскрикнула высоко, болезненно, будто палец прищемила. Неожиданно для себя заговорила быстро, сосредоточенно, задыхаясь и торопясь: — Вот я уже как бабушка моя... Но я просто не имею права подставлять тебя, это подло. Погостила у тебя, отдохнула, измучила тебя совсем... Спасибо тебе! А дальше буду сама, пока получается, а не то... тебя убьют вместе со мной.

Она прерывисто вздохнула, не сводя с его лица страдальческих, недоуменных глаз.

— Но не только это... Вот ты, мой хороший. Я ничего про тебя не знаю, не понимаю, я совсем в тебе запуталась, только подозреваю *во всем*, потому что научена, затравлена, однажды уже убита. И потому, что видала их, *таких, как ты*. Ты что-то прячешь в своей жизни, надежно, тщательно прячешь. Может, и не свои секреты, скорее всего, не свои, иначе ты бы так не упорствовал, не ускользал от меня, не запирал решетки-двери и замки не навешивал. Не знаю, как это называется, — ну, подскажи, помоги мне — *шпионаж?* Ох, прости, благороднее: *разведка*, да? Хорошо, не важно. Просто я сыта по горло *такими людьми.* Ты похож на одного типа — повадка, привычки, скрытность: туда не иди, телефон не бери, убью, если рот откроешь. *Нох айн казахе...* И неважно, что ты еще и Голос. Я говорю о сути, о повадке: человек может быть кем угодно — ученым, бизнесменом, художником, певцом. Но приходит минута, когда он... когда *такие люди, как ты и он,* мягко ступают и сдавливают другому горло. Молчи, ради бога, молчи!.. Невыносимо, если ты опять начнешь изворачиваться!

По ее лицу уже катились слезы, свободно и обильно, и она их не отирала, будто слезы эти не имели к ней и к тому, что она говорит, ни малейшего отношения. Так в доме продолжается обыденная жизнь, когда снаружи по стеклу бегут и бегут струи дождя.

— Или не горло, а что там? Глаза выдавить? Нож всадить? Наверное, это нужно кому-то — ну, там, странам, народам, правительствам, очередному богу... Видишь, я даже не спрашиваю подробностей, не до того мне. Я давно убегаю и убегаю, иначе меня убьют...

Она опять выдохнула с мучительной натугой, горько усмехнулась и покачала головой, рассеянно проводя ладонью по лбу, стирая детское удивление в бровях:

— Все время думаю, какого лешего я сюда приволоклась — за тыщи километров, в то же логово — ну, может, наизнанку, — но с теми же правилами игры? Пока летела, все допрашивала себя: зачем, зачем ты это делаешь, дура? Глупой бабочкой — к тебе.

И сосредоточенно хмурясь, будто пытаясь дознаться — у него, у самой себя:

— Как меня угораздило тебя полюбить? Не влю- **27**
биться; мне втюриться в живописную рожу — плюнуть
раз. А вот нет же: так нестерпимо полюбить — как нарыв в сердце, и невозможно жить, когда отнимаешь
руку... Постой, не перебивай, не путай меня, и так кавардак в башке. По порядку: не хочу притаскивать к
тебе свою смерть, не хочу тебя подставлять. У тебя наверняка *свои дела в этом бизнесе* — тоже какие-нибудь
контракты, фрахтовые ведомости, грузовые перевозки. Вся эта тайная возня, связанная с очередной дерь-
мовой бомбой? Или с чем-то вроде? Какие-нибудь
многоходовки оружейных концернов, поставки чего-
то там, только в другие регионы? Я ошибаюсь? Ну, в
общем: чтобы люди друг друга взрывали, стреляли,
выжигали... и на всякий случай убить того, кто случайно сунул нос в эту вонючую кучу. Но ты еще и поёшь!
Поёшь прекрасным женским голосом — наверняка
убийственно прекрасным, если столько людей им вос-
хищаются. Жаль, не могу услышать. Поёшь, как сире-
на, — так, что забывается боль? Как ангел смерти ты
поёшь, да, Леон? А я...

Он вскочил и отшвырнул стул...

Бросился — в книгах читал, на сцене видел, сам
проделывал — в ролях! — но не подозревал, что такое
может случиться с ним *наяву*, и не представлял, что в
жизни это выглядит так нелепо, не грациозно, унизи-
тельно — *бросился к ногам*: то есть рухнул на пол и вцепился в ее колени, сильно сжал их обеими ладонями,
щекой прижался, зажмурил глаза.

Сердце бухало в ее колени, как пенный прибой.

— Нет, нет, — отрывисто и глухо бормотал он, —
нет, Айя, не получится от меня убежать. Посмотри
на меня! — Вскинул голову, взял ее лицо в ладони: —

28   Я тебе сейчас не все могу сказать. Сейчас. Да тебе и не нужны подробности. Ты права: проклятые игры... Но я тебя убивать не да-ам!.. Я этого не!!!.. Я потому и согласился, потому и преследую их... Слушай меня! Ты мне веришь? Не веришь. Хорошо, не верь. Не верь мне! Только никуда от меня ни на шаг. Ни на шаг! Это — единственное, о чем прошу. Обещай мне!

Она молча смотрела на него жадно-подробным взглядом, словно по жилочкам перебирала все его лицо, как снимок форматировала, отбрасывая несущественное, вытягивая выразительные черты, усиливая светом рельеф.

— Ты вот сказала: я убил триста человек. Нет уж, теперь ты помолчи! Помолчи, потому что ты... права, да. Ну, не триста, но... я понимаю тебя... Когда ты спросила меня: *Леон-ты-бандит*, у меня все внутри обвалилось. Потому что я... да, я убивал людей. У меня была такая жизнь, я был солдатом, понимаешь? Не могу всего рассказать, но — хорошим солдатом, а потом — хорошим охотником и сторожевым псом, и ищейкой, и волкодавом... да просто волчарой! Слишком много людей надо было спасти, при этом — именно — убивая других. Есть такой библейский закон — убить убийцу. Убить его прежде, чем он успеет отнять чью-то жизнь. Так убивают скорпионов, ядовитых змей, заползших в дом. Так жизнь моя сложилась, понимаешь, такое непростое место, где я вырос. Послушай, любовь моя, это долго рассказывать. И дальше мне нет ходу, не имею права: «кирпич»! Настанет время, и ты будешь знать обо мне все, все!.. да ты и сейчас все знаешь — поджилками, поддыхом, сердцем, грудками своими, — иначе не приехала бы, ты же такой человек... от-вра-ти-тельно трудный! Но ты со своей вреднючей дотошностью — ты уймись пока, а? Пока только пойми, что всё наоборот: я с теми, кто охотится за этими вот торговцами смертью, за спекулянтами тел, разорванных на куски... Правда, для нас с тобой сегодня все еще сложнее, еще зловещее, и я не могу пока объяснить тебе — почему. Когда-нибудь — надеюсь, скоро — я все тебе расскажу. Пока только прошу: не думай обо мне *так* — не запускай свою мысль в этот ужасный штопор. Пока просто: ни шагу! никуда! от меня... чтобы мы оба остались живы. Я понятно объяснил?

Она молча кивнула, хотя все, что он бормотал, ловя ее руки, вытаскивая их из ее намертво сведенных колен, прижимая ее ладони к своему лицу и не пытаясь ни поцеловать ее, ни обнять, — все было дико и необъяснимо. Но ей не слова были нужны, а вот это его измученное лицо, смятое болью, — как там, в аэропорту, когда она ничего не могла понять, и все было наперекосяк: настоящее его лицо за мутными словами-заслонками.

Он вскочил, подхватил с пола и твердо поставил стул, придвинул к ней тарелку, вывалил из сковороды горку остывшей яичницы.

— Ешь вот, я приготовил. Ну все, все, больше ни слова, ешь! — Оседлал стул, уставился, будто лично хотел проследить, как она станет глотать и жевать.. — Постой, я посолить забыл! — схватив солонку, нервно принялся взбивать ею воздух над тарелкой.

Господи, какое облегчение...

— Ты пересолишь! — крикнула она, хватая его руку.

И оба вскочили и над этой неудачной, этой прекрасной яичницей судорожно обнялись, что-то бурно и бестолково продолжая договаривать, перебивая друг друга, хватая друг друга за руки, за плечи, торопясь объяснить, что... невозможно, понимаешь... я не все волен тебе...

— А я тебе — все, все расскажу сейчас до капельки и навсегда!

— Погоди, не части, дослушай... Ты только знай, что если запрусь, то это — не мое. А то мое, что и твое, это... Айя, пойми, у меня же, кроме тебя...

— ...нет, я тебе только хотела сказать...

— ...это я тебе хотел сказать, моя любимая!

И все было почти как там, на острове, когда она произнесла: «Желтухин», а он сказал: «Дядя Коля Каблуков», — и весь мир извергнулся салютом двух жизней; только там этот захлеб был скорее изумлением, небывалой встречей, увлекательным сюжетом, вроде «Сколько-то там тысяч лье под водой», не то что сейчас, когда каждая клеточка проросла острым ростком обоюдной боли, и опасно тронуть...

...и залечить все можно только прикосновением губ, только осторожным пунктиром диковато-пугливых поцелуев-вопросов, и отчаянных, решительных поцелуев-ответов, и поцелуев-оборванных монологов, и поцелуев-догадок, поцелуев-окликов, поцелуев-признания, и наконец, поцелуев-молчания...

Долгого, долгого молчания... давно опустевшей кухни.

Через час Леон — собранный, пружинистый, коротко задающий вопросы — по мнению Айи, нелепые или очевидные, — уже видел всю кошмарную картину последних месяцев ее жизни.

Все просто, понимаешь, торопливо, с облегчением, с огромным увлечением, даже страстно объясняла она, вскакивая, мотаясь по комнате и *договаривая* детали вновь отпущенными на волю руками. Надо просто четко следовать правилам.

— Каким правилам?

— Как, ты не знаешь? Вот смотри: никогда не садись в первое такси — только во второе, а лучше в третье. Никогда не лови попуток. Все время меняй места ночлега, еще лучше — все время будь в дороге, в толпе, в автобусе, в поезде, среди людей... Выходи почаще из автобуса, пересаживайся, возвращайся... Хорошо, когда магазины большие и насквозь — с несколькими входами: можно выскользнуть. В кармане куртки или в рюкзаке всегда иметь два головных убора — красный берет и... и какую-нибудь серую косынку. Зашла в туалет, нацепила берет, черные очки и... Вообще, это забавно, какое-то время мне даже... ну, не то чтобы нравилось, а как-то... держало в тонусе: неожиданно менять планы, даже если никому о них не говоришь. Тебя приглашают на выставку в Суррей, ты пишешь: «Спасибо, непременно буду», садишься в поезд и едешь в... Ричмонд — просто так, погулять; только не оставаться на месте, всегда выбирать третий путь. Необъяснимость действий, спонтанность решений — то, что *они* не могут просчитать. Если посылаешь папе эсэмэску — сразу вырубай мобилу и уезжай... Еще полезно сим-карты менять. Порвать все связи, не отвечать на звонки, на мэйлы... Я даже с Михаль прекратила переписку, а я знаешь, как люблю Михаль!

Она задумывалась и затихала, вспоминая, и он не торопил ее. Спохватывалась и чуть ли не хвастливо перечисляла еще какие-нибудь свои бог знает откуда почерпнутые *методы ускользания*:

— А, вот еще, забыла: у меня есть водительские права на имя Камиллы Робинсон, украла у девчонки в студенческом хостеле, до сих пор стыдно, но по ним можно кое-где передвигаться. Жаль, в самолет с ними не пролезешь... Но в какой-нибудь пансион, в какую-нибудь ночлежку — плюнуть раз... А вообще, всегда полезно напроситься к дальним знакомым из другой жизни. И в совсем чужом или подозрительном месте надо обязательно делать «куклу». Понимаешь?

— Нет.

— Ну-у... Просто не ложись в ту постель, что для тебя приготовлена. Кладешь туда рюкзак, шмотки, полотенца... Художественно камуфлируешь, как бы человек с головой укрылся.

— А сама...

— А сама — как получится. Однажды всю ночь просидела на подоконнике за занавеской. Но он был довольно широким, подоконник.

— Послушай, мое сокровище. Откуда ты всего этого набралась?

Она недоверчиво смотрела на него, высоко подняв свои полетные брови, искренне удивляясь:

— Да ты что! Я, когда поняла, что меня ждет, — после той встречи с Большой Бертой, — скачала из Интернета все шпионские романы и выучила все правила, как уходить от погони. Я тебе отбарабаню все методы слежки за объектом: правильная *наружка* — это всегда бригадой. Иногда преследователи идут «гуськом» — обгоняя объект, как бы передают его друг другу; или по обеим сторонам улицы идут... А есть еще метод «коробка» — когда «закрывают» все входы и выходы в здании. А есть «провокация» — это когда объекту демонстрируют агрессивную слежку. Короче, в романах все есть, на любой случай: писатели ведь тоже консультируются со специалистами, это же ясно.

Это ясно. Это просто сойти с ума — вот так-то, ночью, на подоконнике за занавеской. Да, крепкий орешек твоя драгоценная глухая приблуда...

Сейчас он понимал, почему она не побоялась причалить к нему на острове — к нему, незнакомцу, *нох айн казахе*... «Стаканчики граненыя» — вот был пароль. Он, Леон, был «своим», из детства явился, из отцова гнезда — посланец Желтухина. И потому так доверчиво подошла и заговорила по-русски, домашним языком, с домашними интонациями, будто к отцу обращалась. И ела из его рук, и так бурно, так много говорила, что даже показалась болтушкой...

А теперь представь, что она пережила там, в лесу, когда ты завел ее в чащу и сдавил ей горло. Какие мысли мелькнули в ее голове? Господи, затоптать бы это подлое воспоминание...

А она все тормошила его и требовала, чтобы он еще, еще спрашивал, готова была рассказывать, объяснять, уточнять подробности, описывать приметы внешности, характерные жесты, повадки, походки, словно дождалась наконец той минуты, когда ее природная наблюдательность, ее острый глаз и незаурядное умение сопоставлять обрывки случайно «увиденных» слов, обобщая, вытягивая общий смысл, окажутся не то что востребованными, а жизненно необходимыми — для Леона, для нее самой, для их будущего. Впервые за эти месяцы разомкнулся железный ошейник, защелкнутый у нее на загривке; впервые она чувствовала себя защищенной; чувствовала, что не одна. Бросалась к Леону, обеими руками энергично и азартно трясла за плечи:

— Ну, спроси еще, спроси, что хочешь!

Он же, наоборот, пытался ее расслабить, успокоить, чтобы затем неожиданным вопросом-крючком выдернуть из памяти то, о чем она, возможно, забыла упомянуть, или подсознательно боялась тревожить, или считала неинтересным.

Леон уже не был уверен, что *Гюнтер* добивался ее смерти. Припугнуть, чтобы не повадно было лезть куда не просят, это — возможно...

Он уже знал весь маршрут ее передвижений, все места, где она нанималась подработать, все ее контакты, всех знакомых, приятелей, обидчиков и врагов. С каменным лицом, со сжатыми челюстями выслушал *историю убийства в Рио* (как она это называла) — не настаивал, сама захотела все рассказать, и видно было: столько раз *описывала, проговаривала* это себе самой, столько прокручивала, выжимая трагедию досуха, что вслух получался протокольный перечень ужасных минут: сорвали фотоаппарат, поволокли, и когда она лягнула в мошонку того, огромного, жирного, другой — мозгляк, усики ниточкой — ударил сзади по голове. И больше ничего — до всплывшего медленной мутной луной плафона дневного света в палате, после трех дней черной комы.

В конце концов она с облегчением повалилась на тахту, выдохнула с протяжным стоном и потянулась, закинув руки за голову. Устала, вывалила все до донышка, не оставив за душой ни крошки, ни запятой, ни единой заначки в прошлом. Даже про старого балбеса Рауля рассказала, не забыв татуировку его — коптский крест. Расписала сердобольную Луизку с ее ароматическими свечами, «девочками» и всепрощающим Буддой в уголке двора. Юрчу-ворюгу изобразила, с идиотскими его деревянными мертвецами... Ей было легко, спокойно, даже весело; от бури вываленных слов, от прерывистого дыхания, от порывистой жестикуляции слегка звенело в голове, и хотелось разом перечеркнуть несколько лет своей жизни, все напрочь забыть — и ни капельки не жалко! Вот бы такую таблетку изобрели... А теперь бы заснуть — сладко, уютно, и спать, и спать, как в детстве, на «рыдване» дяди Коли-Зверолова, чувствуя только папины руки, когда он укрывает ее сползшим на пол одеялом...

Леон вышел на кухню, вымыл яблоко, вернулся и 35
протянул Айе. И молча глядел, как с хрустом она от-
тяпала огромный кусок и с удовольствием жевала, по-
детски тараща блестящие, не просохшие от слез глаза.
Дождался, пока она догрызет все до черенка, улыбнулся и мягко проговорил:

— А теперь с самого начала...

Часа через полтора он раскопал ту давнюю встречу
на вершине горы Кок-Тюбе, где Айя с Фридрихом по-
встречали «дядю Андрея».

— *А девочка — красотка...*

— *То-то и оно.*

— *Бедняжка...*

— *А ты полегче: мы фантастически понимаем по гу-*
бам...

— *Твоя мама была прелестной женщиной. Прелестной!*

— Понимаешь, хотя они и встретились случайно...

— Погоди, — остановил он ее. — Не торопись. Вот
теперь о «случайно» и о Фридрихе.

Неистовые подземные сплетения многолетних
корней... Он расплетал их с той же вкрадчивой и трепет-
ной осторожностью, с тем же хищным азартом ищей-
ки, с каким распутывал когда-то сложнейшие змеиные
клубки террористических ячеек где-нибудь в Рамалле
или Шхеме. Засыпал Айю вопросами, останавливал,
возвращал к уже сказанному, поворачивал прежний
вопрос неожиданной стороной, озадачивал, огоро-
шивал, обращал внимание на противоречия. Встречала
ли она, Айя, еще когда-либо Крушевича? Может быть,
в Лондоне, в доме Фридриха? Присутствовала ли когда-нибудь Елена на встречах с его «партнерами» или

была всего только женой, мало осведомленной в делах мужа? Видала ли Айя что-то еще, кроме пластиковой папки из сейфа в кабинете Фридриха, и не помнит ли, кто, кроме Фридриха, подписал документ?

На тех, многолетней давности допросах он бывал неутомим и беспощаден, сейчас же с тревогой всматривался в лицо уставшей Айи, то и дело напоминая себе: довольно, надо дать ей передышку, но понимая, что на передышку у них просто нет времени.

Он осторожно, мягко подбирался к главному — к имени, что со страхом она пробормотала ночью, а за все часы этого изнурительного распутывания связей и встреч лишь упомянула вскользь раза три, — возможно, потому, что редко с ним сталкивалась? Или потому, что инстинктивно старалась отодвинуть от себя эту темную личность? Она почти не говорила о Гюнтере, а у Леона были свои соображения пока не зацикливать ее на этой теме. Слишком многое предстояло раскапывать, слишком важна была любая информация об этом человеке, которого, судя по всему, Айя по-настоящему боялась.

— Ой, знаешь... — Она встрепенулась с озабоченным видом, села по-турецки на тахте, слегка привалилась к стене; из-за ее плеча выглядывала лукавая рожица мальчишки-апаша на Барышнином гобелене. — Погоди-ка... молчи-молчи... мысль одна крутится, насчет Крушевича... — И довольно щелкнула пальцами, ухватив воспоминание за хвост: — Однажды они сидели перед телевизором...

— Кто — они?

Отмахнулась:

— Ну, Фридрих и Елена... Бывают такие вечера, когда они не грызутся, а как шерочка с машерочкой...

Я сидела у них за спинами, крутила в ноутбуке одну идейку рекламы кофейного напитка — вкалывала тогда в агентстве Баринга... Лица обоих видела в зеркале над теликом. Они смотрели новости. У них дома вообще новости крутят весь день, не выключая, — то Си-эн-эн, то Би-би-си, то немецкие, то российские программы. Какое-то безумие, как будто с них кто-то мониторинг требует. Я и не думала за ними шпионить, просто сидела, мозги ломала над чертовой рекламой... Но иногда застревала взглядом на Елене. У меня, знаешь, когда-то была мысль сделать ее портрет, *настоящий портрет*: бывают моменты, когда она вдруг теряет над собой контроль, — ну, если в бешенство впадает или чему-то сильно удивляется. У нее так порочно и жалостно отвисает нижняя губа... и тогда она просто копия одной нашей соседки: та была клептоманка, из магазинов водку под кофтой выносила. И когда ее ловили — ну там, милиция, то-се, акт составляют, — она кричала: «Ой, сирота я, сирота-а-а! Ой же ж как меня обидеть легко-о!» — и губа точно так отвисала... Ну, не важно. Короче, они лениво перебрасывались словами, так что *читать* их было нетрудно. И я случайно... Понимаешь, я правда не собиралась подслушивать, зачем мне... В общем, Фридрих сказал: *Андрей участвует в какой-то операции российским экспертом.* Так и сказал: «Андрей — консультант, он ведь там все знает». И еще: «МАГАТЭ?! Ну, эти болваны могут отдыхать». В общем, как я поняла, на Семипалатинском полигоне проводилась какая-то секретная операция — сбор плутония, что ли. Якобы собрали чуть не двести кило. И Елена говорит: «Ничего себе, аппетитный кусочек». А Фридрих ей: «Мда, если учесть, что на бомбу достаточно килограмм двенадцать плутония-239, он же плотнее, чем уран». И Елена: «А что, эта пропасть денег?..» — дальше что-то неинтересное, и я перестала *слушать*... Но вот про Крушевича помню. А он ведь правда специалист?.. — И с интонацией старательной ученицы: — Это хорошо, что я вспомнила?

Леон сказал:

— Ты моя умница. Ты — самая вострая, самая приметливая... самая-самая. А сейчас сделаем перерыв... угадай, на что!

Не та ли это совместная операция Казахстана, России и Америки, на которую потрачено 150 зеленых лимонов, частью по программе Нанна-Лугара, частью — напрямую из Лос-Аламоса, так называемая Программа совместного уменьшения угрозы, проведенная тем не менее почему-то втайне от МАГАТЭ? Сейчас можно только предполагать, какую выгоду извлек наш выдающийся эксперт-атомщик из своих «консультаций» и как под шумок поживился плутонием, добытым и заначенным до нужного момента и переправленным по частям — но куда, куда-а-а? — чтобы поплыть прямиком в Бейрутский порт из какой-то там бухты? И в таком случае: как здесь задействован Фридрих или, скорее... Гюнтер?

Леон выжидал, когда можно будет вскользь ненавязчиво произнести имя Гюнтера — пожалуй, единственное, что его сейчас интересовало. Нет, неверно: интересовало многое. Например, зачем вообще Фридриху понадобилось вытаскивать в Лондон встреченную в Алма-Ате внучатую племянницу, девочку с такой обременительной особенностью, как врожденная глухота? Что, собственно, она, с ее умением читать по губам... Стоп! Может, дело именно в этом?

Спросил у Айи напрямую.

Она серьезно ответила:

— Нет. Нет... Он, конечно, пытался меня как-то приспособить — вначале... Ну, как это там называется: курьер, связной, да? Но когда я взбрыкнула, оставил тему, махнул на меня рукой. Бывает же так в семье — неудачный бесполезный ребенок, куда его? Но Фридрих меня не прогонял, даже когда я сбрендила и жутко колобродила — знаешь, все эти выверты левой британской богемы... С удовольствием ходил со мной на соревнования по фигурному — я до сих пор люблю смотреть — и на выставки с моим участием. По фотографиям давал какие-то советы, вполне дельные — у него, между прочим, отличный вкус. И если б не Елена, которую трясет, стоит мне появиться в доме... Знаешь... — Айя помедлила, будто мысленно проверяла то, что собиралась сказать: — Думаю, Фридрих меня просто любит.

— То есть? Влюблен? — нахмурился Леон.

— Да нет, ну — любит, привязан... Такая вот странная родственная симпатия. Он ведь тоже — «сирота». Ванильный Дед... его отец, которого он никогда не видел, да и вообще, вся эта неведомая казахская тема — она его страшно интригует. Я для него такой вот сколок родни со степного полустанка, которую он никогда не имел. И потом, Фридрих не лишен сентиментальности. У него когда-то давно умерла молодая жена, остался сын-малютка. А тут я, и тоже сирота, *тоже малютка*, да еще со своей несчастной глухотой...

Она обхватила колени, насупилась, будто сосредоточенно вглядывалась в себя. Тряхнула головой:

— Нет, не знаю, не знаю! Запуталась я, к черту их всех! Но разыскал же он меня в Иерусалиме и вытянул опять в Лондон — зачем? Я для него совершенно бесполезна, и Гюнтер был против моего возвращения, знаешь, он буквально взбесился! Я *видела* их разговор из окна гостиницы. Фридрих вышел купить английские газеты в арабской лавке через дорогу, а Гюнтер выскочил следом, остановил его, да так грубо руку на плечо, прямо дернул! И говорит: «Что за блажь с этой девицей, *fater*, ты совсем спятил на старости лет?..» Ну и бла-бла-бла. Говорил по-немецки, а я в нем не очень, многое восстановила потом по смыслу. Фридрих спиной стоял, не видела, что он там ответил.

Вот оно и названо — имя. А теперь — осторожней... на пианиссимо: не вспугни, не зажми ее, не взвинти ее страхи...

Леон выждал пару мгновений.

— А что, Гюнтер был с вами в Иерусалиме? — спросил мягко, незаинтересованно.

— Да, у него там были какие-то дела, что ли, встречи...

— И жил в той же гостинице, что и Фридрих?

— Нет. Откуда-то приехал. Может, с побережья? Был очень легко для Иерусалима одет, и почти без вещей, и на другой день исчез, а значит, я думаю...

А значит, наблюдательная моя умница, значит, приехал не из-за границы и ошивался где-то у нас под носом. Где же? В какой личине? По каким документам? И уехал в тот день, когда был убит Адиль, мой лучший «джо», мой антиквар, мой друг...

Быстро вытянув из ящика письменного стола ноутбук, Леон молча отыскал фотографию с лавкой Адиля, щелкнул мышкой, увеличивая кадр. Вот он, антиквар, с хитринкой посматривает на того, чьего лица мы не видим. С самого начала Леона беспокоило именно это: Адиль демонстрировал монеты Веспасиана Фридриху, но смотрел-то вовсе не на Фридриха, а на того, кто стоит к нам спиной (такой тревожно знакомой спиной!), досадно заслоняя часть кадра. Понятно, почему Айя с ее художественным чутьем отсекла *ненужный сор*, в конечном варианте оставив только выразительные руки старика-антиквара.

— Подойди сюда, цуцик, — тихо позвал он и сам удивился: откуда у него вырвалось это «цуцик»? Откуда мгновенный спазм в горле, будто она маленькая и беззащитная и хочется обеими растопыренными руками от всего ее оградить? Значит ли это, что Иммануэлю тоже хотелось оградить тщедушного пацана — «свистульку с серебряным горлышком», как иногда он называл Леона? — Слышь, цуцик? Иди-ка сюда!

Когда подошла, привлек ее к себе на колено, обнял за талию и навел мышку на кряжистую спину, крепкую шею и плосковатый затылок неизвестного на экране.

Силуэт очертил:

— Это Гюнтер?

— Ну да, — спокойно отозвалась она. — Я потому и сняла сзади, пока он не видел. Он же чокнутый, его фотографировать нельзя. Однажды расколошматил мою линзу, самый лучший объектив! Вырвал из рук, бросил на пол и раздавил тремя ударами каблука. А когда я полезла в драку, так небрежно, неуловимо пнул меня, я два дня отлеживалась. Большая Берта орала, как паровозный гудок: «Свинья! Проклятый выродок!» — хотя обычно называет его «юнге», «мальчик». Кажется, в доме только один человек его не боится — старуха. Она вообще никого не боится.

Айя помолчала и неохотно добавила:

— Папа считает, что все трое — Фридрих, Гюнтер, а заодно и я — унаследовали кое-что от Ванильного Деда. Вот кто опасность нутром чуял! Он в плену сидел в немецком лагере, убирал там комендатуру, ну и воровал из мусорной корзины листы использованной копирки. Прочитывал в бараке все их приказы. Представь: иностранные слова, да шиворот-навыворот, да по ночам, в темноте, с черной копирки. Наткнулся на приказ о ликвидации лагеря и организовал побег... Папа говорит, он мог стать гениальным разведчиком, а стал настоящим зверем, бабку Марью избивал чуть не до смерти. Но у Ванильного Деда были война, контузия, два лагеря... а вот его потомки сами себе ищут и создают «битву и бурю». Так папа говорит.

— А отец... он все знает?

— Конечно! Все-все!

— Господи, как же он живет...

И задумчиво добавил:

— Это он потому и не выдал мне твоего телефона...

Айя улыбнулась:

— Он бы под пыткой меня не выдал. Зато через минуту после твоего отъезда написал мне: «Был Желтухин Первый. Хорошо пел». И твой парижский адрес.

— А... этот Гюнтер... послушай, он... действительно так на тебя похож?

— Что ты! — Она фыркнула. — Я даже не понимаю, зачем Фридрих это придумал, — может, на новую родню «работал», усилить родственное впечатление? Или самому почудилось что-то такое... в детских чертах. Да нет, Гюнтер похож на торговца-туркмена или на турка, хозяина шварменной. Или на пакистанца. В общем, он даже на Фридриха не похож. Видимо, на мать, та была откуда-то с Ближнего Востока. И одевается нарочито по-простому, «моя-твоя не понимай», и строит из себя такого... гастарбайтера. Если кто случайно видел его в доме, принимал за садовника. Хотя Гюнтер — очень образованный человек, закончил Тегеранский университет. У него специализация какая-то необычная, Фридрих говорил — семитские языки, что ли...

— Семитские языки?! — воскликнул Леон.

— Если я правильно помню, — неуверенно проговорила она. — Я в этом не очень... Что-то там... в Африке, да?

Да, детка. В том числе и в Африке... Такая вот экзотическая группа языков, среди которых, представь, — амхарский, тигринья, новоарамейский, мальтийский... Ну, и арабский. И, между прочим, иврит.

Леон перевел взгляд на спину и затылок Гюнтера **43**
на фотографии. Почему эта спина кажется... слишком
свободной, что ли? Ненагруженной... Что, что связано
с этой спиною, что перетаскивала она, эта спина, эти
плечи в твоей памяти, и почему никак не получается
прорвать пелену?

2

Однако перед Филиппом пришлось раскрыться. Не
слишком откровенно и никакого напряжения — ни в
голосе, ни *в наших профессиональных планах*; все на *мец-
цо-пиано*, все светски-оживленно: так и так, моя новая
знакомая из Таиланда, погостит недельку-другую. Об-
легченный отпускной вариант.

Для осторожного приятного ужина он выбрал хорошо знакомый ресторан в самом центре квартала Сен-
Жермен.

Ресторан «Вагенэнде» был для Леона своеобраз-
ным талисманом: здесь они с Филиппом раза три про-
водили на редкость удачные деловые обеды и ужины с
людьми, от которых так зависит «наш оперный бизнес».
Здесь и кухня была отменная, но прежде всего с порога
покорял интерьер: изысканный модерн, никакой проклятой современности.

Благодаря зеркалам, опоясывающим стены и опле-
тенным лианами красного дерева в стиле *nouille*[1], просторный зал пребывал как бы в плавном кружении.
Все арабески, овалы, вензеля, витражи и фарфор, бла-

---

[1]   «Лапша» *(фр.)*. — *Здесь и далее прим. автора.*

городные бронзовые люстры и овальный потолочный плафон работы Пивена (неброские, но удивительно чистые тона) — все сливалось в праздничный аккорд.

В начале прошлого века тут крутились в запарке официанты сети ресторанов быстрой кухни «Бульоны»; потом дело было перепродано и попало в руки семьи Вагенэнде, которая на протяжении чуть ли не всего двадцатого века самоотверженно оберегала изысканный интерьер от веяний эпохи. В шестидесятых чуть не разразилась катастрофа: некие деловые люди пытались выкупить ресторан под супермаркет. Тогда на защиту основ поднялась парижская элита, всё благородные едоки: генерал де Голль, Андре Мальро... надо ж было где-то по-человечески ужинать! Короче, ресторан отстояли.

Публика бывала здесь разношерстная, не чопорная, и атмосфера оставалась уютно домашней. А официанты — что редкость в Париже в наши дни — приятно удивляли учтивостью и расторопностью.

Меню *мероприятия* соответствовало стилю задуманной Леоном ознакомительной встречи: ничего торжественного, не помолвка же это; очередная пассия, милая таиландская гостья... Никаких фейерверков, но плотный ужин по полной программе, то есть, как говорила Стеша, «триста целковиков (местных целковиков, разумеется) отдай не греши».

Филипп появился, когда Айя с Леоном уже сидели за столом, рассматривая карту вин. Филипп был великолепен, благоухал дорогими духами, и хотя заявил, что еле приполз после трудного дня, его аккуратно зачесанные височки и ухоженная эспаньолка с неизменным белоснежным клинышком по центру, точно этот кот ел сейчас сметану и с ложки натекло на бороду, наводили на мысль, что по пути в ресторан Филипп все-таки навестил своего парикмахера.

Высокие стороны общались на английском. И первым (спасительным) этапом встречи стала оживленная инспекция книжки меню. (Филипп: «Ни одной книги не читал с бо́льшим увлечением! Я голоден как волк, так что приготовь толстый кошелек, мой милый...») Наконец выбрали: на закуску — утиный печеночный паштет, к нему по бокалу белого полусладкого «Монбазияк».

Для Айи Леон заказал *quenelles de brochet*, кнедлики из щуки, зато себе и Филиппу, зная мясные предпочтения своего друга, взял коронное местное блюдо: *tête de veau*, телячью голову, под которую хорошо идет красное «Жеврэ-Шамбертэн» — подхалимаж, легкий кивок в сторону любимой Филиппом Бургундии.

Вообще, Леон был осторожен, как никогда, предупредителен «на обе стороны», галантен, в шутках на редкость беззуб, боялся сказать лишнее слово, так и сверкая своими антрацитовыми глазами то на того, то на другую, подхватывая нить разговора, торопливо смягчая ершистые реплики Айи, старательно подбрасывая натужные нейтральные темы вроде разговоров об искусстве фотографии и красотах Таиланда. Искренне полагал, что свою партию в спектакле «очередная любовная гастроль» исполняет легко и естественно.

Дождавшись, когда Айя уйдет в дамскую комнату, Филипп сказал:

— Обидно, что ты считаешь меня полным кретином, старина.

И в округленные недоумением глаза Леона:

— Глухая... Ни капли интереса ни к твоему гениальному голосу, ни к музыке, ни к опере. Ни единого пересечения с твоей жизнью. Ничего не скажешь, идеальная пара для оперного певца.

— Филипп!

— Подожди, я не закончил.

Филипп достал трубку и неторопливо, в угнетенном молчании Леона стал ее набивать, затем раскуривать.

— Мордашка у нее симпатичная, и сложена хорошо, но худа, как ободранная кошка. И почему она все время оглядывается, как кошка на крыше: за ней кто-то гонится?

— Филипп!!!

В ярости Леон бледнел, наливаясь внутренним жжением.

— Вот-вот, еще одно мое слово, и ты дашь мне в морду, правда? — добродушно и задумчиво продолжал тот. — И после этого ты что-то лепечешь об «отпускном варианте», «легкой пассии» и «недельке-другой»? Посмотрел бы на себя: ты же вылизываешь ее каждым взглядом, как корова — новорожденного теленка! Ты истекаешь вожделением, несчастный недоносок... Нет, Леон, увы, мой диагноз суров: тяжелая злокачественная любовь и, видимо, с летальным исходом — имею в виду идиотский брак по идиотской страсти. Я не прав?

Леон молчал, комкая салфетку.

А как вчера он выбирал ей одежду для этого ужина! Как выразительно обтекает ее фигурку чудесное шелковое платье цвета вишневой пенки, с тонким бордовым ремешком на талии, со свободным двойным хомутом круглого воротника, из которого вырастает гибкая шея лани. А ее певучие брови — чуткие, дерзкие, шелковые... А удивительные отзывчивые глаза, которые под бронзовыми люстрами немедленно приобрели цвет золотистого ликера и так и мерцают вишневыми искорками... А как ее ножкам идут высокие каблуки новых ботильонов (в Одессе такие звались «катеринками»)!

Филипп протянул свою успокоительно мягкую руку и накрыл ею бешеный кулак Леона:

— Не терзай салфетку. Просто я вижу, что с тобой **47** стало за эти недели, и каким ты вернулся оттуда, из этого проклятого Таиланда, и что успел наворотить. На данный момент я счастлив, что она приехала, и значит, контракт с Лондоном останется в силе. Я ей готов руки за это целовать! Но ты же выжат ею досуха, болван ты этакий, — чем ты петь станешь? Так что прошу лишь об одном...

Тут вернулась Айя, и одновременно — как и полагается, до десерта — приплыла в руках официанта большая тарелка с разными сортами сыра. Все сосредоточились на выборе: недурное средство для остужения «бешеного мавра», как частенько называл Леона Филипп. Дама выбрала не слишком пахучий «Фурмд'Амбер»; мужчины остановились на более крепком «Мюнстере».

Несколько минут заняло спасительное обсуждение десерта: выпечка, торты и прочий сладостный разврат, пояснил Филипп, — сильная сторона здешнего меню.

— Если вы еще не пробовали «Плавучий остров», дорогая, непременно возьмите! — горячо советовал он Айе. — Это что-то невероятное: круто взбитые белки, плавающие в сладком английском соусе.

— Не бери ни в коем случае, — грозно предупредил Леон. — Сам он терпеть эту бурду не может.

В конце концов все единодушно сошлись на профитролях под горячим шоколадом.

И можно бы считать, что (с некоторыми осложнениями) первое знакомство закругляется изысканным шоколадным пируэтом, но тут Филипп решил обсудить предстоящий концерт в Кембридже и деловые встречи в Лондоне (взрывоопасная тема, которую Леон отодвигал на самый последний момент).

— Ты, конечно, возьмешь свою гостью в Англию? — приятно улыбаясь, спросил Филипп с едва заметным ядовитым *форшлагом* в конце вопроса *(о, воображаю, это будет самый утонченный ценитель в зале)*.

Айя изменилась в лице: даже не кошка на крыше — пантера над обрывом.

— Чего я там забыла? — мрачно бросила она, дернув плечом.

Филипп опешил. Кажется, он считал эту девушку обитательницей островных джунглей, а поездку в Лондон — этаким манящим призом для очаровательной обезьянки.

— Как?! — воскликнул он. — Лондон! Британский музей, музей Виктории-Альберта, жемчужина...

— Зат-кнись! — процедил Леон по-французски, в ярости уставившись на Филиппа. — Ради бога, заткнись! Она провела в твоей жемчужине не лучшую часть жизни.

— Ты же не предуп... я же хотел... — Филипп бормотал растерянно и раздраженно. — Так объяви темы, на которые я могу с ней говорить, — сколько их: две? три?

— Я не понимаю французского! — выпалила Айя по-русски, вскинув подбородок.

Леон сказал, глядя в ее глаза цвета золотистого ликера:

— Я люблю тебя. Знаешь, что я сделаю, когда мы вернемся домой? Сначала я расстегну твое...

— Но я же не понимаю по-русски! — сокрушенно воскликнул Филипп и развел руками.

— Идите вы к черту оба, — вздохнул Леон. — Устал от вас.

И все трое вдруг расхохотались...

— И отпустите меня отлить, ради бога, — взмолился Леон, — нет сил терпеть, карауля вас, драчливых баранов!

Вернувшись из туалета, он застал чуть ли не идиллию: Филипп рассказывал коронные «брючные байки» своего отца, известного дирижера Этьена Гишара. В молодости тот был недурным скрипачом и до войны активно гастролировал. Более всего в этих старых байках Леона изумляла их схожесть с гастрольными историями музыкантов какой-нибудь Адыгейской филармонии — в свое время ими во множестве сыпал «Верный Гриша», а позже Леон и сам любил порадовать компанию анекдотами из собственной концертно-студенческой биографии.

— И вот он приезжает в Ментон — а год, скажем, тридцать пятый, тридцать шестой, — селится в самом изысканном местном отеле на шестнадцать комнат, идет на репетицию, затем обедает, отдыхает. А перед выступлением открывает наконец чемодан, который ему всегда складывала мама, — чтобы переодеться в концертный костюм. И с леденящим сердце ужасом обнаруживает, что мама забыла положить концертные брюки! Кошмар! Тогда все было строго: музыканты выступали только во фраках. Брюки черные, с лампасами: атласной такой продольной полосой по шву. Что делать? Выход один — бежать вниз, в ресторан, одалживать брюки у какого-нибудь официанта: по странной моде того времени, официанты носили точно такие же брюки с лампасами...

Леон, вероятно, в пятидесятый раз слушал эту историю — и с неизменным интересом. Филипп был незаурядным рассказчиком: ни одного лишнего жеста, ни одного лишнего слова, и притом — полнейшее ощущение чуть ли не экспромта:

— Итак, папа рысью бежит в ресторан и обнаруживает, что именно в этом заведении официанты одеты не так, как всюду, к тому же странно гордятся своей формой — брюки и жилетка в тонкую белую полоску! Ну,

50 делать нечего, времени нет, воскресный день, все магазины закрыты. Папа натягивает штаны какого-нибудь Шарля или Мишеля, опрометью мчится в концертный зал, где играет сложнейшую программу в брючках пошлого альфонса. Все прошло блестяще, публика доброжелательна — аплодисменты, корзина цветов... Наутро папа завтракает в том же ресторане и читает отзыв на свой концерт в местной газете. Рецензент разливается соловьем: звук, интерпретация, техника, музыкальность, ансамбль с оркестром! А в самом конце: «Кроме того, молодой солист привез нам из Парижа новую столичную моду: элегантные брюки, и не черные, а в деликатную полоску!»

Ну что ж, все идет прекрасно, можно успокоиться. И передохнуть, так как за этой байкой идет другая, но с теми же забытыми брюками — у Филипповой мамаши, судя по всему, был явный комплекс вытеснения, связанный с нижней частью тела своего супруга. В этой второй истории блестящий Этьен Гишар выступал в Лионе с каким-то вокалистом, и тоже, как на грех, в воскресенье, так что на сей раз пришлось им выходить на публику попеременно: певец дотягивал последнюю ноту, вбегал за кулисы и сдирал с себя штаны. А Этьен уже стоял наготове: в подштанниках и со скрипкой, молниеносно эти штаны натягивал и выскакивал на сцену. И все бы ничего, но певец был выше ростом, и брюки его на Этьене собирались гармошкой. Кроме того, им не удалось вместе выйти на поклоны, хотя публика хлопала очень долго.

— ...Я и сам терпеть не могу Лондон, — говорил Айе коварный Филипп, попыхивая трубкой, протягивая через стол свою мягкую руку потомственного дирижера и как бы уминая, вылепливая толстыми пальцами тонкие пальцы Айи. — Разве он сравнится с Парижем... Анти-кварная лавочка, индийская лавочка, величественный табачный ларек, грандиозная телефонная будка... А их национальная кухня — о, пощадите мой желудок! А-а-а-а!!! — (Это Айя перехватила и сжала его руку.) — Ох, дорогая, у вас совсем не женская, такая сильная рука!

— И шея сильная, — добавила она. — Знаете, сколь-ко весит фотоаппарат с большой линзой?

— А сколько весит дохлый удав! — подхватил Леон.

* * *

Дома им все же пришлось объясниться:

— Понимаешь, радость моя...

— Только не называй меня своей радостью, как эту консьержку, а то я решу, что ты — Филипп.

— Хорошо: моя мегера, мой идол, моя худющая страсть — так лучше?

— Я не худая, я в теле...

— О-о-о, да! Сейчас начну вытапливать этот жир!

— Пусти, перестань меня хватать, говори, что хотел...

— Сначала кофе сварю, ты не против?

— Мне не кофе, а чай...

— Да ты просто *нох айн казахе!*

— Ага, и с молоком...

Они просидели на кухне до глубокой ночи. Он до-казывал, убеждал, уговаривал, рисовал дивные кар-тины, высмеивал ее страхи, описывал дом главного редактора какого-то музыкального издательства, с ко-торым должен был в Лондоне встретиться: якобы там в кухне, над старинной печью всегда сушатся серые залатанные кальсоны... Она сначала смеялась, потом плакала, опять смеялась его шуткам. Наконец на вы-дохе смеха согласилась «поехать в этот чертов Лондон».

52   Он поздравлял себя с выигранной битвой, вспотел от напряжения, как дровосек, — хоть рубашку выжимай.

Затем, уже обсудив все детали поездки, они минут пять умиротворенно целовались над пустыми чашками...

...после чего она объявила, что все-таки нет, никуда с ним не поедет:

— А вдруг я столкнусь там с Фридрихом? Елена таскается с ним на всякую музыкальную... — И вовремя запнулась — значит, собиралась нечто *сказануть*: *музыкальную чушь? музыкальную хрень?* Да уж, сейчас ей, бедняге, придется придерживать язык на кое-какие темы.

Леону следовало бы просто утащить ее в постель — *ночной кенарь дневного перепоет*. Но он устал, разозлился и, как это прежде бывало на допросах, от упорного сопротивления *объекта* повел себя еще мягче: надо захомутать эту кобылку; хватит, натанцевались.

— Ты не только столкнешься с ним, — скупо улыбаясь, *совсем иначе улыбаясь*, проговорил он. — Ты напишешь ему и напросишься в гости.

Она молча уставилась на эту улыбку. Так он смотрел на нее *там, на острове*, перед тем как заманить в лес. Испуганным шепотом спросила:

— Зачем?

У Леона в заначке имелось по крайней мере три убедительных ответа и три разных улыбки на подкладку, но, беззвучно рисуя губами слова, будто их кто-то мог подслушать, он сказал:

— Не знаю... — что было, во-первых, чистейшей правдой, а во-вторых, единственно верным в эту минуту ощущением и единственно родственным — ее внезапным птичьим перелетам.

Ему не нужен был Фридрих. С Фридрихом, и очень скоро, разберутся другие. Гюнтер — вот за кем он охо-

тился: неуловимый Гюнтер, племянник генерала Бахрама Махдави, вероятный секретный координатор по связям КСИРа с «Хизбаллой». В доме Фридриха возможен шанс выудить какие-то сведения о маленькой неприметной бухте, о частной почтенной яхте, чьей конечной целью будет Бейрутский порт... Именно в доме Фридриха могла их ожидать вольная. В сущности, в Лондон Леон ехал за выкупом. Он задумал этот обмен с конторой еще в тот день, когда Айя, сидя на его колене, подтвердила присутствие Гюнтера в Иерусалиме в день убийства старика-антиквара. Что ж, если на то пошло, мы не чураемся торга: я вам сынка, Гюнтера, или как там его еще зовут, а вы мне — покой и волю. То есть Айю. Конечно же, Айю.

— Воображаю, — она усмешливо тряхнула головой, — как мы сваливаемся туда прямо на день рождения Фридриха.

— А когда это? — встрепенулся Леон.

— На другой день после твоего концерта в Кембридже.

Леон вскочил и заметался по кухоньке, вылетел в коридор, встал в дверях спальни, уставился на Барышнин гобелен, словно пересчитывал, все ли пирожные в наличии или их уже слопал негодник-апаш. Нет, не все, не все пирожные он слопал, в радостном возбуждении буркнул Леон, кое-что оставил тебе на закуску.

Вернулся в кухню и вновь уселся за столик — странно спокойный, чем-то донельзя довольный.

— Там собирается большая компания?

— Да нет, в основном его пожилые дружбаны, из этих: «мой адвокат», «мой врач»... И еще какой-нибудь заезжий хмырь из *ВИПов*, в модных туфлях с шипами, вокруг которого выплясывает Елена. Человек семь, десять. Во всяком случае, Большая Берта все эти годы справлялась сама, никого не нанимали. Она неплохо стряпает и терпеть не может готовую еду, которую, знаешь, теперь принято покупать, «чтобы в доме не воняло». А когда Елена пытается что-то вякать, кричит: «Еда не сразу становится говном!» К тому же Гюнтер, если он в Лондоне... Вот кто готовит — пальчики оближешь!

— А Гюнтер *всегда* приезжает на день рождения Фридриха?

— Не обязательно... Но когда может — приезжает. Эта дата — она и день смерти его матери, такое вот совпадение. Ну, и в этот день он старается быть с отцом. Хотя за столом с гостями никогда не сидит. Я же говорю — его в доме не чувствуешь, он как призрак. Леон! — Айя поежилась, умоляюще проговорила: — Не стоит туда соваться. Я боюсь их, Леон!

— Чепуха, бродяжка моя, — нежно отозвался он, хотя в губах его и промелькнуло неуловимо опасное выражение. — Чего тебе бояться? Я буду рядом.

— Нет, погоди. Я просто не понимаю, зачем тебе этот глупый риск! — И недоуменно усмехнулась, покачав головой: — Ну, в роли кого я тебя притащу — даже если решусь сунуть туда нос? Знакомьтесь, это мой... кто ты мне — бойфренд?

Несколько мгновений они молча смотрели друг на друга — несколько протяжных мгновений, которые все длились, аукаясь в их глазах, властные и одновременно робкие ощутимые, как прикосновения.

— Жених, — коротко и тихо сказал он. — Годится?

Она помедлила... Спросила безразличным тоном:

— Это такая... концертная версия?

Тогда, отсчитав три гулких удара в висках, чувствуя, как что-то мягко всхлипнуло и покатилось в невозвратную глубину груди, он спокойно ответил:

— Это предложение руки и сердца, если ты не против.

Она не шелохнулась. Сидела, по-прежнему всматриваясь в его губы, недоверчиво улыбаясь, будто он случайно оговорился, просто *не мог произнести такого*, и оба это понимают. Только брови ее ласточкины дрожали, не снижая изумленной высоты.

Наконец она вздохнула, поднесла обе ладони к лицу, точно собираясь напиться, вдруг нырнула в них лицом и заплакала.

И беззвучно, неиссякаемо плакала все время, пока Леон скупо объяснял, ребром ладони размечая на столике этапы опасного разговора: именно так — дорогой Фридрих, никогда не стала бы надоедать тебе случайным знакомством. Но это для меня — слишком серьезный шаг, а ты, несмотря на все наши разногласия, у меня тут единственный родственник. И не то что благословения жду, просто считаю необходимым представить тебе... и так далее.

...беззащитно улыбалась, кивала и плакала.

Слезы у нее всегда были наготове, так близко, так благодатно близко; к ее резкому и сильному характеру никакого отношения не имели. И хорошо, что Леон это сразу понял: просто природа заботилась, чтобы в отсутствие слуха самый важный инструмент ее существа — ее глаза, ее пристальный лучистый взгляд — постоянно омывался сокровенной природной влагой.

3

Он и сам не знал, почему решил превратить эту, в сущности, недолгую поездку в *путешествие*, для чего придумал изрядную часть пути проделать на машине, через соборный сумрачный Амьен, через гобеленовый переливчатый Аррас и простеганный каналами Брюгге... Переночевать в Брюсселе, в каком-нибудь неприметном пансионе, а утром сесть на «Евростар» — до Лондона.

Не самый удобный, не самый быстрый способ попасть из Парижа в Лондон, но Леону хотелось «проветрить девочку». Хотелось расслабить ее, хоть немного снять то чудовищное напряжение, в котором она жила последние месяцы, да и последние недели их новой, обоюдоострой, взрывчатой, неистовой жизни вдвоем.

Одинокий кенарь, он посматривал на себя как бы со стороны. Утром изумлялся, если, проснувшись, слышал, как в ванной льется вода. Сквозь сон себя спрашивал: это Владка приехала? И ярким всплеском — нет, не Владка, но некто вроде... Улыбнувшись, потягивался, перекатывался, блаженно распластывался на постели, руки разбрасывал, проводил ладонью по ее еще теплой подушке... Время от времени прислушивался к себе: когда уже он начнет раздражаться? Когда захочется на часок закрыть за ней дверь, с воздушным поцелуем вослед? (Любимая присказка холостяка Филиппа: «Старина, знаешь, что такое вечность? Это промежуток времени между минутой, когда ты кончил, и минутой, когда за ней захлопнулась дверь...»)

А вот и нет, старина. А вот и нет. И странно, и так ново: возможно, именно звуковой вакуум, этот кокон полнейшей тишины, в котором она существует, дарит ему, Леону, удивительную свободу выплеска. Он ловил себя на том, что дома стал громко хохотать, а в минуты их бенгальских искристых ссор с наслаждением кричал, чувствуя потом легкость в груди, словно таял, испарялся окаменелый кусок льда, наращенный всей жизнью. Выорался (Одесса-мама, насмешливо говорила Айя) — но будто вены отворил. Грозовые разряды, погромыхива-

ющие где-то там, высоко над головой, и все — мимо, мимо... Здесь только свежесть, и разреженный воздух, и музыка, никому не досаждающие его колоратуры, волнами взмывающие к потолку... Так что, может, ты и прав, дорогой мой Филипп: «идеальная пара для оперного певца»?

Когда все пройдет, думал, надо сразу купить ей фотоаппарат — видел, как она мается, как вдруг сощуривается, откидывая голову, как замирает на миг и раздраженно прищелкивает пальцами: кадр упущен. И бросается к компьютеру, сосредоточенно перебирает что-то там, «обстригает» кадры, выстраивает, дорабатывает уже готовое. И сидит, уставясь в экран, нетерпеливо подтанцовывая коленкой, будто застоялась в стойле и сдерживается изо всех сил, чтоб не разнести стены конюшни.

Да, пора ей камеру купить...

Леон плохо представлял себе, во что выльется его и впрямь диковатый план посещения «Казаха». Просто чуял, что если и существует для них обоих возможность вылететь на свободу, то кроется эта возможность в опасном доме Фридриха Бонке.

Вот ты опять со своей идиотской интуицией, говорил в свое время шеф. А ее просто не существует. Разведка — дело скучное: анализ ситуации и фактов, помноженный на кровавый опыт других.

Что и говорить, чистая это правда, но... как передашь покалывание в кончиках пальцев, предвосхищение смены тональности, неизбежное нарастание музыкальной темы в ушах и во лбу, над бровями? Как растолкуешь осязаемое приближение кульминации? Как опишешь головокружительный восторг в ожидании всегда неожиданного финала?

* * *

Своего автомобиля Леон не держал: никчемушный след — куда ехал, где стоял, где заправлялся... На одолженных-то колесах приватность куда как больше.

Он понимал, что толковей всего добираться на поезде прямиком из Парижа в Лондон: в толпе пассажиров и затеряться легче, и, как ни странно, легче заметить и отследить «хвост». Но толпы он не любил, если только это не публика в зале, и по старой снайперской привычке предпочитал, чтобы вокруг расстилалось некоторое хорошо просматриваемое пространство. А если хотелось передвигаться, не слишком привлекая к себе внимание, никогда не снимал машину в фирме по прокату. Просто шел в гараж на соседней улице, к Жан-Полю, двадцатипятилетнему гению механики и автомобильного дела, совал пару сотен в его мозолистую лапу и брал на нужное время любой из трех его автомобилей. Те были всегда на ходу и всегда в приличном состоянии. А самым прекрасным было то, что влюбленный в цвет и линию неудавшийся живописец Жан-Поль — эстет чокнутый — едва ли не каждый месяц перекрашивал своих коней просто так, для настроения. И вот это Леону нравилось больше всего.

— Хочешь «Пежо»? — спросил Жан-Поль, умудряясь ковырять в носу пальцем, перепачканным в машинном масле. — Я его недавно *пережелтил*. Он сейчас как солнышко на дороге.

— Ммм... Не люблю дорожную полицию.

— Тогда «Рено-Клио» бери, он все еще темно-синий.

— Отлично, морские цвета успокаивают.

Складывались долго и канительно — будто на месяц уезжали. Выяснилось, что у них кардинально разный подход к дорожной экипировке: Айя предпочитает свободные руки и минимум веса («Я так привыкла; с меня довольно аппаратуры»), Леон, напротив, для «неожиданной погоды» и «разных поворотов сюжета» любит запастись лишним пуловером, лишней рубашкой и лишними туфлями. А фрак, черт его дери! А смокинг?! Черный — это само собой, а хорошо еще один, *на всякий случай...*

По этому поводу стены бывшей конюшни вновь сотрясали вопли, губительные для голосовых связок певца, но такие сладостные, поддержанные такими трелями вездесущего Желтухина...

— Нет, подожди, — оторопело спрашивал Леон над раскрытым чемоданом, с концертными туфлями в руках, — ты собираешься ехать с одной парой джинсов?!

— Но у меня же одна задница, — спокойно возражала она.

— Женщина! Может, ты и трусы берешь в одном экземпляре?!

— Я могу ехать вообще без трусов — ты будешь только доволен...

— А платье! Твое новое обалденное платье!!!

— Прекрати руководить моим гардеробом, Одесса-мама...

Когда чемодан уже стоял в прихожей, дом был прибран, холодильник опустошен и мусор вынесен, пригласили Исадору для подробных консультаций на предмет кормежки и выгуливания Желтухина Пятого. Португалка уже дружила с желтым наглецом и кавалером — тот строил ей куры и закатывал серенады. Не волнуйтесь, месье Леон, я все поняла: тут вот корм, водичку меняем каждое утро, и выпускать полетать, но форточку перед тем, конечно, закрыть.

Она вздохнула:

— Я бы с удовольствием забрала вашего красавца себе, но у внука такая аллергия на птичий корм...

— Да-да, аллергия, — отрешенно произнес Леон в наступившей паузе, застывая, каменея и даже вроде как покрываясь инеем. — Как я мог забыть... Аллергия, да... Это замечательно!

Ринулся на балкон — разыскивать в кладовке дорожную медную клетку. Крикнул оттуда:

— Исадора! Радость моя! Простите! Все отменяется! Мы забираем кенаря с собой!

Явился с клеткой и принялся отсыпать корм в пакетики, собирать походный птичий багаж. Открыл ажурную дверцу и протянул Желтухину палец, который тот немедленно обхватил своими восковыми трехпалыми чешуйчатыми лапками.

— Поехали-поехали-поехали с оре-е-ехами... — выпевал Леон полушепотом. — Канарейка за копейку... чтобы пела и не ела... Карета по-о-одана, маэстро, карета по-одана...

Кенарь вспыхнул крошечным солнцем в утреннем луче меж гардин, перебрался на новую жердочку и принялся деловито инспектировать свой портшез.

Айя наблюдала эти внезапные сборы в замешательстве.

— Ты с ума сошел? — осведомилась она нерешительно.

— А что! — Леон почему-то был в восторге от внезапной своей дикой идеи. — Берут же хозяева в поездки кошек и собак. Я, может, жить не могу без любимого кенаря...

— Месье Леон — большой оригинал, — пояснила Исадора обескураженной Айе. И улыбнулась: — Настоящий артист!

Пока загружались у Жан-Поля, поругались, помирились, долго бережно пристраивали на заднем сиденье клетку с Желтухиным Пятым, чтобы кенаря не укачало. Наконец покинули гараж, проехали переулок и встали на светофоре. И тогда Леон шумно и освобожденно выдохнул, засмеялся, потянулся к Айе и обеими ладонями взял ее лицо. Поцеловал с таким проникновенным, таким кротким чувством, словно через минуту им предстояло расстаться на год.

— Мы будем ехать долго-долго, моя любовь, — сказал, — через Амьен, Аррас, Брюгге... В Брюсселе непременно выпьем пива в одном славном подвальчике.

— В Брюсселе? Пиво? — недоуменно уточнила она, смешно ворочая головой в его ладонях, как ребенок в завязанной шапке-ушанке, все еще не понимая его возбуждения, его праздничного волнения, только чувствуя, что эта их дорога — начало чего-то важного, возможно, очень опасного, но почему-то необходимого Леону.

И ничего на сей раз не спросила, что само по себе было невероятно.

Тут выпал зеленый, и они выехали из переулка на рю де Риволи.

* * *

В Амьене погода еще крепилась, не давая воли слезам, хотя пейзажи равнинной Пикардии никого бы не развлекли и не порадовали: унылый горизонт, как по школьной линейке, туманы на голых полях, безликие коробки промышленных блоков. И над всем — пелена утреннего неба, сквозь которую изредка процеживался парафиновый луч. Только бы не дождь, заклинала Айя, в дождь так скучно ехать...

Но в Амьене дождь их еще не настиг. Загнав машину на муниципальную парковку, они под пасмурным небом пошатались немного по центру, прошлись по берегу сонной и тихой Соммы, отыскали кафе как раз напротив собора Нотр-Дам и уселись за столик на улице.

— Он странный, да? — Айя кивнула на собор. Она сидела, вытянув и скрестив ноги в джинсах, все еще похожая на мальчика, хотя мягкий ежик ее волос уже стал завиваться на висках и затылке. — Какой-то неуравновешенный.

— Он самый большой во Франции, знаешь? — отозвался Леон. — Акустика изумительная, я пел здесь раза три. И внутри такой светлый текучий воздух — от витражей. Хочешь, зайдем?

Айя хмыкнула:

— Думаешь, я его не снимала, этого монстра? Я месяца три работала на один модный журнал, торчала здесь на фотосессии с этими идиотками... — И, перехватив его взгляд: — Ну, с этими, моделями. Кстати, их менеджер предложил мне *попробоваться*, уговорил напялить какие-то их супермодные тряпки, поставил меня на дикие платформы, каких я сроду не носила, — клоун на ходулях! — и пустил пройтись по площади... Ахал и закатывал глаза. В общем, я послала его к черту. Снимали здесь и в Генте, на фоне тамошнего собора. Но этот мне нравится больше. Он такой огромный, неловкий, какой-то... стеснительный: одно плечо выше, другое — ниже...

— И эта готическая роза в груди, как крупный цветок в петлице...

— Слишком тщательно сработана, — заметила Айя. — Каменный ажур этих соборных роз...

...А какую изысканную розу вырезал из красной луковицы «ужасный нубиец» Винай... Куда он все-таки делся?

Какому бизнесмену готовит сейчас свой тайский салат из холодной говядины? Господи, на что тебе сдался Винай, если уж даже в конторе равнодушны к его судьбе? И к чему твой беспокойный слух все танцует и кружит, все обшаривает тревожными щупальцами закоулки твоей же памяти?

Официант принес кофе.

— Амьен здорово порушили во время войны, — сказал Леон, отвлекая себя от навязчивых мыслей. — Потом его лет двадцать восстанавливали — ратушу, собор, Амьенскую башню, практически весь район Сен-Льё... Реставрация — всегда чуть-чуть помесь Диснейленда с кладбищенским памятником.

— А еще не люблю эти парадные шеренги святых над порталами. Выстроились, лица постные, у каждого — послужной список чудес. Знаешь, вот в Страсбурге... — Она оживилась, подалась к Леону, и руки мгновенно взлетели к лицу, готовые ассистировать. — Там статуи собора, те, что уцелели, перенесли в «крытый мост», и представь: ангелы и химеры за грязными решетками КПЗ... Сразу меняется все! Вот что значит деталь как рычаг события. Заключенные ангелы... Я сделала целый рассказ. Потом покажу тебе пару снимков. Там есть один юный ангел — папа говорит, на меня похож. Умора, кому сказать...

Он смотрел на ее лицо, все собранное из плавных и чуть раскосых овалов, и думал, что Илья Константинович прав: она и есть — заключенный ангел, всегда замышляющий побег. Ангел, запертый в пожизненную одиночную камеру глухоты. Его, Леона, собственный заключенный ангел со связанными крыльями...

Тут первая капля дождя упала ей прямехонько на нос, другая на скулу, скатилась к подбородку крупной слезой. Айя поежилась и засмеялась, отирая кулаком щеку, погрозила грязноватому неряшливому небу.

— Ну, началось... — вздохнул Леон. — Пойдем к машине?

— Постой, у меня тут кофе еще на семь глотков.

Сняла со спинки стула его джинсовую куртку и накинула на голову. Так и сидела, торопливо допивая свой кофе.

И тут Леона прошибло. Вдруг он понял, кого так мучительно она все это время напоминала. И почему при взгляде на нее то и дело возникают: слепящий свет, голубое покрывало, длинные послеполуденные тени от высоких монастырских стен и тишина каменных прохладных залов... Конечно, вот оно: Палермо, Музей изобразительного искусства, картина Антонелло да Мессина — «Мария Аннунциата»...

Он приходил туда дважды и оба раза — ради Марии. Подолгу стоял, нащупывая интонацию, меру, тембр... В те месяцы работал над несколькими барочными ариями, посвященными образу Девы. Многое не чувствовал, во многом сомневался... Странно — почему вдруг решил продираться к своим открытиям через иное искусство, через живопись?

Николь сначала иронизировала, потом слегка сердилась — по-своему, конечно, мягко улыбаясь: «А если я стану ревновать?..» Да-да: голубое покрывало, широковатый нос, высокое чело с благородными бровями — мальчиковое лицо из плавных раскосых овалов, и все вместе подчинено единому замыслу. Глаза с припухшими верхними веками ускользают, не смея на тебя взглянуть; щепоть левой руки придерживает на груди покрывало, а правая слегка приподнята: то ли Мария потянулась остановить того Невидимого, кто ее покидает, то ли ощупывает воздух перед собой, еще не веря в произошедшее... И странное ощущение, что эта девушка никого не слышит... Вернее, слышит только жизнь внутри себя.

*«Леон, ну что ты прилип к этой картине! Ты меня по-
ражаешь... Странные пристрастия...»*

*Та волшебная поездка на Сицилию — семейная вилла
на вершине горы, многослойная синева моря, поутру бле-
щущего серебром, — несколько безмятежных дней, когда
он был близок к тому, чтобы произнести те самые слова, которых Николь ждала три года и не дождалась. Те
слова, что открыли бы ему ослепительные своды высших
сфер: возможность дорогостоящих рекламных турне,
грандиозных «промоушнз» и прочих современных трюков
для мгновенного вознесения певца на вершину международного музыкального олимпа.*

*Короче, те самые слова, что так просто, почти без
выражения, он сказал на своей кухне вот этой глухой девушке с его джинсовой курткой на голове; этой девушке
с широковатым носом, сосредоточенным взглядом из-
под припухших век и ласточкиными бровями, на которые он готов смотреть не отрываясь всю оставшуюся
жизнь.*

— Вот теперь идем, — бросила она, снимая с головы куртку и перекинув ее через плечо Леона.

В Аррасе дождь уже покропил мостовые, оставил
крупные оспины на лобовом стекле машины, так что
ужинали поближе к стоянке, в каком-то неинтересном
ресторане — просто чтобы отсидеться и передохнуть.
Вообще каждые километров пятьдесят Айя предлагала
где-то «посидеть», придумывала разные нелепые пред-
логи, как ребенок, оттягивающий возвращение с про-
гулки домой. Волновалась — не устал ли он? Неужели
ее настолько пугало приближение Лондона?

На въезде в Брюссель они угодили в кошмарную
пробку. Доползли до Гранд-плас и долго тыркались

по окрестным переулкам в надежде урвать местечко для машины. Наконец повезло: на одной из парковок виртуозно втиснулись между двумя микроавтобусами и под ровным, жестким, но все еще терпимым дождем нырнули в подвальчик, в обещанную Леоном пивную, название которой «Cercueil» переводилось просто и брутально: «Гроб». У них и в витрине наглядно расположился скелет — в роскошном гробу со снятой крышкой, непринужденно свесив кости бывших рук по краям своей узкой обители.

Внутри псевдотаинственной крипты в мерцании свечных огоньков накачивалась пивом веселая публика. Скамьями служили, разумеется, гробы. Музыку крутили, разумеется, «Реквием» Моцарта.

— Забавное местечко, — заметила Айя, — хотя и выпендрежное.

— Но пиво первоклассное, — возразил Леон.

Он уже не боялся музыки «Реквиема», как это было в детстве. Но с первых тактов «Introitus» по-прежнему мороз продирал его по хребту, и распахивалась мертвенная равнина мессы, а сердце сжималось в невыразимой тоске чьего-то вечного плена. Какого черта я приволок ее именно сюда, подумал Леон, как обычно на какие-то мгновения забыв, что Айе совершенно все равно, что там лепечут, шепчут или изрыгают динамики.

Они заказали по кружке пива, как-то невзначай разговорились с соседом по столику, бельгийцем, автомехаником.

— Я в молодости подрабатывал в этой пивной, — сказал он и кивнул куда-то в угол: — В гробу лежал вон там, изображал покойника...

— Врет, — по-русски заметила Айя.

— Да нет, просто тяжеловесный бельгийский юмор. У французов есть куча анекдотов про бельгийцев, как у русских про чукчей.

Бельгиец, словно угадав, о чём идёт речь, вставил: **67**
— Зато у нас авторуты ночью освещены, не то что у французов: влетаешь в чёртову задницу и думаешь — да что они, на фонарях экономят? — И довольно захохотал: — А им просто свет не нужен. Они с наступлением темноты самовоспламеняются!

* * *

Когда собрались выходить и сунулись наружу, дождь уже расхлестался вовсю. Накрывшись курткой Леона, добежали до стоянки, за две минуты вымокнув насквозь. Влезли в свой «Рено-Клио», включили печку... которая, как выяснилось, не работала. Сволочь Жан-Поль, ругнулся Леон, отирая мокрыми ладонями мокрое лицо, не предупредил! А надо было «Пежо» брать, жёлтое солнышко, тот хоть поновее...

Грохот дождя по жестяному навесу стоянки перекрывал все звуки, даже гомон и гул колоколов. А ещё ведь предстояло искать ночлег, какой-нибудь отель неподалёку, влезть под горячий душ, переодеться в сухое...

— Как там Желтухин? — озабоченно спросил Леон, оборачиваясь. — Не помер, бедняга?

— Не знаю, молчит... Господи, папа тебя прибил бы! Зачем ты потащил кенаря в Лондон, можешь сказать наконец?

— Это подарок Фридриху.

— Что?! Да послушай... птицы — совсем не по его части!

— А вот это мы увидим, — буркнул Леон.

Выехали из крытой стоянки под обвал дождя, заколотившего в лобовое стекло машины остервенелыми кулаками. Леон запустил дворники на предельную беготню и воскликнул:

— Потерпите, птицы! Я знаю, где мы заночуем! — И повернулся к Айе: — В замке! Хотите в замок, принцесса?

— Смотри на дорогу, умоляю, — отозвалась она, стуча зубами. — Что ты еще придумал, что за замок...

— Скорее поместье. Для классического замка там нет оборонительных укреплений — ну, рва с водой, подъемного моста, чего еще? Дальнобойных мортир на стенах... Но галерея для менестрелей в дубовом зале и поворотный круг, такой, чтоб развернуться четверке лошадей, — это есть. И камин, в котором можно гулять по утрам, если пробить железную заслонку.

Леон и сам не знал, почему вспомнил про замок. Тот вдруг восстал в памяти во всем своем неуклюжем и неухоженном великолепии.

— Это недалеко, во Фламандском Брабанте, — торопливо пояснил он, — на пути в Лёвен... Прелестный шато, благородная романтика, бесконечные коридоры. Под ноги только надо смотреть.

— Зачем под ноги?

— Чтобы в колдобину не угодить.

— Он что, на реставрации, этот замок?

Ее простодушный вопрос почему-то привел Леона в восторг. Мгновенно перед глазами возникла милейшая чета Госсенс, его давние знакомые, Шарлотта и Марк (длинная цепь приятельств, украшенная *дуоля-ми-триолями* побочных музыкальных связей и дружб) с целым выводком то ли пятерых, то ли шестерых очень музыкальных отпрысков. Этот караван замыкал ослик, баловень семьи, круглый год пасущийся на худосочном газоне перед внушительным, хотя и обветшалым парадным въездом в замок.

Оба, и Марк, и Шарлотта, время от времени перехватывали пару преподавательских семестров в университете Лёвена. Марк был политологом-славистом, Шарлотта хуже того — специалистом по музыке барокко. В длинных перерывах между университетскими заработками семья жила на пособие по безработице. Замок достался им в наследство — кажется, родители Шарлотты каким-то боком приходились родней королевской семье. Таким образом, простые и неприхотливые Госсенсы угодили в безнадежную социальную ловушку: получить муниципальное жилье владельцам замка, даже многодетным, — трудновато. Чинить все это былое величие Фландрии ни у них, ни у короля денег не было. Замок все больше ветшал, ценнейший узорный паркет (дуб и липа, палисандр и дусия) рассыхался и вздыбливался, неутомимый жучок точил мощные балки стен и кессонных потолков; в зимней оранжерее под дырами в стеклянном куполе чахли простуженные пальмы, сена на газоне для ослика явно недоставало, так что бедная животина перебивалась шоколадом.

Когда проваливались полы на одном этаже, семья перебиралась на другой.

Но одну из спален в бесконечных коридорах замка хозяева привели в удовлетворительный вид и сдавали неприхотливым путешественникам («Тоже грош, какой-никакой», — говорила Шарлотта). Года два назад Леон провел у них три безмятежных летних дня между двумя концертами — в Брюсселе и Брюгге, скармливая ослику все, что выносил после завтрака, весьма щедрого для такого скромного пансиона.

— Там есть огромная спальня, — сказал он, правой рукой растирая заледеневшие в мокрых джинсах колени Айи. — Такие перины, ах и вах! А у меня есть принцесса, которую я с упоением уложу на горошину...

— Смотри на дорогу, не трепись! — воскликнула она, трясясь от холода и обнимая себя обеими руками. — И руль держи! Если мы еще перевернемся...

Но они не перевернулись, хотя и проблуждали добрых часа полтора под обложным дождем. Ночь захлебывалась в могучих струях воды, раскачивала, трепала машину, обрушивала водопады на лобовое стекло. И Леон, и Айя совершенно окоченели, нахохлились, успели дважды поссориться. Кроме того, стрелка индикатора топлива уныло клонилась вниз, настойчиво намекая: подкормите лошадку...

Наконец нужный указатель вспыхнул в свете замызганных фар; оба они дико вскрикнули, свернули, еще раз свернули — на сей раз прямо в распахнутые ворота шато, которые никто никогда не закрывал. Въехали между двумя облупленными кирпичными колоннами, на каждой из которых грузно восседал нахохленный каменный грифон с фонарем в клюве, и покатили по воющему от штормовых порывов парку. Деревья раскачивались, как толпа безумных фурий. Впереди на холме мрачно громоздилась зубчатая туча, густо заштрихованная ливнем, — это и был замок. Слава богу: в трех окнах хозяйского этажа горел свет. Здесь поздно ложились.

Леон проехал длинную, в рытвинах, подъездную аллею («Если у них и в комнатах такие ямы, — пробормотала Айя, хватаясь за что попало — за колени Леона, за спинку сиденья, даже за руль, — то лучше уж в машине заночевать»), свернул к западному входу и прогудел тремя протяжными сигналами — больше шансов, что хозяева услышат полуночных гостей: дверной звонок мог быть испорчен.

И правда, через пару минут дверь приоткрылась, из нее выпал столб желтого света, в котором возникла долговязая мужская фигура. Приспустив боковое стекло, Леон крикнул:

— Марк! Принимай несчастных, хочешь или нет!

Марк в ответ что-то приветливо и бодро гаркнул, хотя по интонации Леон понял, что в пелене дождя гостя тот не узнал. Но к гостям здесь привыкли и принимали в любой степени опьянения, безумия, обнищания и влажности. Возможно, сказывалась славистская закваска Марка: в молодости он года три ошивался в Ленинграде, якобы одолевая аспирантуру, а на деле борясь за чьи-то права и с опасностью для жизни провозя в замурзанном рюкзаке и за ремнем джинсов запрещенную литературу.

Прихватив с вешалки в холле старый клеенчатый плащ, Марк сбежал по ступеням к машине и тут лишь узнал Леона: сквозь потеки дождя на стекле Айя видела бурные, судя по губам, восклицания по-французски.

Леон выскочил и врезался в его пылкие объятия. Затем они извлекли из машины Айю, клетку с обморочным Желтухиным, с головой укутали их в плащ, так что старая пыль, прибитая дождем, сразу же забилась в волосы, глаза и ноздри, и потащили эту странную фигуру (Марк крикнул по-русски: «Инсталляц девущка с папигайчик!»), обнимая с двух сторон, неуклюже взбираясь по ступеням к двери. Когда ввалились в холл, всех троих — и Айю, несмотря на плащ, — можно было вешать на просушку над камином, если бы тот работал. Но он не работал уже несколько лет — по запрету пожарной службы.

Здесь горела одна-единственная лампа где-то в горних высях потолка, освещая высокую резную дверь парадной залы (темный дуб, щедро отделанный бронзой). А дальше простиралась великая тьма гигантского холла. Светя под ноги фонариком, хозяин провел гостей к подножию величественной (даже в этом скудном свете) мраморной лестницы, и, оставляя мокрые следы на протертом ковре, они стали подниматься в жилые покои семьи — великое восхождение к престолу увядшей королевской славы: миновали галерею для менестрелей, несколько переходов с плавными полукружьями мраморных перил. Наконец Марк толкнул дверь третьей или четвертой справа по коридору комнаты, откуда хлынули свет и тепло, и гости вдруг попали в ярко освещенный, благоуханный, кофейный, шоколадный, хлебный, жарко натопленный рай.

Кухня была прямо-таки королевского размаха: в центре над пылающей чугунной печью сияла обитая красной медью огромная вытяжная труба-геликон, которой вторила надраенная медь развешанной по стенам кухонной утвари. В углу пришепетывал современный газовый камин с тихой бурей голубых огоньков за стеклом. Все это сливочным блеском отражал и множил прекрасно сохранившийся старинный кафель стен. По шоколадным плиткам пола гонял на трехколесном велосипеде четырехлетний малыш, огибая мраморный разделочный стол, за которым примостился с ноутбуком старший сын лет семнадцати. А из глубокого потертого кресла уже выпрастывалась навстречу гостям толстуха Шарлотта (опять восклицания, объятия, быстрая, как полет стрижа, французская речь под писк обалдевшего — уже от тепла и света — Желтухина).

Леон извлек из дорожной сумки две бутылки бордоского «Saint-Émilion». Из холодильника приплыли сыр, маслины, какой-то буро-томатный салат в пластиковой коробке, и главное — ура! — багет и масло, и баночка не то варенья, не то джема. Тут же был снят с гвоздя за дверью необъятный флисовый хозяйкин халат, и, дважды в него обернутая, Айя утонула в кресле Шарлотты, готовая тут же заснуть... и заснула! Но минут через пять ее растормошили, придвинули вместе с креслом к столу, сунули в руки пузатую фаянсовую чашку крепкого чая с толикой лимонного ликера — от простуды. И затем оставили в покое.

Все трое — Марк, Леон и Шарлотта, — судя по бешеной артикуляции и ежесекундному смеху в запрокинутых лицах, были увлечены оживленной перепалкой; Леон, кажется, даже принимался петь. В теплом воздухе плыли ароматы чая, кофе, душистого лимонного ликера, разогретого в печке багета. Пацан на велике нарезал вокруг стола опасные круги, не обращая внимания на окрики взрослых.

Айя прикрыла глаза, отплывая все дальше в блаженном озере тепла и света, ничего не желая, кроме как сидеть здесь и сидеть, утонув в пушистом коконе хозяйского халата. И если б ей сказали, что она останется в кресле до утра, она была бы абсолютно счастлива. И полагала, что так оно и устроится.

Но минут через сорок, когда оба ребенка — и большой и малый — были отправлены спать, Айю опять расторомошили, всучили клетку с уснувшим Желтухиным, потащили из кухни. Прихватив фонарик, Марк пошел сопроводить их до «апартамента».

И вот эта дорога была едва ли не длиннее их дороги сюда из Брюсселя. Возможно, потому, что шли в темноте, за скудным лучом электрического фонарика, обходя опасные выбоины в паркете. Под ногами на все лады всхлипывали и крякали прогнившие половицы. То справа, то слева их обгоняли зловещие тени, лежа бегущие по стенам, где, как в теневом театре, вырастала гигантская клетка с нахохленной тенью Желтухина и уплывала к черным балкам потолка. Луч фонаря выхватывал пузырящиеся останки обоев позапрошлого века — тисненые «флёр-де-лис», золотистые «бурбонские» лилии с прорехами красного кирпича.

Айя чувствовала себя внутри какого-то барочного романа: бесконечные коридоры этой сюрреалистической коммуналки (вереница дверей справа, вереница — слева) казались сном, наваждением, чередой кадров из позабытого старого фильма о призраке замка. Летучих мышей тут не хватало. Впрочем, в других крыльях замка, возможно, водились и они.

— Сколько тут комнат? — спросила она, тронув Марка за руку.

— На этаже? — спросил Марк, обернувшись.

— Нет, вообще, в замке?

Он рассмеялся, будто она спросила о количестве птиц в здешнем парке, тоже взял ее за руку и ласково сказал:

— Кто ж их может сосчитать, дорогая. Здесь веками достраивалось то и это, потом еще какое-то крыло, и еще пристройка, и еще башенка... И кому понадобилась бы эта статистика?

Нужную спальню сам хозяин отыскал с третьей попытки: вначале сунулись в комнату с пыльной тушей старого рояля среди обломков стульев и оттоманок, затем нырнули в какую-то, судя по высоким книжным стеллажам, библиотеку, трижды в коридорах шарахались от зеркал, с амальгамой, изъеденной, как тело прокаженного: зловещие рожи, что глядели оттуда, оказывались их собственными лицами, подпаленными светом фонарика...

Наконец, одолев очередное колено этого сновиденного коридора, Марк завернул за угол, издал охотничий вопль, толкнул дверь и, нашарив выключатель, щелкнул.

Здесь ожили и люстра, и два прикроватных бра. Выплыла — на подиуме, как сцена в кафешантане, — огромная, с резным изголовьем, с жеманным кисейным пологом дубовая кровать, идеально застеленная бело-

75

снежным бельем. У стены напротив — такой же дубо-
вый заковыристый шкаф, типа исповедальни из таш-
кентского костела, длинная скамья с высокой спинкой
и комод, на который и была немедленно водружена
клетка с притихшим от страха и качки Желтухиным.

Ничего лишнего в этой комнате не было, кроме
грандиозного кресла с такой же резной лиственно-же-
лудевой спинкой чрезвычайной высоты и строгости —
кресла, явно перевезенного в опочивальню из зала королевского суда.

Это был блаженный конец пути, их ночлег, их райская обитель...

Марк, несколько смущенный лоцман, улыбнулся
Айе и сказал:

— Надеюсь, дорогая, этот наглец не посмеет вас тревожить, и вы проспите ночь, полностью откинув копыта. — И Леону: — Старина, весь этаж в вашем распоряжении. Ты еще помнишь, где ванная?

— Да, тут недалеко, — ответил Леон, — километров
пять. Но...

— Но горячей воды сегодня нет, — покладисто за-
вершил Марк, вручая им фонарик, как букет фиалок —
лампочкой кверху; после чего бесстрашно канул во тьму.
И откуда-то (из какого камина?) докрикнул с дружеским
смешком: — Только снимите обувь, когда полезете в
кровать! И сами виноваты, предупреждать на... Дальше эхо заструилось ему вслед, уползло, шурша вслед уга-
сающим шагам.

— Он что-то сказал? — спросила Айя.

— Ничего хорошего, моя бедная принцесса. Пойдем
все же, попытаем счастья в этой проклятой ванной?

Минут десять кротовьих блужданий под шуточки
Леона, что метки надо бы ставить, как Том Сойер —

на стенах пещеры, потребовались, чтобы разыскать ванную. Нашарили выключатель — и сиротский свет одинокой лампочки явил им стылое великолепие мраморных площадей.

— Вот это да-а-а... — прошептала зачарованная Айя. — Где кончается сия бальная зала? И где обещанная галерея для менестрелей?

Действительно, огромное до оторопи помещение можно было запросто принять за что угодно: зал конгрессов ООН, главную площадку Карнеги-холла... Одинокая лампочка — высоко, в небесах потолка — не в силах была зажечь и умножить огни в подвесках хрустальной люстры. В этом жидком, как спитой чай, свете (Барышня такой чай называла «пишерс»[1] и требовала, чтобы экономная Стеша немедленно заварила свежий черный прямо в ее стакане) торжественными ладьями плыли вдоль стен две глубокие, обшитые красным деревом мраморные ванны. Из оскаленных пастей бронзовых львиных морд торчали бронзовые краны.

От всего веяло холодом склепа: от бугристых стен (те же обои «флёр-де-лис», темные, как кожа христианских мучеников), от огромных высоченных окон с бархатными портьерами, от мраморного столика, от кокетливого новенького биде и шаткого унитаза шестидесятых годов прошлого столетия, с подвесным бачком и свисающей на цепи фаянсовой грушей. Когда окоченевшей рукой Айя открыла кран, из него полилась струйка ледяной воды.

Так что из всех предметов этой блистательной залы они решились почтить вниманием только унитаз, после чего пустились в обратный путь мрачными катакомбами коридоров, трижды обознавшись на тех же поворотах: сначала уткнувшись в тусклый бок давно онемевшего рояля, потом сунувшись в библиотеку.

---

1 Моча *(искаж. идиш)*.

Сколупнув только обувь, и то по наказу Марка и из уважения к трудам хозяйки, в постель заползли одетыми, не сняв ни свитеров, ни джинсов («Ночь любви отменяется, и мня не осудит даже изголодавшийся подводник», — бормотал Леон), обнялись покрепче и закопались под одеяло, как в сугроб, выбивая зубами мелкий зуммер.

Посреди ночи Леон не выдержал, вскочил, сорвал одну из портьер и накрылся с головой пыльным бархатом давно усопших королей...

* * *

...который утром оказался истинно королевским: винно-красным, ликующим, неумирающим, и курился мириадами веселых пылинок, облегая силуэт спящей на боку Айи.

Плита солнечного света, косо вывалившись из высокого окна, лишенного ночью гардины, падала на обои цвета топленого молока или старой кости — местами они потемнели до умбры жженой, но сохранили грубую текстуру дорогих обоев позапрошлого века: все тот же рельеф «бурбонских лилий», благородная труха поблескивающей в утреннем солнце позолоты.

Сейчас комната выглядела светлой и просторной; всюду — на столбцах балдахина, карнизах и дверцах шкафа, на высокой спинке прокурорского кресла — весело лепетали резные дубовые листья, пересыпанные ядреными желудями.

Изголовье кровати, сработанное искусным резчиком, являло собой кавалькаду пышнотелых нимф, окруживших разнузданного сатира. Видимо, лет триста назад сей игривый барельеф служил хозяевам замка чем-то вроде возбуждающей картинки из «Плейбоя».

Вместо сорванной гардины голубело небо, усердно протертое вчерашней бурей, а откуда-то снизу (чудесное наваждение? ведь это не может быть записью?!) — поднимались «Дунайские волны» в живом исполнении симфонического оркестра — конечно, малый состав, но и того хватит, чтобы согнать ослика с его газона.

Откуда оркестр? Ну да, в прошлый раз Марк рассказывал о своем друге, дирижере местного городского коллектива: тот конфликтует с кем-то из администрации концертного зала, и потому по выходным дням Марк пускает оркестрантов репетировать в замке...

Музыка, несмотря на «волновую природу звука», не могла разбудить «принцессу на горошине», закутанную в портьеру, в одеяло, одетую в джинсы, майку и джемпер: слишком надежно упаковано это чуткое тело. Айя крепко спала: пунцовая щека, належенная за ночь, даже на взгляд излучала жар.

Он тронул губами горячую бархатную щеку в ореоле золотых пылинок... не дождался ни единого движения в ответ и принялся за осторожные раскопки, бормоча:

— Безобразие... это археология какая-то... это какие-то римские колесницы, рыцарские латы... чертов пояс верности...

На последнем этапе раскопок она шевельнулась, заскулила сквозь сон, захныкала, выпутывая из губ медленные:

— Н-ну-у-у... н-н-невежливо... дайте ребенку поспа-а-ать...

Как это — поспать, возразил он, терпеливо выкапывая ее из-под слоев старых пыльных портьер, разворачивая, распеленывая, как мумию, я археолог, у меня плановая расчистка местности. Шеф, у меня *персонал простаивает*, можете убедиться... И тихо, вкрадчиво высвобождая из-под завала белья, одежды и гардин ее горячее — обожжешься! — тело, ахая при обнаружении очередного *артефакта*, выцеловывая его и бормоча: «Герцль, где моя грудка?», приговаривая: «Вот старшая... а вот младшая... а вот и старшая... а познакомьтесь: моя младшая...»

— Боже, как строго на нас смотрит призрак прокурора из того кресла... Нет, только глянь на эту порнографию у тебя над головой... Слышь, нимфа?! Открой глаза. Если б у меня был такой... *персонал*, как у этого с-с-сати-и-ира-а-а... я бы пере... пел всех сопрано во всех королевских... — ...вдруг умолк, прислушиваясь к музыке, будто ожидая сигнала...

— Ну?! — учащенно дыша, выдохнула она; глаза уже открыты (светлый текучий мед, прозрачный янтарь в солнечном луче, зеленоватый, с вишневыми искрами): — Ау, персона-ал?!

И его разбойничий глаз, смола горючая, близко-близко к ее губам, а голова в профиль — к окну:

— Постой... это «Дунайские волны»... вступление... вот... вот сейчас...

И они накатили, эти волны, стремительные, жаркие, с качельными крутыми взлетами властного ритма, с этими божественными оттяжечками (внезапными — для людей непонимающих), с кружением комнаты вокруг королевской кровати, с опасным (на раз-два-три) поскрипыванием полога над головой, с яростным лучом солнца, прожигающим два тела на ветхом, но, черт побери, пурпурном, и значит, все же королевском бархате гардин... И несло, и кружило течение умопомрачительного вальса, всем составом оркестра внизу подхватывая и уверенно подводя *неудержимо вальсирующую пару* к заключительному аккорду финала...

— Стыдно признаться, — (это уже Леон, выравнивая дыхание, с академической миной на все еще разбойном лице), — но подобная упоительная сцена впервые проходит у меня в живом сопровождении симфонического оркестра. И надо сказать, в этом качестве с вальсами вряд ли что сравнится!

Несколько месяцев спустя она будет бесконечно прокручивать в памяти несколько драгоценных кадров этого утра, каждый раз так больно обжигавших ее, что даже отец замечал что-то в лице и говорил: «Ну, прошу тебя... прошу тебя... просто не думай! Старайся не вспоминать...» Но она все крутила и крутила свои неотснятые кадры: вот они бегут (весь этаж в нашем распоряжении!), голые беспризорники, свободные от всего мира, бегут по бесконечным коридорам в ванную, такую же холодную, но уже залитую солнцем сквозь переплеты высоких, прямо-таки церковных окон; вот, запрыгнув в мраморную ладью и включив краны, поливают друг друга ледяной водой и вопят от холода, как дикари, от счастья вопят, от солнца, а потом Леон с остервенелым рычанием растирает всю ее обеими ладонями до пылающей, как от ожога, кожи и, завернув в халат, взваливает тюком на плечо и несет — «С ума сошел, во мне аж сорок восемь кило!» (видела бы она, пушинка, как в марш-броске он таскал на носилках Шаули...) — и несет чуть ли не бегом обратно в спальню, где проснувшийся Желтухин Пятый, путешественник и златоуст, закинув головку и раскрыв клюв, встречает их такой заливистой серебристой «овсянкой», что кое-кто из присутствующих мог бы и позавидовать...

А какой горячий шоколад подавали здесь на завтрак, какие воздушные рогалики!

— Жюль приносит из булочной, — пояснил Марк, словно они должны были знать и неизвестного Жюля, и эту булочную. — Масла не жалейте. Джем вот, клубничный-малиновый... — И добродушно добавил: — Жрите, жрите, голодранцы влюбленные. Мы слышали, как вы орали...

И еще часа полтора они сидят в этой кухне, залитой солнцем и богато оркестрованной медью (никогда бы отсюда не уезжать, тем более в этот проклятый Лондон), и, судя по ритмичным волнам, охватывающим тело тугими кольцами, музыка внизу все звучит, так что, беседуя, Леон и Шарлотта *громко шевелят* губами в споре. Что-то о Вагнере... какой-то *мужской хор в финале*... «Неизвестно, у кого он спер эту тему. А что? В то время плагиатом не брезговали. Вспомни: Беллини запросто воровал мелодии у своего учителя Россини и одновременно, сука, писал на него доносы! А Вагнер... кстати, и с "Полетом Валькирий" есть некоторые сомнения у понимающих людей... Нет, я не потому, что он зоологический антисемит! Но согласись, что мелодические линии этих оперных сцен не свойственны вагнеровскому мышлению. Согласись!» «Ты хочешь сказать: "А был ли Вагнер?"». «Я хочу сказать, что он стибрил эти великие темы неизвестно у кого...»

Видимо, оркестр внизу играл именно Вагнера, тот самый мужской хор... Когда спор с Шарлоттой зашел в тупик, Леон вдруг подскочил к Айе, сорвал ее со стула, подхватил и увлек к окну. Толкнул приоткрытую створу и запел с вызывающим видом:

> Der Gna-ade Heil ist dem Büsser beschie-eden,
> er geht einst ein in der Seligen Frie-eden![1]

...простирая руку картинным оперным жестом туда, где за каменными плитами двора осели от времени каретные сараи и давно опустелые конюшни с покосившимися башенками; где в огромной синеве утреннего неба купались отблески утра, а в пенном прибое легких облачков широким парусом двигалось умело поставленное облако; где на ближних холмах теснились еще прозрачные деревья замкового парка:

> Hallelu-ujah! Hallelu-ujah! Hallelu-ujah!

Прижатая к нему всем телом, Айя задохнулась, чувствуя глубинную работу живых мехов, и, положив ладонь на грудь Леона, удивленно спрашивала себя: неужели это не бас? — такая резонирующая мощь вздымалась изнутри.

Зато звуковые волны, что накатывали снизу, из парадной залы, вдруг оборвались, и на террасу под окно высыпал состав всего оркестра — все одеты кто во что горазд, в джинсах и свитерах, в пиджаках и куртках. На запрокинутых лицах — изумление, восторг, веселая оторопь; и когда Леон умолк, струнники застучали тростями по декам — аплодисменты оркестрантов... Он слегка кланялся в высокой раме окна, поводил правой рукой, как бы разворачивая сердце к слушателям, левой по-прежнему тесно прижимая к себе Айю.

Наконец они собрались и, чтобы не отвлекать музыкантов, сбежали — по величественной мраморной лест-

---

1   Отверзлась дверь милосердья благая,
    Вступает грешник в селения рая! *(нем.)* Пер. В. Коломийцова.

нице, застланной дырявейшим на свете ковром, мимо мозаичного панно, где потускневшие рыцари Круглого стола с кубками в руках по-прежнему чествовали короля Артура, мимо застенчивых улыбок мраморных нимф, мимо грандиозной, прямо-таки соборной двери в залу парадных приемов...

Огибая кадки с чахлыми пальмами, прошмыгнули в оранжерею с дырами в стеклянном куполе и черным ходом выскочили в ослепительное утро, после чего минут пять еще искали свою машину, к которой их в конце концов привел — величавой походкой дворецкого — старый вежливый ослик.

— А что такое «аллилуйя»? — спросила Айя, когда они уже выехали из ворот, оставив позади мрачных грифонов в навершиях въездных колонн. — Знаю, что молитвенное заклинание, но что означает само слово?

Леон помедлил и сказал:

— Оно означает: «Славьте Господа!»

— На церковнославянском?

Еще одна крошечная пауза:

— Нет. На древнееврейском.

И улыбнулся этой своей непробиваемой улыбочкой, подмигнул ей и нажал на газ...

Но и об этом она вспомнит гораздо позже.

4

Единственно, что раздражало его в Англии, — их пресловутые рукомойники с пробкой в сливе и двумя кранами, с ледяной водой и с кипятком: постояльцу почтенного заведения предлагается ловить обе струи и смешивать их в пригоршне, отдергивая руки, как лягушка лапки. Не брезгливые, впрочем, могут набрать в раковину воды и плескать в физиономию в свое удовольствие...

В остальном любил он и лондонскую публику, на редкость сердечную, и лондонские залы, и все это вычитанное из книг, сегодня почти мифическое *невозмутимое британство*... Когда оказывался здесь, накидывал, если позволяло расписание, еще день-два — на Британский музей, на концерты, а порой и на бездельное шатание *куда потянет* и с удовольствием глазел на каких-нибудь болванов, важно топающих зимой в сланцах на босу ногу, а летом, наоборот, изнывающих от жары под шерстяными шапочками.

Ему нравилась и мгновенная смена здешней погоды — от проливного дождя до блеска яркого солнца, будто кто-то гигантский, вселенский смаргивал слезу и вновь таращился беспечной сферой голубого ока на британскую столицу. Нравились баржи и кораблики на Темзе, золотые отблески огней прибрежных баров на ее тягучей, как патока, воде; протяжные гудки и запах речного тумана...

Нравились чудесные летние парки с шезлонгами на каждом шагу, уютные старые пабы и то, что в центре Лондона можно обнаружить старый дом с садом, качелями и с каким-нибудь двухсотлетним буком, под которым жильцы спокойно жарят шашлыки и колбаски.

Как раз в один из таких старых домов, разве что без мангала под деревом, Леон предполагал наведаться.

Но накануне еще предстояло отпеть пару номеров в вечернем концерте в Кембридже, в знаменитой Часовне Кингс-колледжа.

Репетиция была назначена только одна и на утро, так что, прибыв на Паддингтон в вагоне «Евростара» в 8.45, они сразу угодили в нетерпеливые объятия встречавших, коих было трое (Леон пробормотал: «Вечная тройка военного трибунала»). Принимавшую сторону возглавлял и нещадно мордовал некий Арсен, доверенное лицо Филиппа в Англии — тот называл его «мой лондонский мальчик». «Мальчику» было за шестьдесят, но он всегда, в любое время года выглядел так, будто собрался на танцы где-нибудь в Буэнос-Айресе: щегольской, белый в полоску, костюм, остроносые белые туфли, платочек здесь, платочек там и непременные дымчато-сиреневые очки в сиреневой оправе. У Арсена была страшная судьба мелкого бизнесмена, попавшего в мясорубку большого грязного бизнеса в начале 90-х где-то в Воронеже. Дикая судьба: убийство бандитами дочери-подростка, пытки в милиции, затем одиночная камера в тюрьме и что-то еще подобное, о чем он сам никогда не распространялся, но описывал в стихах. Да-да, и, говорят, очень неплохих стихах, по которым можно было восстановить цепочку чудес: освобождение из темницы фараона, перемещение в Лондон, воссоединение семьи... Леон не знал подробностей биографии этого, как говорил Филипп, «современного святого великомученика», потому что стихов не читал вообще никогда и никаких. Но знал, что ушлый Филипп давно выдал Арсену большую генеральную доверенность в Англии.

Итак, Арсен представлял в этой троице интересы Леона и Филиппа; двое других представляли администрацию Кембриджа: пожилая полная дама русского происхождения и председатель какого-то там студенческого то ли совета, то ли комитета, не первой молодости парень («Называйте его Рик, он простой и свойский и к тому же, хи-хи, бывший хиппи»).

Встреча была ликующей, с ненужным и обременительным букетом цветов, несмотря на то что, как заподозрил и не ошибся Леон, все трое переругались, ожидая певца на перроне.

Кажется, больше всего их изумил Желтухин в своей медной карете: «О-о, какая птичка милая — это такой попугайчик?» «Нечто вроде». «Вы его из Парижа везли?!» «Да, это мой талисман: он вступает в паузах и держит ноту, пока я отдыхаю». Дама («Ольга Семеновна, но вы зовите меня просто Оля») округляла большие доверчивые глаза, потом спохватывалась и мило хихикала. «А ваша... э-э... спутница?» «Это тоже мой талисман. Она глухонемая, знаете, очень удобно для певца. Вы понимаете жесты глухонемых?» Испуганно-огорченные глаза: «О, нет, к сожалению...» «К тому же понимает она только по-казахски. Вы говорите по-казахски?» «Ой, н-нет, простите!» — И вновь — испуганно-виноватые глаза и мгновенье спустя — понятливое хихиканье.

— Ну, поехали, поехали! — возопил Арсен. — Промедление смерти подобно! — У него была слабость к высокому штилю и командным замашкам. Филипп говорил: «Имеет право: биография страстотерпца, помноженная на советско-бандитское прошлое». — Нам бы до пробок успеть!

Нет, не успели: тащились и тащились, мечтая добраться хотя бы к началу репетиции, — уже не до освежающего душа. Впрочем, в конце концов все успелось и все устроилось.

Еще в поезде Леон предупредил Айю:

— Они пишут, что им «удалось ухватить» комнату в гостинице Кингс-колледжа... Сам колледж — ты бывала там? — действительно прекрасен: пламенеющая готика, башенки, щиты с гербами, каменные химеры, витражи и мрамор, все как полагается. Но комната будет наверняка с раздолбанными кроватями, заржавелым душем и отсыревшей стенкой в ванной. Да: и не иди на поводу их идиотских ритуалов — ну, там, нас пригласят ступить на газон: ходить по траве простым смертным почему-то запрещается, можно только профессорам и их гостям. Принципиально — не топчи травку. И ради всех святых, не поддавайся на уговоры кататься на их дурацкой плоскодонке!

Все это их ожидало: и величественный замок Кингс-колледжа, и — перед башнями ворот — статный служитель в черной мантии с лиловым шарфом, свисающим ниже колен, и двор с первостатейным газоном размером с футбольное поле, и грандиозный собор, где вечером Леон должен был петь... Старая добрая Англия.

Навстречу — по диагонали через лужок — к ним направлялся меланхоличный пожилой парень в мятых брюках и оттянутом на локтях свитере.

— Ступите! Ступите на газон! — ликующим шепотом простонала Ольга Семеновна. — Какая удача, что мы встретили Стивена! Именно профессор Грэдли подписывал вам приглашение, значит, вы имеете право! Немедленно ступите на газон!

Неугомонные и радушные Оля и Рик повлекли их осматривать знаменитую обеденную залу. И было чем любоваться: стрельчатые потолки, витражи и гобелены, портреты королей и ректоров с неумолимыми лицами, старинные лампы над длинными рядами дубовых столов... Мрачноватая баронская пышность, неслышный шелест академических мантий.

Впрочем, дальше по коридору можно было расслабиться в другой столовой, видимо, для гостей — в комнатенке с пластиковыми столами, за одним из которых

88 сидели два бородатых господина и, оживленно о чемто споря, заглатывали серые макароны.

А номер оказался в точности таким, каким его описал Леон, все было на месте: две заботливо сдвинутые приютские кровати, заржавелый душ, застиранные полотенца и отсыревшая стена в ванной комнате.

— Молодцы! — сказал Леон с лукавым удовлетворением в голосе. — Только так и можно отстоять незыблемые ценности британской короны.

Арсен умчался, и можно было не сомневаться, что до вечера его ждет нескончаемая карусель самых неотложных дел («Интересно, когда он пишет свои пронзительные стихи?»). От остальных милых опекунов повезло ускользнуть лишь на время репетиции, когда Айя просто отсыпалась в номере. Но после полудня «наших гостей» вновь объяли радушным вниманием, потащив гулять по городку.

Ранняя весна (дымный солнечный свет, перламутровые стружки перистых облаков на слабой голубизне) уже окатила нежной зеленью буки, ясени, липы и дубы старинного студенческого городка. Неугомонными стрижами летали велосипедисты с корзинами на багажниках. В витрине магазина дамской одежды медленно крутились три безголовых манекена на крюках — как туши в мясной лавке. Похожие на вертела шпили церквей пронзали облачную карусель, и в воздухе висел постоянно угасающий гул колоколов, мечтательный и стойкий, будто одна колокольня передавала другой дежурство по небу.

Бывший хиппи, а ныне, как выяснилось, физиктеоретик, заведующий одной из ведущих лабораторий Кембриджа — но все равно в сланцах на босу ногу, — потащил их кататься по реке Кем на знаменитой кембриджской плоскодонке. Леон пытался элегантно отвертеться: а если я упаду в воду и промочу свой голос?

Грозно округлял глаза, исподтишка показывая Айе кулак. Но та прямо-таки вцепилась в это предложение, и вся компания потащилась по переулкам вниз, к лодочной станции. По пути добрейшая Ольга Семеновна — у нее были милые отзывчивые карие глаза, такие добрые, что пропадало желание дурачить ее шуточками, — торопливо втемяшивала им *сведения и факты*: понимаете, соревнования и катания на плоскодонках — это важная часть кембриджской жизни! И важное противостояние с Оксфордом. Тамошние идиоты гребут, понимаете ли, сидя, зато мы стоим на корме и управляем лодкой с помощью шеста...

Она все время говорила это «мы», и хотелось расспросить, откуда она родом, в какой советской школе училась (он представлял ее на торжественной линейке, девятилетнюю, пухленькую, в белом переднике, ногти немилосердно обкусаны: уроки музыки, непременный «Полонез» Огинского...).

Тут и выяснилось, что Рик в гребле — настоящий ас, бывший капитан команды Кембриджа. Когда Ольга, опираясь на руку Леона, грузно опустилась на скамью, Рик, мягко оттолкнувшись шестом, послал лодку вперед, и по неширокой и неглубокой реке они поплыли под мостами, вдоль зеленых берегов, мимо старых ив, низко склоненных к воде, мимо лугов с пасущимися лошадьми, накрытыми не просто попоной, а целым одеянием, со штанинами... Леон сказал: «Смотри, лошадь в лиловой пижаме!» «Ага, — отозвалась Айя, — у меня есть несколько рассказов о лошадях, которые...» — проплыли, проплыли... В воздухе по-прежнему дрожал, умирая, колокольный гул, что напомнило Леону домбум колоколов монастыря Сент-Джон в Эйн-Кереме.

Наконец все затихло. В тишине только мерно вздыхала река шепотливым плеском...

Вдруг где-то возникло и стало нарастать: «Ха-аллилуйя! Ха-аллилуйя!..» Изумительное хоровое пение чистейшего тона разлилось по воде, растеклось по воздуху... «Ха-а-аллилу-у-йя!..»

Рик и Ольга завертели головами, ища ближайший собор или церковь с отворенными окнами: музыка была явно литургической, звучала мощно и стройно...

— Да нет, это где-то здесь, на воде, — сказал Леон. — Псалом «Super flumina Babylonis»...

Вот и тебе подарок, вот и тебе привет — именно здесь, в пятнах солнца на медленной воде...

Вскоре из-под арки каменного мостика выплыли одна за другой три плоскодонки, каждая опасно нагружена целым взводом парней — с ними-то Леон и репетировал утром в Часовне: калифорнийский юношеский хор в полном составе.

Голоса над водой звучали фантастически чисто:

...Si oblitus fuero tui, Jerusalem,
   oblivioni detur dextera mea.
Adhæreat lingua mea faucibus meis,
   si non meminero tui;
   si non proposuero Jerusalem in principio lætitiæ meæ.[1]

— Не напелись пацаны, — улыбнулся Леон и сам же не выдержал искушения, страстного требовательного зова, и когда лодки поравнялись, вежливо расступаясь, чтобы не столкнуться, послал высокий и сильный свой, как тетива натянутого лука, голос поверх дружных полудетских голосов:

— Ха-а-аллилуйя! Ха-а-аллилуйя!

Хористы узнали его, лодки придержали бег, образовался некоторый затор. Пассажиры на других плоско-

---

1   Если забуду тебя, Иерусалим, забудь меня, десница моя! Прилипни язык мой к гортани моей, если не воспомню тебя, если не поставлю Иерусалима во главу веселия моего *(лат.)*.

донках не пожелали уплывать, очарованные неожиданным бесплатным концертом щедрой капеллы.

— Халлилуйя-Халлилуйя! Ха-а-а-аллилу-у-уйя!..

И когда над водой растворился последний звук псалма, со всех сторон взамен цветов полетели аплодисменты, и «браво!», и восторженный женский крик.

И этот, и этот неотснятый кадр остался в памяти Айи навсегда: ажурные каменные мостики, зеленые луга с исполинскими тюльпанами, задумчивая лошадь в лиловой пижаме, едва оперенные дымчатые ивы на медленной реке, длинный шест в руках бывшего хиппи, с усердным лицом продвигающего плоскодонку по течению...

И лица румяных американских парней, с безмолвно ликующей «Аллилуйей» в губах, над безмолвно благостной водой...

* * *

Леон переодевался к концерту, тщательно, через носовой платок выглаживая отвороты фрака походным утюжком, с которым не расставался в поездках. Утюжок Айя видела впервые, и ее рассмешили точечные движения заправского портного.

— А мое платье погладишь? — спросила она лукаво.

— Конечно, — отозвался Леон.

— У тебя хорошо получается...

— Все лучшее, что я умею в этой низменной жизни, досталось мне от Стеши! — произнес он высокопарно. — Тащи свое платье...

И пока выглаживал вытачки-складки и подол, она обняла его сзади, уперлась лбом в его затылок...

— Я в детстве так жила — у папы на спине, на его огромной звучащей спине, это был мой дом, моя родина... Он играл в шахматы с Разумовичем, а я на нем висела. Иногда папа вставал и шел на кухню — со мной, как с обезьянышем...

— У тебя замечательный отец.

— Можно я останусь жить на твоей спине?

— Конечно, можно.

— Но как же ты станешь петь, *последний по времени Этингер?*

— На октаву ниже...

— Ты знаешь, что тебе очень идет фрак?

Он уже стоял одетый, отстраненный, окидывая и словно бы выпрямляя, выстраивая себя взглядом в узком длинном зеркале шкафа: поднимал и опускал руки, оттягивал книзу раздвоенный хвост манишки, будто примерял новый фрак у портного.

— Ты в нем такой стройный... даже высокий!

— Не смеши мою манишку...

— Ей-богу! Ты мне не веришь? Когда-нибудь, когда разрешишь, я сниму целый рассказ: «Голос». Начнется он так: ты голый распеваешься в ду́ше — еще *домашний голос, росток голоса* в бедном теле...

— В бедном?! Это еще что за новости?

— ...а закончится — ты во фраке, в белой манишке, в бабочке... под сводами собора на фоне органных труб. И тогда уже Голос — повелитель, Голос — ветер и буря, судный Глас такой...

Она помолчала и проговорила трудно, хрипловато:

— Ты... ужасно красивый!

Леон расхохотался и воскликнул:

— Не произноси больше этой фразы, ради бога! Мне кажется, у тебя растут усики...

— Что-о?!

— Я это слышал от одной американки, с усиками. Мне было лет пятнадцать, я подрабатывал официантом, обслуживал их столик. Она притерла меня в углу возле дамского туалета. И чаевые сунула — целых пятьдесят долларов.

— Да ты что!

— Да... У нее были капельки пота над верхней губой, усики в росе... И произнесла она нечто вроде, насчет моей божественной красы...

— О-о-о! А ты?.. — с восторгом допытывалась Айя.

— Кажется, от ужаса я кончил прямо там, с подносом в руках... А теперь живо одевайся, говорю в последний раз, потом отлуплю как сидорову козу!

* * *

Леону доводилось петь в некоторых церквах и соборах Англии, и он ценил здешнюю акустику — она была безупречной. В этих величественных зданиях, как правило, не требовалось «подзвучки» микрофоном, при которой акустика становится сухой и напряженной, теряя драгоценные обертоны, стреноживая полет голоса.

В Часовне же Кингс-колледжа, где он дважды пел на концертах Королевского музыкального общества, акустика была просто изумительной, благородно-бархатной: придавала его «звону в верхах» огранку бриллианта.

Да и сам длинный зал грандиозной Часовни, черно-белые плиты мраморного пола, благородные и скупые по цвету витражи, стрельчатый потолок, зависший на тридцатиметровой высоте скелетом диковинной окаменелой рыбы, и главное, великолепный орган с крылатыми ангелами, трубящими в золотые трубы, — все это подготавливало ликование Голоса, чуть ли не евангельское *введение во Храм*.

Сегодня Леону предстояло исполнить партию аль-
та в баховской мессе *B-moll* «Dona nobis pacem» на ла-
тыни и — что особенно он любил — «Dignare» Генделя.

Уже предвкушал благородную поступь органа, что
сдерживает — благословляя! — моление рвущегося к
небу голоса.

...Всегда смаковал эти гулкие покашливания, шелест
нотных партий, приглушенные шаги последних, краду-
щихся на цыпочках к своим местам слушателей... Два-
три мгновения волнующей тишины, и вот уже протяж-
ная мощь органного вступления торжественно и грозно
раздвигает золотые ризы:

— Di-igna-a-re, Do-omi-ine...

Три слога: первый скачок, секста вверх, плавное
опадание на секунду... воля, простор, неимоверная
благая ширь Господнего деяния — и струи пурпурных
лучей хлынули, затопляя голубой, леденцовый, ало-
желтый воздух собора.

Его мощный, гибкий и все же, как положено в ду-
ховной музыке, слегка потусторонний голос, мастерски
сфокусированный, повисает в нужной точке пространства. Возможно, это и было секретом его удивительной
власти над воображением публики: он всегда умело
находил эту акустическую цель, внедрялся, прорастал
и распластывался своим крылатым голосом, рас-про-
странялся, овладевая всем воздухом, всей скрытой мо-
щью собора, покрывая им огромные внутренние пространства...

— Die isto sine peccato nos custodire...

Лапидарный Гендель, по мнению знатоков соот-
носящийся с Бахом как Бетховен с Моцартом, здесь,
в «Dignare», превзошел себя. Каноническая гармония
отброшена, и от чуда модуляций на протяжении не-

скольких тактов под остинатные удары мурашки бегут по коже, будто вглядываешься в химеры Нотр-Дама.

— Miserere nostri Domine, miserere nostri!

Разве думал прагматик Гендель, уравновешенный мастер золотого, почти закатного барокко, что этот пустячок — чуть меньше двадцати тактов — спустя почти три века превратится в мировой шлягер!

«Dignare»... Не зря в старину давали классическое образование: латынь, пусть в объеме гимназического курса, латынь — жаргон медиков, теологов и юристов, золотая латынь, которую, как говаривала Барышня, попутно прикарманили итальянский, испанский, французский, да и английский с немецким... А вот попробуй найти аналог — споткнешься! «Dignare»... «Удостой» — как в классическом переводе? Вряд ли. Скорее — «Сохрани в достоинстве, Господи, избавь от искушений».

— Miserere nostri Domine, miserere nostri!

Хорошо жилось тогда, в XVIII веке: чуть что — помилуй, Господи!.. А нам сегодня кого молить, у кого защиты искать?

— Fiat misericordia tua...

Его голос взбирается вкрадчиво молящим «Miserere!» все выше, все выше, как бы испытывая публику, вручая ей еще более высокую ноту своего беспримерного диапазона:

— Do-omine, super nos, quemadmo-odum spe-eravimus in te... — как бы предлагая ступить вместе с ним на эфемерную лестницу, уходящую в такую запредельную высь, откуда не всегда и вернуться получается, *лестницу ангелов*, достойную, пожалуй, лишь легчайших шагов господних посланников, что снуют и снуют над головой спящего Яакова, где-то там, где вырос и жил сам Леон:

— In te, Domine, speravi: non confundar in aeternum.

Запрокинутое лицо Айи в зале... зачарованное — не пением, конечно, а чем же? Всем этим великолепием? Витражами, внутренним убранством Часовни? Да вот же оно, то лицо, на крайнем слева витраже, голубой лишь накидки на голове не хватает. Вот она, Мария Ан-нунциата, что встретилась в Палермо, на холсте, в тот день, когда, сдавшись упорной мягчайшей осаде, он уже готов был сказать Николь слова, которых так долго она ждала — и не дождалась... Не дождалась! Что же остановило его? Предупредительно поднятая строгая ладонь: погоди, не торопись, угадай меня, узнай меня — вылови — на острове, в пропотевшей красной рубахе, со шрамом под лопаткой, с Желтухиным в истории угрюмой семьи...

Молящее «Miserere!» все исступленнее, все настойчивее вздымается и рвется к небесам, распахивает невидимые божественные кулисы: сначала пурпурные, кровеносные, струйные, наполненные самым низким тембром диапазона, затем солнечно звонкие, складчатые, ликующие переливы среднего регистра, затем полетно-лазурные, упоительные, выше которых, кажется, даже мечта, даже сон не взмывают... И наконец его бесплотный, невесомый, самый прозрачный его *белый голос* раздвигает последнюю невидимую завесу и растворяется в китовых ребрах гигантского потолка...

* * *

После концерта организаторы пригласили солистов и кое-кого из гостей на ужин в ресторан где-то на окраине городка: заведение, декорированное под деревенскую харчевню, предлагало здоровые мясные радости — запеченные свиные ноги, здоровенные стейки, рыбу, зажаренную целиком, с хрустящим картофелем.

Здесь было дымно, тесно и шумно, весело наяривал, путаясь под ногами и задевая колени и локти сидящих, ансамблик-троица, скрипка-флейта-гармонь, и Леон, возбужденный, или, как говорила Барышня, «вздернутый» после концерта, приобнимал Айю какой-то *невидящей*, по-прежнему *концертной* рукой... Он еще не вернулся к ней, всем существом еще стоял там, под органными трубами, и она — неожиданно для себя — так смешно, нелепо ревновала и злилась, не понимая, как ей вести себя в этом частоколе чужих лиц и рук, чужих восхищенных губ и глаз, обращенных к ее Леону, посягающих на него. А он, разгоряченный, непохожий на себя, обольстительный, *женственный*... как он отдается этим восхищенным глазам и губам, так предательски им отзывается, впивая мед и патоку комплиментов, льнет к ним, продолжая обнимать Айю *невидящей* рукой...

На него налетели сразу несколько человек: утренний Арсен, в другом уже, голубом, но таком же легкомысленном костюме танцора танго, кто-то из университетских преподавателей, любителей-меломанов, какой-то важный достопочтенный сэр — учредитель фонда (он слышал Леона впервые и прилип к его правому боку, как мидия, так что хотелось его отлепить и закинуть подальше в невидимое море). Все эти послеконцертные контрдансы и экосезы были для Айи обескураживающей новостью. А Леон, похоже, чувствовал себя как рыба в воде и лишь иногда, спохватываясь, слегка приваливал Айю к себе и машинально накладывал в ее тарелку еще одну ложку какого-нибудь дурацкого салата, даже не замечая, ест она хоть что-то или сидит — чужая, пришлая. Глухая...

У Айи не было ни сил, ни желания ловить гримасы, жесты и перепевы разных губ. Она устала. Она впервые побывала на концерте, да еще в таком подавляюще огромном соборе, впервые ощутила невероятную отдаленность, пугающую бестелесность Леона, когда ей казалось, что он уплывает под парусом органных труб и больше к ней не вернется; когда уже не верилось, что только вчера в их жизни был упоительный бег нагишом вперегонки по коридорам замка. Сегодня она впервые ощутила энергию его напряженных губ и языка, совсем иначе напряженных, чем в минуты любви... впервые пережила мгновения, когда чудилось — сейчас, на могучем выдохе, он поймет с оголенной ясностью: бремя профессии, да еще *такой* профессии несовместимо с бременем *такой* любви... И когда все закончилось и она осталась сидеть на скамье в опустелом соборе, одна, уже не веря, что он вернется прежним, Леон вдруг появился внизу: прекрасно-концертный, юный, одинокий, встревоженно озираясь и обшаривая взглядом ряды скамей. И она вскочила с безумным воплем, а он припустил к ней, как мальчишка... Сейчас ей хотелось лишь одного: склонить голову на его плечо в строгом фраке и закрыть глаза; а лучше утащить его, обвить всем телом, проникнуть в него каждым росточком, каждой клеткой кожи. Но напротив, весело чиркая глазами в ее сторону, сидел высокий, худой, длинноволосый молодой человек, не желавший отпускать внимание Леона ни на минуту. И она сочла нужным приглядывать, чтобы у Леона все было хорошо, — вдруг этот парень чем-то ему нужен? Она не догадывалась, что именно Леон был нужен парню до зарезу, так нужен, что тот говорил и говорил, заглядывая в глаза певцу, а попутно улыбаясь и Айе:

— Подумать только: сегодня все искусство барокко кажется настолько уравновешенным, а ведь в семнадцатом веке под этим словом подразумевали чуть ли не «варварскую готику». Да совсем недавно Бенедетто Кроче в своей «Истории итальянского барокко» утверждал, что «историк не может оценивать барокко как нечто положительное», что это — «выражение дурного вкуса»!

Леон что-то отвечал, такое же заумное, что-то про *сознание современного человека, у которого в бэкграунде есть и Освенцим, и Хиросима, и пронзенные башни-близнецы, так что любое барокко покажется чуть ли не музейным выражением чувств.* Тот засмеялся и покрутил головой:

— Но, маэстро Этингер, ваше исполнение было далеко от музейного! И весьма далеко от уравновешенного. Я, знаете ли, сегодня вряд ли засну... Это удивительное сочетание в вашем голосе ангельской отрешенности и какого-то... не могу подобрать точного слова: дьявольского искуса, чуть ли не греха — чего-то преступного, обольстительного... простите, если вас это задевает... — И никак не отставал, и приглашал-соблазнял Леона... Какой-то там блудный сын или что-то вроде. — Я слышал диск с вашим «Блудным сыном», — торопливо продолжал он, — это стало для меня настоящим шоком! Я был под впечатлением недели две и, знаете... в одну из ночей вдруг меня осенило: а что, если иначе оркестровать эту ораторию? Добавить в нее голос мальчика, а? Чистый безгрешный альт. Вы же с вашим бесподобным *совратительным голосом* будете — знак греха, падения, душевной низо́ты... А в финале — дуэт этих двух голосов, как сама адская амбивалентность человеческой натуры, как два крыла падшего ангела, где — и высота, и страшное падение в бездны порока...

— Мерси, — насмешливо-любезно отозвался Леон. — Значит, мне вы уготовили все самое ужасное, а какой-нибудь семилетний засранец, только что из подгузника, воспарит этаким белоснежным ангелом? Симпатичная идейка, ничего не скажешь...

А тот вроде и не слушал возражений певца, всплескивал длиннопалыми мослоастыми руками, отбрасывал со лба длинный чуб, уговаривал, уверял:

— Но трактовка, согласитесь, оригинальная... Совершенно новый взгляд на тему. Все мы знаем эту притчу в евангельском варианте, у Луки. А ведь есть хасидская версия притчи, и там — послушайте, послушайте, это страшно интересно: там рассказывается, что в чужих странах блудный сын *забыл родной язык*, так что, вернувшись в отчий дом, не смог даже попросить слуг позвать отца. Тогда он в отчаянии *закричал!* И слепой старик-отец узнал его голос. Понимаете? Я представляю, как он — нет, вы, вы, маэстро! — запоет страшным голосом! Что?.. Нет, это я сам придумал, сейчас. И непременно воспроизведу этот крик! Представляю ваш потрясающий по силе голос грешника, припавшего к родному порогу! И — вопль, леденящий вопль отчаяния: внезапное *tutti* всего оркестра или хора, громкий аккорд на уменьшенном трезвучии! Помните, Масканьи в финале «Сельской чести» после бабьего визга: «Они убили кума Турриду!» — передает общий хоровой вопль в до мажоре? Между прочим, — понизив голос, заметил он, — метафора встречи отца и раскаявшегося сына в еврейской литургии связана с наступлением Нового года, когда всюду трубит шофар — ритуальный рог. Так вот, звук шофара символизирует и голос Блудного сына, как голос всего народа, взывающего к Небесному отцу в надежде на прощение...

Айя почему-то чувствовала — плечом, ладонью, гуляющей по колену Леона, что ему хотелось бы завершить этот разговор. Потянувшись к его уху, спросила:

— Кто этот зануда?

И он, слегка повернув к ней голову, беззвучно по-русски выплел губами:

— Композитор, очень талантливый, уже известный и, как полагается, — немного чокнутый.

Она кивнула и сказала:

— Очень хочется стать блудной дочерью. Может, смоемся?

Леон немедленно оборвал разговор с длинным занудой, извинился, поднялся и, чем-то отбреховаясь, пожимая кому-то руки, кому-то кланяясь, кому-то улыбаясь, с кем-то прощаясь, припадая к чьим-то щекам, рукам и плечам, стал отступать, увлекая за собой Айю. Вот еще остановка:

— Рик, старина, сегодняшняя прогулка по реке — незабываема! Вы разрешите позвонить вам когда-нибудь по сугубо физическому вопросу? Благодарю, потому что...

Наконец вышли на волю — в накрапывающий дождик, в желтоватое электрическое небо, исчирканное проводами и шпилями, загруженное зубчатыми стенами университетских башен, между которыми обезумевшим призраком неслась бледная луна. Темные улочки были затоплены мощной сладостной волной весенних запахов, мокрой травы, набухших почек — и они долго гуляли, немного заблудились, вышли к реке с витающими над ней легкими прядями тумана. Останавливались перед афишками, налепленными на острия высоких чугунных оград, прочитывая их в свете фонаря и смешно выворачивая наизнанку фамилии лекторов и исполнителей (Леон так лихо присобачивал дикие имена и окончания к почтенным фамилиям, что Айя даже ослабела от хохота). Он то и дело строго вытаращивал глаза и говорил, что «перед Лондоном надо хорошенько выспаться».

Но, оказавшись в номере, продолжал колобродить, мотался из угла в угол, не снимая фрака, натыкаясь на кровати, очень много говорил, словно бы недопел, недовысказался там, когда стоял под органными трубами... Сидя в постели, Айя молча следила за его передвижениями, терпеливо ожидая, когда он угомонится.

— Я украл яблоко! — вдруг вспомнил он, остановился и запустил руку в карман висевшего на стене плаща. — Хочешь? — Присел на кровать и протянул: — Кусай! А между прочим, то, что предлагал сегодня Вернон... ну, этот, хмырь лохматый, симпатичный псих, — то, что он предлагает сделать с «Блудным сыном»... это не лишено, знаешь, некоего пронзительного смысла...

И лишь когда они, откусывая по очереди, доели довольно вялый плод, Леон с каким-то сожалением стянул фрак, медленно снял рубашку, расстегнул и стащил бабочку — совершил обратные действия предложенного ему утром преображения Голоса, *до ростка в бедном теле*... Разделся и лег, и она обняла это *бедное тело*, тихо поглаживая кончиками пальцев, чтобы *после своей музыки* он переключился на другой объект — на нее. Нежно поглаживала горло (вот здесь он живет, этот его таинственный голос? отсюда, что ли, растет?), грудь, медленно, томительно перемещая руку все ниже, вытанцовывая на его животе па-де-де своими балетными пальцами...

Вдруг, перехватив ее руку, Леон поднес ее к губам, поцеловал и уложил легкой рыбкой к себе на грудь, и ладонью прихлопнул... И Айя поняла, — рука ее неугомонная поняла: от его груди исходил покой до конца излитого чувства. Такой глубокий покой, что невозможно, бесполезно и даже грешно было его баламутить.

В тот вечер она впервые осознала, что у нее есть грозная соперница — Музыка; что после концертов (не всех, но тех, которых особенно ждет, перед которыми почему-то сильнее волнуется), он бывает настолько истощен — не физически, а душевно, — что на обеих его попросту не хватает; не хватает той могучей волны, что и в любви, и в искусстве выносит на гребень вздоха к вспышке ослепительной свободы. И впоследствии никогда не обижалась, чувствуя в нем это святое опусто-

шение — куда полнее, чем после ночи любви... А с годами научилась понимать и предугадывать — гораздо чутче даже его самого — такие вот ночи; научилась принимать его потребность в одиночестве. И тогда молча прихватывала подушку и необидчиво уходила на кушетку в его кабинете: ей ведь с юности было абсолютно все равно, где приклонить голову...

Она приподнялась на локте и задумчиво проговорила:

— Сегодня было красиво. Ужасно красиво...

Он не сразу отозвался, не сразу понял ее — ведь *в музыке* сегодня было так много *красивого*; а сейчас она и сама была так волнующе красива в свете одинокого фонаря за окном, что мягко лепил тусклым золотом ее плечи, шею, ключицы и грудки-выскочки, придавая им целомудренное, чуть ли не иконное сияние.

Она пояснила:

— На концерте. Знаешь, была какая-то великая гармония между ритмами гигантских витражей, стрельчатых сводов этого устрашающего потолка и... ритмами музыки.

— А ты разве, — неуверенно спросил он, — неужели ты?..

— Я чувствовала шелест органных выдохов по телу, как дыхание кашалота, — торопливо объяснила она, — тяжкий, мерный, какой-то... преисподний зов в груди собора. И вдруг как подхватит, как... унесет к потолку! Такой ветер — кругами — внутри Часовни. И ты — в центре этой безумной спирали.

— А... мой голос? Хотя бы чуть-чуть...

— Нет, — сказала она честно. — Просто ты сам: одинокая душа в адском молчаливом вихре; как Желтухин в буре.

— И всё?.. — прошептал он.

— И всё, — повторила она спокойно.

Он лежал на спине, а она пальцем рисовала у него на груди вензеля, безмятежно улыбаясь. Вмиг он вспомнил своего дауна Саида, доверчивое лицо, благостное неведение своей ущербности: «Ты всегда мне будешь рассказывать интересные истории? Ты останешься со мной навсегда, будешь моим братом?» Сердце вскрикнуло, будто кто-то сжал его в горсти, захлебнулось такой болью, что горло перехватил спазм рыдания, совладать с которым не было возможности. И он — вот стыдоба — рванул с кровати («черт, съел что-то!»), заперся в ванной и, до упора запустив холодную воду из крана, сотрясался над хлещущей струей в неудержимых молчаливых горловых спазмах, ополаскивая лицо холодной водой и без конца повторяя: «Бедная моя... бедная моя... бедная...»

5

Приютом странной семейки (он, она и *канарейка за копейку, чтобы пела и не ела*) Леон выбрал скромный *bed and breakfast* в центре Лондона, на тихой полукруглой площади, в окружении таких же маленьких гостиниц и небольших уютных сквериков с университетскими теннисными кортами. Гостиница, скорее пансион, принадлежала пожилой супружеской паре итальянского происхождения. Здесь был вышколенный персонал — молодые ребята из Латвии и Литвы, а небольшой холл каждое утро встречал постояльцев ошеломляющим ароматом лилий, ибо огромный свежий букет всегда стоял в высокой напольной вазе. Все уютно и неназойливо, три звезды и, что важно, три сотни подобных гостиниц по всему Лондону и его предместьям — запаритесь отлавливать Камиллу Робинсон с супругом и «попугайчиком»...

* * *

Подписание контракта в *English National Opera* (как же был горд Филипп, добыв его, горд, как курица, снесшая золотое яйцо, — и надо признать, это яйцо таки заманчиво поблескивало с разных сторон) — должно было состояться днем и занять часа полтора, включая ланч с директором и двумя спонсорами проекта.

На дружеский визит к кальсонам Энтони Олдриджа, известного музыкального критика и декана Королевской академии музыки, в сущности, хватило бы и часа. И этот визит состоялся и немало порадовал и Леона, и Айю, так как обещанные исторические кальсоны по-прежнему идиллически сохли на веревке над кухонной плитой.

Энтони Олдридж жил в Найтсбридже, одном из очаровательных мест старого Лондона, в старинном особняке на Монтпельер-сквер, некогда принадлежавшем кому-то из композиторов восемнадцатого века — то ли Уильяму Бойсу, то ли Томасу Арну.

(«Впервые слышу об этих достойных пацанах», — невозмутимо отозвалась Айя на воодушевленный рассказ Леона.)

Музыкальная и прочая публика посещала Энтони Олдриджа еще и из любви к истории отечественной музыки: по уверению хозяина, четырехэтажный дом бурого кирпича в георгианском стиле, с обязательным садиком вокруг могучего каштана, с XVIII столетия сохранился нетронутым.

Дом, который посещали Клементи, Мендельсон, Бриттен и еще с десяток звезд музыкальной вселенной, нехотя разворачивал перед гостями свои полутемные тесные комнаты с обоями «Уильям Моррис», с коричневыми, будто облитыми яичным желтком картинами, со старинным клавесином, письменными столами английского ампира, скрипучими лестницами, нелепыми тупиками и странными, никуда не ведущими переходами. Весь он был пропитан тусклыми запахами старого дерева, просмоленных балок потолка и сгоревших в камине дров. Тяжелые бронзовые люстры на корабельных цепях висели так низко, что даже Леон умудрился здесь дважды набить себе шишки. Запутанная топография жилища была притчей во языцех и у гостей, и у хозяев: «Если вы хотите в конце концов вернуться домой из ознакомительного похода по одной из страниц истории музыки, — говаривал Энтони, — вам следует вначале хорошенько изучить схему этажей и переходов». Схема была остроумно вывешена в подслеповатой прихожей.

Леон бывал здесь примерно раз в году, за компанию с Филиппом (тот приятельствовал с Энтони, хотя за глаза называл его «старым ослом»), и при всей своей отменной памяти помнил только гостиную с некрашеным деревянным полом и с камином в стиле «Джеймс Уайат» и — по коридорчику направо — кухню с вышеупомянутой чугунной печью и непременными над нею кальсонами. Отдельным аттракционом гостю предлагался обязательный визит в туалет: по преданию, там водилось какое-то музыкальное привидение.

Пока в гостиной Леон с хозяином обговаривали программу мастер-классов в Королевской академии музыки, Айя отправилась в свободное плавание по всем этажам, лесенкам, аркам-переходам и каморкам полутемного дома, мысленно чертыхаясь в яростной тоске по фотику: обнаружила пропасть невероятных вещей, например, огромную хромую царь-шарманку, расписанную грехами и ужасами в стиле Босха, а также старинный дамский манекен с оторопелым личиком без скальпа и ампутированной выше колена ногой.

На обратном пути заглянула и в туалет, милую викторианскую комнатку с веночками резеды на обоях. На подиуме урчал допотопный унитаз с высоко подвешенным, словно бы вознесенным на некий умозрительный олимп фаянсовым бачком.

Когда собралась выйти, обнаружила, что заперта, и минут пять ломилась в дверь, пока не сообразила, что это не козни пресловутого привидения, а проделки Леона. Она притихла, и он мгновенно отпер, рванул на себя дверь, выволок Айю в темный коридор и там облапил, дыша коньяком и приговаривая:

— Музыкальный моментик... пьеса Шуберта...

— Ты с ума сошел?! — прошипела она, отбиваясь и смущенно оглядывая коридор поверх его плеча.

— Никого нет! — сообщил он, сверкая в темноте своими ослепительными зубами. — Мы брошены на произвол привидений. Англичане, как известно, эксцентричны: даже из собственного дома уходят, не попрощавшись.

Выяснилось, что «старый осел Энтони» и правда вылетел из дому посреди разговора, внезапно вспомнив о каком-то срочном деле, так что еще минут сорок гости пили чай на хозяйской кухне, угощаясь яблочным пирогом (который сами и принесли), наперебой предлагая версии на тему вечнозеленых кальсон: «У него их две пары, он стирает их по ночам, деля с семейным привидением... Нет! Это мемориальные кальсоны Мендельсона: он оставил их здесь, обделавшись после встречи с...»

Именно яблочный пирог вкупе с распитой на двоих бутылкой дешевого хереса, обнаруженной в одном из хозяйских шкафов, окончательно их помирил.

* * *

...А ведь не разговаривали целое утро — пока на электричке ехали из Кембриджа в Лондон, устраивались в отеле и затем подземкой добирались до дома Энтони Олдриджа.

Вернее, она с ним не разговаривала: нарочно отворачивалась, чтобы не видеть его лица и не отвечать на вопросы, руку отнимала — рыцарь, закованный в латы своей глухоты. Но старый георгианский дом, и трогательные кальсоны над плитой, и туалет с привидением, и бутылочка трофейного хереса, распитая в отсутствие странного английского джентльмена... Словом, Айя не то что перестала сердиться, но смягчилась, повернула к Леону лицо, повела своей роскошной бровью — приняла Леона к сведению.

Дело в том, что на рассвете, еще из студенческой кельи в Кингс-колледже он самовольно послал с ее телефона короткую записку Фридриху. Для начала прощупать почву: «Фридрих, я в Лондоне. Можно связаться с тобой?» Спустя минуту (да что он, не спит в шесть утра?) телефон завибрировал — будто от ужаса или нетерпения. Пришло сообщение: «Дорогая моя девочка непременно появись! Жду-целую! Фридрих».

— Отли-ично...— пропел Леон, озадаченно глядя на краткое, но столько вместившее послание.

Да это же восхитительно, вы только вдумайтесь: «дорогая моя девочка»... его дорогая девочка... и «жду», и «целую»... Что это значит? Расчетливое заманивание? Но даже и тогда текст был бы другим. Значит, все эти «девочки» и «целую» были в обиходе их отношений?..

Ну, проснись только... только проснись! Тебе придется объяснить убедительнее, чем раньше, эту «дорогую девочку»...

И сидел голяком на краю приютской кровати, искоса рассматривая безмятежно спящую «его девочку», пока не задубел, как ледышка, так что холодный душ спартанской гостиницы даже не показался ему чудовищным английским издевательством.

А она, проснувшись, впала в ярость: да как он смел распоряжаться ее личным телефоном, пока она спала?! Да, договаривались, но у него нет никакого права без ее ведома!!!.. Даже в руки брать ее личные!!!..

«Фу-ты ну-ты, Манька-Карамель», как говорила Стеша.

И опять: «Я не-е в тюрьме-е-е, гра-ажданин нача-а-альник!»

Зато он на сей раз был невозмутимо холоден: просто объясни, мне очень важно — какие на самом деле отношения вас связывали. Мне важно, понимаешь? От этого зависит вся моя концепция...

— Па-ашел к черту со своей ка-анцепцией!

Что ж, коротко и ясно. И очень громко для гостиничных покоев Кингс-колледжа. И — хмурое молчание всю дорогу, и вздернутое плечо, и грубо отнятая рука... *Мегера, стерва, глухомань!*

Мог ли ты когда-нибудь себе представить, чтобы так ныло сердце от одной лишь идиотской мысли, что они, что у них... Когда-то было это — с Габриэлой. Но — дядя, где твои семнадцать лет?!

* * *

В Лондоне Леон предпочитал азиатскую кухню. Так что на Шарлотт-стрит выбрали маленький корейский ресторан. Наугад зашли, перехватить по сэндвичу.

На аперитив тут подавали соджу разных вкусов — дынный, лимонный, арбузный...

110   Рослый официант с непроницаемым лицом и короткой толстой косичкой на затылке принес большую бутыль темного стекла и принялся за обычный спектакль: скупым вращательным движением крутнул ее, потряхивая, откупорил и, уважительно сжимая в обеих руках, отлил чуток в бокал, после чего наконец разлил настойку в две специальные стопки для соджу.

Чем-то он похож на... Виная, думал Леон, провожая взглядом широкую спину молодого человека. Сочетание хватки и расторопности?.. Нет, не то, другое тут, другое...

Вдруг с удивительной четкостью, зрительной и звуковой, с целым павлиньим хвостом запахов летней левантийской ночи — мирт, жасмин и лаванда, которую старик обожал, — возник тот поздний ужин с Иммануэлем, перевернувший всю жизнь Леона. Желтая струя электрического света в голубом кристалле бассейна, шевеление над головами мощно оперенных опахал двух старых пальм и удивительно живое лицо очень старого человека в инвалидном кресле напротив.

— ...Я не говорю об оправдании убийства, я не о том... Слушай, цуцик, в конце концов, это действие имеет только один древний очевидный смысл: отнять у божьего создания жизнь, подаренную отнюдь не тобой. За это человек несет несмываемую каинову печать. Но! Есть ситуация, при которой убийство человека оправданно и даже вменяется в обязанность мужчине: если тебя преследуют.

Леон усмехнулся:

— Ну, кто меня преследует!

— Погоди, жизнь большая... — невозмутимо отозвался Иммануэль. — Я имею в виду преследователя, библейского «родэфа». Это положение юридически разобрано в наших святых книгах тысячи лет назад. Ничего нового ни под луной, ни под солнцем, ни вот под этим фонарем. Там

ясно и просто сказано: «Убей родэфа — преследователя, который жаждет твоей крови. Убей его прежде, чем он успеет обагрить руки твоей кровью». Собственно, этим ты и занимался — не в личном смысле, в более высоком. Надеюсь, до личного смысла дело у тебя никогда не дойдет. Надеюсь.

Как долго они ужинали в тот день и о чем только не говорили — если время от времени в памяти по разным поводам всплывают обрывки давнего спора... Будто там, над бассейном в доме Иммануэля, был составлен черновой набросок целой жизни, длинный перечень главных законов, единственный неотступный путь — по рваной кромке боли, — что никогда не давал Леону свернуть в сторону.

Он поймал себя на том, что, не отвечая Айе, разглядывает целый взвод больших бутылей на полках за спиной бармена. На каждой значилась фамилия постоянного клиента; однажды уплатив за целую банку, они держали ее тут же, в ресторане, от раза к разу опустошая.

— Прости. Что ты сказала?

— Ах, ты еще и глухой! — спокойно отозвалась эта язва. И жалостным, детски-канючьим тоном: — Я спрашивала тебя, жмотина: *а супец?!*

Она обожала супы; обед не считался обедом, если его не предваряла тарелочка с пахучим озерцом, исходящим слезкой пара. Леон вскоре даже перестал ее спрашивать, какой бы суп она хотела, так как отвечала она одно и то же, умоляющим тоном голодного беспризорника: «Погорячее!»

Расторопный официант понатаскал на их стол дюжину мелких плошек со всякой всячиной: корешки, травы, овощи... Разве что камушков, змей и сушеных скорпионов тут не было. В круглое отверстие в столе насыпал углей, поставил в них керамический черный горшок, и минут через пять заказанный супец, при-

112 думанный лично Айей, уже весело кипел: она азартно
тыкала пальцем в плошки, сочиняя рецепт, дирижи-
руя варевом, ахая и восклицая, в последний миг хватая
руку повара с уже занесенной над горшком щепотью.

Молчаливый повар-бармен-официант невозмутимо добавлял в горшок все, что она велела.

— Колдовское зелье, — с восторгом повторяла
Айя, — сейчас попробуешь, что за чудо!

— Ну и как? — подозрительно спросил Леон, глядя, как с осторожным предвкушением она отправляет
в путь первую ложку.

— Блаженство! — шмыгая носом, отозвалась она.
Лоб ее мгновенно покрылся бисеринками пота. — Попробуй!

Леон попробовал и поперхнулся.

— Х-харакири без ножа, — он шумно *задышивал*
огонь во рту. — Разве корейцы практикуют харакири?
Надо спросить у повара. Кроме тебя этот дьявольский
супец может хлебать только огнедышащий дракон...

Леон не ел слишком острого: он был воспитан, как
говаривал сам, *на деликатной Стешиной вкусовой сюи-
те, богато оркестрованной мелодическими обертонами
сухофруктов, кисло-сладких мелизмов, взбитых сливоч-
ных форшлагов и ореховых подголосков.*

Между тем вездесущий Фридрих со своим пись-
мецом старого сатира сопровождал их и в дом английских композиторов, и в корейский ресторан, незримо
и надоедливо ерзал между ними, пил вместе с ними
волшебную дынную настойку, хлебал с Айей невыносимо острый ее супец.

В конце концов Леон не выдержал:

— Ну хорошо, — сказал, сосредоточенно глядя в
свою стопку, проклиная себя, что опять заводит эту

шарманку, но не в силах заткнуться. — Хорошо, пусть это будет твоей тайной. Я понимаю, твоя личная жизнь... да, я не имею права на...

Она засмеялась, ложкой подхватила последнюю лужицу супа, отправила в рот и сказала:

— Господи, и с этим он с утра таскается, барахольщик! Вот дурак! Ну и последний же ба-ал-ван этот последний по времени Этингер! — Подперла кулаком щеку и смотрела на него в упор своими смеющимися блестящими глазами, не остывшими от горячего цунами корейского супца. Охала и повторяла: — Ну и дура-ак же мне достался...

А ему в грудь разом хлынуло какое-то птичье попискивающее счастье, под столом он накинулся на ее коленки, и она отпихивала его руки, повторяя:

— Ой, отстань, псих, истерик, синяя борода... Ты опрокинешь горшок! Прекрати, сейчас нас выведут!

— Супец! — сказал он. — Отныне кличка твоя будет — «Супец»!

И вновь, как совсем недавно, когда в одинокой беспомощной тоске мысленно обшаривал гигантские пространства в поисках этой глухой бродяжки, Леон чувствовал, что пропал, погиб, нелеп, смешон и связан... И при этом счастлив, как последний дурень.

Когда, расплатившись, они поднимались по ступеням к выходу, Леон вдруг сказал:

— Погоди минутку!

Метнулся вниз, к барной стойке, и по спине его она видела, с каким увлечением он толкует о чем-то с барменом, за что-то платит и толстым красным карандашом выписывает на свеженаклеенной этикетке большой бутыли: *Etinger*...

— Я купил нам личную именную бутыль дынного соджу, — сообщил ей, когда они пешком возвращались в отель.

— Господи, зачем это?!

— Не знаю, — честно отозвался Леон. — Как-то вдруг захотелось. Будем время от времени приезжать, приходить сюда и выпивать.

Айя пожала плечами и заявила, что он чокнутый, что в Лондоне она намерена появляться не чаще чем раз в столетие, и «тогда этой бутыли нам хватит лет на пятьсот»...

* * *

Вернувшись в отель, они выстроили стратегию предстоящего разговора с Фридрихом: никаких записочек, никаких умолчаний, никаких прошлых обид и заноз; ты сегодня в другом социальном статусе, ты вообще — *другой человек*. Все сумасбродства — крашеные дреды, кольчуга на лице, рваные джинсы и наркотики — все к черту уплыло, все забыто. Сегодня ты вернулась в Лондон с женихом (именно, с женихом!) и, пользуясь тем, что... короче, там видно будет — вперед!

Сам набрал домашний номер особняка в Ноттинг-Хилле — он шел ва-банк. Из недр артистического реквизита был извлечен самый гибкий, самый доверительный, самый респектабельный голос:

— Господин Бонке?.. Добрый день! Ваш номер мне надиктовала ваша племянница Айя — вот она сидит рядом и передает вам нежный привет.

(Она не сидела, а валялась тут же на кровати: лежала на животе, искоса, из-под локтя наблюдая за Леоном, и по тому, как побелели костяшки ее пальцев, вцепившихся в подушку, было ясно, *как* она волнуется.)

Голос Фридриха в трубке — неожиданный: довольно высокий, но приятный и совсем не старческий. Да-да, он понимает, что Айя попросила кого-то набрать номер, и благодарен неизвестному посреднику за эту любезность.

— В данном случае не кого-то, — с юморком в голосе (*и тепла, тепла побольше, ты разговариваешь с будущим родственником!*), — не посредника, а своего жениха.

— О-о! Да что вы! — Шуршание, перекладывание трубки из руки в руку, прикрытая ладонью мембрана и шипение в сторону: «Ты же видишь, что я разговариваю!» — Какая приятная новость, и так удачно, что именно сегодня...

— Дорогой Фридрих... могу ли я вас так называть?

...Это ничего, что мы перебиваем старших, мы же волнуемся, чуток порывистости и нетерпения артисту не повредит: артист еще молод, избалован вниманием публики...

— Дорогой Фридрих, Айя всегда так тепло говорит о вас и очень переживает, что досадные обстоятельства...

...Голос Фридриха что-то пытается, но мы не дадим, наш доброжелательный напор, свойственный эмоциональной натуре, простителен артисту... Именно: ты избалован успехом и глуповат, прости господи. А теперь имя, имя, и дальше уже ходу нет:

— Да, я же забыл представиться, вот невежа: мое имя Леон Этингер, я оперный певец, и если вы любите оперу, возможно, когда-нибудь...

— Боже мой! Лена, Лена! Ты не представляешь, с кем я говорю!.. — И торопливо: — Это я жене, вот кто безумный оперный фанат. Но главное: мы же слышали вас в Венеции! Ведь вы пели в этом соборе, как его?.. Такой огромный, круглый, на стрелке острова... господи, надо же, вылетело из головы — название во всех путеводителях! Меня жена потащила, а я, грешным делом, невольник чести в этом вопросе. Сопротивлялся, конечно, но куда в Венеции вечером пойдешь! И уж на что без слуха, но ваш голос... это, знаете, сильное впечатление! — Он говорил без умолку и, видимо, вправду был озадачен и поражен...

...Чем же? Совпадением? Сочетанием несочетаемого? Странностью нашего союза? И как ни крути, вот уж действительно удача — этот «Блудный сын» в Венеции! Сколько сюрпризов ему уже принесла оратория забытого Маркуса Свена Вебера!

И прав Натан, прав: как драгоценна подлинность факта, как тверда реальная почва, как точна музыкальная тема: ни единой фальшивой ноты. Ах, какая удача — Венеция!

— Вот уж сюрприз! — не успокаивался Фридрих; его странное возбуждение казалось Леону преувеличенным: да, приятное совпадение, достойная партия девушке с проблемной, мягко говоря, юностью и проблемным грузом настоящего... Но не слишком ли радуется этот дядя... впрочем — дедушка, дедушка! — Слушайте, моя жена просто сойдет с ума от счастья! И я так рад, что Айя... кстати, как она, моя дорогая внучатая племянница?

— По-моему, прекра-асно, — Леон раскатал интимный смешок в самом низком своем регистре, — а иначе разве я предложил бы ей руку и сердце!

И оба рассмеялись: дуэт мужского смеха, каждый со своей подспудной партией. И тема Фридриха... Острый, проникновенный слух его собеседника улавливал тончайшие обертоны в волнующей партии этого несколько растерянного солиста.

Сейчас уже у Леона не было никакого сомнения, что угасающий самец на другом конце провода в бешенстве, в ревности и одновременно в ожидании встречи с «дорогой девочкой». В эти минуты он уже не сомневался, что «двоюродный дедушка» (вздор, тот был мужиком в расцвете сил, когда впервые увидел пятнадцатилетнюю Айю, да и сейчас не так еще стар!) все эти годы был безнадежно в племянницу влюблен и попросту разумно держал себя в узде.

Что, что его сдерживало: упрямый и неуправляемый характер девушки? Защитительная целостность глухоты — осязаемая плева этого кокона беспощадной природы? А возможно, именно в своем добровольном отречении от нее Фридрих ощущал себя так называемым порядочным человеком? Ее отец Илья Константинович — вот кто должен был сразу учуять эти нечистые токи и наверняка учуял, недаром даже перед чужим человеком обронил что-то о своем неприязненном отношении к «немецкому родственнику»...

А ты бы?.. — спросил себя Леон. — За свою дочь порвал бы любого в куски! И будем надеяться, оперный ты отелло, что предусмотрительная природа в твоем случае распорядится снисходительно, послав тебе не дочь, а парня, на которого ты и внимания обращать не...

— Но звоним мы, собственно, вот почему. Айя помнит, что сегодня у дяди Фридриха день рождения, и просит пожелать ему...

— Ка-ак! Но разве вы не навестите нас вечером? — Искреннее огорчение в голосе. — Да я и слышать не хочу! У нас сегодня совсем небольшая компания... только свои, домашние... парочка друзей. Я тут недавно перенес операцию — так, ерунда, запчасть сменили к моторчику, на шумные приемы пока не настроен. Но Айя... Айя — она-а... особая тема, и...

Да, по некоторым вибрациям в его голосе, которым Фридрих, между прочим, отлично владел, чувствовалось, что Айя — тема особая. Поддержим, усилим, подкрутим часовой механизм, пусть потикает в твоих висках и ревность, и изумление. (Леон на секунду прикрыл глаза и с внезапным волнением подумал: вот ты, дядя, еще увидишь ее сегодня, увидишь!)

Минуту-другую отвел на традиционные пируэты: нам не хотелось бы врываться в узко-семейный... И слышать не желаю, мы же без пяти минут родственники! Будьте добры, никаких отговорок, не огорчайте мою жену: вечером мы вас ждем, и точка!

Ну, в таком случае, конечно, мы принимаем... и *до-ми-соль-до*... да-да, часов в семь... да, разумеется, она помнит адрес... и *ре-фа-ля-до диез*... Ну, так до вечера?

...Еще несколько ровным счетом ничего не значащих легких арпеджио и — мажорный аккорд с утопленной в басах темой рока...

Трубка положена на рычаг.

Айя вскочила с кровати, молча принесла из ванной полотенце, молча вытерла ему лоб, шею, даже грудь в расстегнутой рубашке.

— Пожалуй, я душ приму, — проговорил он. — У меня ведь подписание контракта, причем важнейшего, черт побери!

Ни о каком «важнейшем контракте» ни мозг его, ни чувства в данную минуту знать не желали.

— Но каков его русский!

— Я тебе говорила, — отозвалась она, бледная, притихшая и почему-то худенькая такая в этом махровом гостиничном халате.

— ...Каков русский...— задумчиво повторил Леон. И кивнул на клетку, в которой лениво попискивал Желтухин Пятый: — Пусти полетать этот «подарочек». У него сегодня премьера...

Улица была типичной для Ноттинг-Хилла: *terrace houses*, длинные блоки, разделенные на секции сравнительно узких четырех- и пятиэтажных домов: выпяченные, как пивное брюхо, эркеры, ступени к высокому крыльцу парадного входа, полукруглые оконца мансард, губные гармошки коротких дымоходов на крыше; ну и традиционные «коммунальные садики» позади дома.

Но особняк Фридриха и Елены был чуть глубже утоплен в зеленой поросли кустов и стоял наособицу, завершая полукруг улицы. Позже, оказавшись внутри дома, Леон догадался: кто-то из бывших хозяев просто объединил два коттеджа в один, что дало неожиданный внутренний простор помещений, с улицы незаметный.

С улицы, как и говорил Натан, ничего вызывающего: четырехэтажный дом, выкрашенный в приятные цвета, кофе со сливками. На проезжую часть смотрят два просторных эркера со старыми стеклами в желто-лиловых медальонах. Изящный кружевной портик над входной дверью с двумя белыми колоннами, полуподвал, образованный веками поднимавшейся мостовой, и умильный, крошечный, чисто английский палисадник, огороженный низкой кованой решеткой... Хороший вкус, достойные деньги, проросшие в благопристойную жизнь благополучной лондонской прослойки.

Помолвленная пара тоже выглядела благопристойно, даже немного официально; чуть официальней, чем следовало для семейного вечера: «Видишь, ты спрашивала, к чему мне еще серый костюм, пижоном обзывала. А на такой вот случай ничего лучше не придумаешь».

120   Ее-то он одел в «Хэрродсе» — а где же еще? — попутно выяснив, что она ни разу (!) не бывала внутри культового универмага.

— Как?! Прожив в Лондоне столько лет, не заглянуть в это грандиозное сельпо, где продается все, от самолета до живого крокодила?!.

— И что б я там покупала: какое-нибудь модное дерьмо за пять тыщ фунтов?

Романтический памятник принцессе Диане и Доди аль-Файеду при первом же взгляде окрестила «Рабочим и колхозницей» — Леон чуть не помер от смеха там же, на эскалаторе...

И уж он покуражился — и над Айей, и над продавщицами модного дома «Nina Ricci», медленно перебирая модели на вешалках, щупая материю, заставляя принести то и это, заглядывая в примерочную, где раздетая и босая Айя перетаптывалась на коврике, почему-то не решаясь послать Леона к черту. Передавал ей то черную юбку, то голубую блузу, то какую-нибудь легкомысленную «фигарошку»... И, окидывая «модель» мимолетным и отстраненным взглядом, непререкаемым тоном бросал:

— Снимай. Не годится...

— Ну почему, почему — не годится?! По-моему, нормально...

— Я сказал — снимай. А зеленое платье не уносите, мэм, мы его еще не примеряли... — И, отдернув тяжелый занавес на кольцах, вбрасывал на руки Айе очередную тряпку: — Держи тремпель!

— Что?!

— Тремпель! Вешалка. Харьковское словечко, имя фабриканта. Не веришь — спроси у дяди Коли Каблукова...

Наконец одобрил платье серовато-жемчужного тона с коротким пиджачком: никаких вольностей, подол чуть выше колен, на ногах — классические лодочки. Выволок Айю из примерочной, одернул сзади пиджачок, сдул пылинку с воротника, огладил плечи, слишком подробно принялся расправлять складки на груди, попутно получив по рукам.

— Я как... референт президента фирмы по изготовлению пластмассовых контейнеров, — заметила она, втайне с удовольствием оглядывая себя в зеркале, уходящем к лепным гирляндам потолка и чуть удлиняющем фигуру; костюм уже не хотелось снимать никогда. — Слишком чопорно, нет?

— Точно, — отозвался он, окидывая ее оценивающим, каким-то отстраненным взглядом-махом. — Это нам и нужно. И чтобы это впечатление разбить, мы украсим тебя изумрудными сережками.

— Это еще зачем?! — возмутилась она. — Только деньги на ветер, с ума сошел!

— Цыц, — задумчиво обронил Леон. — Именно: изумрудные сережки, небольшие, но недешевые. Подарок жениха... Ее надо убить.

— Кого?! — испугалась Айя.

— Твою врагиню, — ответил он ласково, но с такой улыбочкой, что ей стало зябко. — Эту гадину Елену.

— Леон, послушай...

— Молчать!

И сережки были куплены в ювелирном магазине на Портобелло-роуд, и что поразило Айю — именно такие, какие Леон ей расписывал по пути: трогательные изумрудные слезки в окружении мелких, но чистых бриллиантов. (Более всего ее изумляла стрелковая точность и скорость, с какой он выбирал вещи и их оплачивал: пришел-увидел-оплатил.)

Впрочем, когда она *прочитала* цену товара в губах продавца (серьги оказались антикварными, первая половина девятнадцатого века), они с Леоном чуть не подрались прямо там, в магазине. Она хватала его за руки, подпрыгивала, пытаясь вырвать у него банковскую карточку...

— Впервые вижу, — заметил высокий лысоватый продавец, меланхолично наблюдая за этим боем быков, — чтобы девушка так сопротивлялась подарку.

Леон, победно улыбнувшись — как улыбался Исадоре наутро после водворения Айи в доме на рю Обрио, — пояснил:

— Это моя невеста.

— О, понятно, — отозвался тот невозмутимо. — Мисс примеряет должность охранительницы семейного кошелька.

Но именно эти серьги (и изумрудный ремешок к платью, и такой же — к новым часикам) придали ее слегка официальному облику строгое и нежное очарование, и пока пешком они возвращались в гостиницу, Леон раз пять останавливался, разворачивал Айю к себе, щурился, окидывая всю ее фронтальным, продленным, влюбленно-собственническим взглядом (одесский негоциант с супругой по пути в синагогу Бродского), щелкал пальцами и говорил себе: «Да! Изумительно!»

* * *

— Будь естественной, улыбайся — ты показываешь жениху ностальгические места своей юности. Два окна на втором этаже — чья это комната?.. Ага. А на третьем?.. Ясно...

Минут двадцать они потратили на «небольшую прогулку» по узкой дорожке позади дома. Капитан Желтухин попискивал, восседая на жердочке (матрос в «вороньем гнезде»): радовался легкой качке и узористому бегу теней сквозь прутья клетки, которую несла

Айя. Клеточка убога, не для дарений, да... Ничего, со-
шлемся на иногородность: «сами мы не местные».

Искоса, не поворачивая головы, Леон осматривал
коттедж, наполовину укрытый узловатыми ветвями
старого бука. Надо полагать, летом с улицы дом полностью скрыт за густой листвой. Калитка садика наверняка заперта, высокая поросль кустов зажелтевшего
дрока естественным забором отсекает частное владе-
ние от прохожих.

Прогулочным шагом они обошли квартал и наконец поднялись на крыльцо под чугунно-вязаный,
будто пером каллиграфа писанный портик парадной
двери. А как горят на солнышке начищенной бронзой
почтовый ящик и почти интимная розочка с сосочком
звонка!

— Подожди... — Айя перехватила руку Леона, уже
готовую жать на кнопку. — Скажи только: какого черта
мы носимся с кенарем? Зачем, что ты задумал?

Он нежно пробежал пальцами по ее щеке, подмигнул... А лицо чужое-чужое... и все мышцы напряжены
и приведены в состояние боевой готовности: значит,
опять будет лгать и изворачиваться. Ей захотелось про-
тянуть руку и с силой провести по его лицу, разминая,
разглаживая эту лукаво-холодную маску.

— Воительница моя, амазонка... ты обещала быть
незаметной.

— Я боюсь тебя! — выдохнула она. — Ты сейчас такой, как на острове. Что у тебя на уме, кому там собираешься горло сдавить? — И взмолилась: — Леон!
К черту их всех, уедем отсюда куда хочешь, немедленно и навсегда.

Он резко втянул воздух сквозь сжатые зубы, отвернулся, а когда вновь повернулся к ней, она увидела в
его лице такую подавленную ярость, такое презрение,
что отступила на шаг.

— Хорошо, — ровно проговорил он с этой ледяной улыбочкой. — Мы сейчас уйдем. А ты и дальше — скрывайся, садись в третье такси, меняй береты на платочки. Делай «куклу» и живи по водительским правам Камиллы Робинсон. И так до конца жизни или пока не убьют... Послушай, детка, может, тебе это нравится? Может, это твой допинг, а я напрасно суечусь, лишая тебя развлечений?

Она молча опустила голову, и он молча ждал, не помогая ей ни словом, ни движением. Разглядывал ее незаинтересованно, как прохожую, — черные беспросветные глаза скучающего хищника.

Он знал эти приступы тошнотворного страха перед последним шагом в пустоту, в зыбистую трясину опасности, сам проходил не раз, когда мысленно крался вслед за своим «джо», посланным в пульсирующий язычками огня, набухший ненавистью район действия... Страх Айи ощущал всей кожей, всеми нервами; ужасно за нее переживал, но ничего поделать не мог: она должна была справиться сама, решиться, принять это сражение как свое.

Ну, вот она молчит, и между ними — тысячи километров. *А ведь она не произнесла своего «да» на его тихие слова — там, в кухне на рю Обрио. Она только плакала, а ее слезы — это просто божья роса.*

Он предпочел не знать (и никогда бы не спросил), что там она себе говорит, как себя ломает; просто понимал, что вот сейчас, на этом крыльце, за эти две минуты между ними все и решается...

Вдруг она подняла к нему лицо, горестное и одновременно решительное, и по глазам, по губам он понял, что выиграл.

— Ты глянь, — сказал, — вон больная ворона кряхтит.

Айя обернулась. На чугунном копье ограды парка через дорожку сидела взъерошенная ворона и натужно вытягивала шею, будто пыталась что-то сказать; клюв разевала — длинный и острый, как хирургический пинцет, явно неможилось птице...

Когда — уже сама — Айя решительно потянулась к дверному звонку, Леон перехватил ее руку.

— Нас могут рассматривать из дома... — сказал он, улыбаясь одними губами. Взгляд его — горючая смола — растекался по каждой ее жилке. — Поцелуй-ка меня, ворона... веселей!.. Вот так.

Когда приблизились ее губы, пробежал по ним невесомым шепотом:

— Ничего не бойся, просто будь рядом.

Она молча кивнула. Уходящее солнце скользнуло по ее лицу последней волной, плеснув тихого золота в виноградно-янтарную зелень глаз.

Леон отстранился, большим пальцем мазнул по ее скуле, убирая слишком густо положенный тон темной пудры, беззвучно проговорил на легкой улыбке:

— Супец! Я на тебя надеюсь.

Она кивнула.

— Это — наш с тобой шанс, и другого не будет.

И опять она послушно кивнула.

— Теперь — звони!

Открыл им тот самый описанный ею восточный джинн с перекореженной физиономией, с удивлением в когда-то задранной, да так и рассеченной брови, с черной жесткой челкой, придавшей этому дикому лицу нелепо женское выражение.

Чедрик — телохранитель, привратник, прислуга, порученец и черт его знает, кто еще. (Леон вновь поразился острой наблюдательности Айи, тому, как точно она описывает внешность, осанку, повадки человека. Опять мелькнуло: если б не было этой *бат-левейха*[1], ее бы следовало придумать.)

При виде Айи Чедрик молча вытаращился, хотя явно был предупрежден.

— Что, бульдозер, не узнал? — спросила она. — Давай обыщи нас, бифштекс рубленый!

Это она незаметной обещала быть. Хорошенькое начало...

Но по выражению понурой физиономии громилы понял: все правильно, молодец, *казахская хулиганка!*

На ее хрипловатый голос в прихожую вышел Фридрих, и — мысленно сказал себе Леон — «занавес поехал»...

Он любил эти первые мгновения распахнутой сцены — всегда похожие на первое обнажение желанной женщины, когда ты жадно охватываешь взглядом всю ее, такую новую, неожиданную и все же страстно ожидаемую. Сцена обнажена, и необходимо подметить на лету все мельчайшие детали, и все уже неважно, ибо вот твой выход, действие мчится, ты посылаешь свой первый звук, первую ноту, первую фиоритуру... А взгляд все мечется, вибрируя и вбирая попутные детали, ибо ток действия еще не захватил публику настолько, чтобы сосредоточить внимание на самом главном: на собственно твоей партии в сложнейшей партитуре.

В фокусе его как бы раздвинутого увертюрой взгляда оказался Фридрих, сильно постаревший с того дня, как Адиль демонстрировал ему монеты Веспасиана: поредевшая волна зачесанных назад седых волос, нездоровое скуластое лицо с желтоватой кожей. Но все

---

1 Сотрудница разведслужбы, выступающая в чисто «женской» роли — например, любовницы или супруги оперативника под прикрытием *(иврит, развед. сленг)*.

еще подтянутый, плечистый, крупный мужчина; да, к семидесяти, и все же — не старик пока. Не старик! И так небрежно-ловко сидели на нем темно-синяя вельветовая куртка свободного кроя, приятно перекликаясь с яркой сединой, и такие же свободные вельветовые брюки, и бледно-голубая рубашка с расстегнутым воротом. Правду сказал, мысленно отметил Леон: никакого протокола, домашняя вечеринка, почти семейный ужин.

Что сильно мешало сосредоточиться — избыточность этого яркого дома, избыточность во всем, начиная с прихожей, с ее пестрящего, черно-белого, как в голландских домах, шахматного пола; с двойных витражных панелей, сейчас разведенных по сторонам, так что полукруг лестницы, обегающей холл, увлекал взгляд дальше — к витражам площадки второго этажа.

В проеме открытой двери за спиной хозяина просматривалась часть гостиной: и там уже взгляд притягивал и завораживал рисунок персидского ковра на полу — редчайшей красоты и сложности, так что казалось кощунством по нему ступать. Цветовая гамма этого поразительного ковра (через минуту выяснилось: простертого от стены до стены) была настолько изысканна и строга и в то же время насыщена десятками оттенков розового, бежевого и доминирующего синего, что если бы в комнате этой совсем не оказалось мебели, при такой полной и напряженной жизни цвета внизу она бы вовсе не казалась пустой. Но мебель была, и под стать ковру: виднелся фасад явно антикварного буфета в персидском стиле (красное дерево с бронзовыми вставками и перламутровой россыпью инкрустаций), обитая синим шелком оттоманка, тонконогой газелью присевшая на ножках; восьмигранный торшер в стиле Тиффани...

Там же проплыла чья-то полосатая мужская спина, женская рука с бокалом (искры колец едва ли не на каждом пальце). Но это — там, там, в гостиной (сценическое действие разворачивалось, мчалось одновременно в нескольких регистрах, в оркестре вихрилось несколько разных тем); здесь же, в холле, хозяин с застывшей улыбкой смотрел на новую, совершенно иную, *нежно-персидскую* Айю (как точно подобраны ее сегодняшние цвета, браво, мельком похвалил себя Леон, — жемчужно-серый в одежде, и изумруды под дымчатую зелень глаз, и даже эта бледность кстати, и перламутр ее побелевших от напряжения губ).

Леон своим цепким взглядом буквально узоры по лицу Фридриха вышивал, видел, что «Казах» поражен, повержен, что глаз от внучатой племянницы не в силах оторвать, на спутника ее даже не глянул...

Да: все угадано верно. *Твоя проклятая интуиция.*

И не стоит так яриться, парень, можешь лишь посочувствовать мужику и втайне его даже благословить: возможно, лишь благодаря этой его слабости Айя еще жива.

Она же при виде Фридриха инстинктивно отпрянула к Леону, опустив и заведя за спину клетку с Желтухиным. Все это — в круговерти считаных секунд, которые все длились, как длился взгляд хозяина дома, вначале заметавшийся, затем растерянно зависший над собственной гостеприимной улыбкой.

Стиль — радушные родственные объятия — явно был продуман заранее: шагнув к девушке, Фридрих осторожно обнял ее, огладив плечи, скользнув ладонями к хлястику пиджачка; сплел пальцы у нее на талии и чуть привалил к себе, приговаривая:

— Вот и хорошо, вот и правильно, и пусть все наше плохое останется в прошлом...

При этом ритуал знакомства *с женихом* ни на йоту не пострадал: большая доброжелательная рука в руке

Леона (мягковата для персонажа из воспоминаний Кнопки Лю; впрочем — недавняя операция, да), нужный градус улыбки на пороге гостиной, уже густо населенной голосами на едва слышимом фоне — черт побери, что за демонстративный книксен, что за дурной тон! — на приглушенном фоне неаполитанских песен в его, Леона, исполнении. Довольно старая запись, но из удачных:

«Dalla terra dell'amo-o-o-re... Hai il cuore di non torna-a-a-are?»

Интересно, кто из них решил, что певцу будет приятно накачиваться спиртным под собственное верхнее «до», прикрученное *до* пианиссимо?

Вот она, эта комната, где когда-то Айя возилась со своими так и не завершенными «Снами о прекрасной Персии». Дверь в кабинет Фридриха сейчас надежно закрыта — и это понятно, к чему демонстрировать сугубо профессиональную жизнь хозяина? Еще одна дверь... куда? Вероятно, в столовую, и там что-то звякает, кто-то шаркает, двигают стулья, накрывают стол к семейному ужину... Откровенно и приятно пахнет едой, что редкость в современных лондонских домах подобного уровня; в этом томлении нежного бараньего мяса угадываются ароматы специй Старгородского рынка Иерусалима. (И как сердце захолонуло: сейчас бы в харчевню старого Косты, да голубя заказать, фаршированного лесными орехами!)

В камине, облицованном иранской керамической плиткой (как знакомы иерусалимскому глазу эта лазорево-бирюзовая гамма, эти мотивы, коими переполнены арабские лавки Старого города: всадник с луком и колчаном стрел, конек-горбунок вздыблен, шея бубликом; охотник с соколом на сгибе локтя; пестрые стаи пузатых базедовых рыбок с вуалями хвостов; и — довольно редкий мотив — нежно-лимонный кенарь в кусте жасмина), — в камине, несмотря на теплую погоду, по синтетическим поленьям перепархивают голубовато-белесые огоньки встроенной газовой установки. Приятным пригласительным полукругом расставлены перед огоньком четыре низких викторианских кресла со стегаными спинками. Вся противоположная стена тесно — впритык — закрыта высокими книжными шкафами с затемненными стеклами в частых переплетах.

И глаз уже одобрительно выхватывает несколько бюстов работы Рубийяка на шкафах: Мильтон, Шекспир... Наполеон... и сумрачный горбоносый Данте в остролистом частоколе лаврового венка. Паросский мрамор, старомодный кабинетный шарм.

Так и тянет туда — пробежать глазами, прощупать корешки, извлечь книгу, полистать, вновь поставить на полку — к чему это? совсем не ко времени...

Обилие всюду уместных разнообразных и разнонаправленных ламп, угольков-огоньков, торшеров, спотов — чуть не на каждом шагу, целая световая клавиатура, предназначенная для неторопливой мелодии уютного быта, для удобной жизни сугубых индивидуалистов, привыкших к ежеминутному освещению передвижной личной капсулы.

Дальняя прозрачная стена гостиной раздвинута, и, спустившись по нескольким ступеням, можно перейти в застекленное пространство с плетеными креслами и диванами, подвесными люльками, круглыми восточными столиками и витыми металлическими стульями; в прекрасно спланированный, мягко освещенный дневными лампами зимний сад, наполненный зеленоватым, каким-то волнующим подводным светом, что доплескивает сюда, в звучащую гостиную, ко всем прочим ее дуновениям и ароматам (еды, духов, приятной мебельной полироли), травянисто-цветочные, чуть душноватые, чуть влажноватые запахи оранжереи.

Вот из какого дома улепетнула его любимая. Вот что она сменила на бродяжьи ночлеги, барные стойки, грязные бокалы в раковинах, непотребную одежку и полную свободу выбора партнеров, пейзажей и кадров... А ему, Леону, так нравился этот дом, так близки были вкусы хозяина, так притягивали взгляд подлинники персидских миниатюр на стенах, и захватывающая повесть сказочного ковра на полу, и старинные вещицы куда ни обернись; так очаровывал облик этой ни на что не похожей гостиной, струящейся синим сирийским шелком, какой продают в одной знакомой иерусалимской лавке, — сирийским шелком, из которого шьются облачения церковных патриархов и жилетки звезд мирового шоу-бизнеса.

Вряд ли тут развлекал кого-то Гюнтер. И все же Леон наводил резкость на каждое лицо, каждую фигуру, следуя за хозяином, представлявшим гостей.

Итак: в викторианских креслах с бокалами в руках — пожилая чета, из тех супружеских пар, которые при знакомстве даже представляются слитно: Джейкоб-и-Герда, например, или там Мэри-и-Джеймс. В данном случае она — типичная старая спортсменка из вечнозеленых *рюкзаков и альпенштоков*: крупные зубы, выскакивающие в улыбке, мужские носогубные складки вокруг решительного рта, ровная линия мужской стрижки над широким огнеупорным лбом, мужское рукопожатие... Ее симпатичный полноватый коротышка-муж, бурый ус моржовый: угрюмое лицо, голубые рачьи глаза и такая щетка усов — хоть пол ею подметай. Оба олицетворяют закон — компаньоны крупной юридической фирмы.

А зимний сад в этот миг дарит нам еще одну не-
молодую пару, которая переступает порог гостиной,
взявшись за руки, как первая в мире райская чета.
Эти — зубные щетки в пластиковой упаковке — как-то
слишком промыты и даже продезинфицированы: выбеленные глаза, накрахмаленные брови, перекрахма-
ленные волосы... Норвежцы, учредители и вдохновите-
ли какой-нибудь организации-*мироносицы*, из тех, что
снаряжают в плавание очередной гуманитарный, хорошо вооруженный кораблик «Свобода Газе!» — алые
паруса под флагом капитана Сильвера.

Далее: погруженный в кресло и уже изрядно нагру-
женный спиртным румяный твидовый верзила — ноги
протянуты аж до каминной решетки. Этот — явный
британец, явный не-Гюнтер, что-то невысокое в МИДе,
но, вероятно, *очень нужное в бизнесе*.

Наконец, еще один господин с внешностью ре-
сторанного саксофониста где-нибудь в Сочи, в меж-
курортный сезон: стоит, опершись локтем о каминную полку с целым выводком фарфоровых книксенов,
фижм и вееров. Этот — наоборот, очень живой и очень
южный, но и его виноградные усики под носом-кеглей,
полосатый приталенный пиджак и джинсы на ножках,
тоже напоминающих виноградные усики, никак не могут принадлежать Гюнтеру. И точно: саксофонист оказался «главой нашего тегеранского отделения, автором
книг по истории персидских ковров»...

— И мой сегодняшний утренний сюрприз: моя внучатая племянница Айя со своим... э-э-э... другом, под
чье божественное пение мы, собственно, и... О господи! Как это понимать!? Сразу два певца?!

Ага, замечена клетка, вдруг поднятая Айей высоко,
как фонарь в ночи, и в ней — желтый огонек бойкого
кенаря.

— А это подарок дяде... — жизнерадостно улыбаясь, объявил Леон, принимая клетку из руки Айи и обнося ею гостей широким полукругом. — Прямиком из Алма-Аты, из «птичьих яслей» великого канаровода Ильи Константиновича.

Минуты три ушли на оживленные замечания гостей и некоторое замешательство Фридриха:

— Но... это, наверное, как-то мудрёно — ухаживать за ним?

— Да что вы! — весело отмахнулся Леон. — Это чистая радость! Вам ли не знать, с вашей *персидской темой*...

Так — естественно и эффектно — Желтухин Пятый был представлен обществу и в своей медной карете водружен на каминную полку, всем видом и сутью перекликаясь со стилем этой комнаты.

И, словно подтверждая слова Леона о *персидской теме*, великий кенарь встрепенулся, вычиркнул две-три задиристых фразочки, вдруг свободно и щедро пропел светлую овсянку и сразу перешел на горную: начал в низком регистре и постепенно потянул вверх, вверх, замирая в непереносимой сладости звука. Было в его пении что-то родственное таинственным узорам ковра и простодушным мотивам на керамических плитках камина, благородным сюжетам персидских миниатюр на стенах и пленительным мини-сюжетам на глади сирийского шелка...

Вдруг кенарь залился такой чистейшей конкурсной трелью, такую руладу завинтил и длил ее, длил, выводя и вывязывая петли и кренделя, — голубчик, златоуст, потомственный солист! — что оцепенелая публика была окончательно покорена. Аплодировали от души, клетку обступили, дивились маленькому, но такому подлинному артисту, просовывали пальцы сквозь медные прутья: «Можно спинку погладить?»...

— Подумать только: какой голосище в мизерном тельце!

— Как и положено в таком доме — райское сопровождение ужина, — заметил специалист по коврам.

— Ну, не зря же клетку с канарейкой на Востоке истари вешали в лавках и кофейнях.

— Хотя именно эта порода — *русская* канарейка, — любезно подчеркнул Леон. — И экземпляр из отменных. Полюбуйтесь, как подхватывает... — Вполголоса подпел Желтухину, демонстрируя, как тот развивает, рассыпает-расцвечивает тему и — замирает, постреливая черными дробинками глаз, в ожидании следующего вызова, следующей темы для вариаций. Две-три минуты артист и кенарь будто мячиком перебрасывались музыкальными фразами, и вились, и вились два голоса, беседуя, сплетаясь-расплетаясь.

Гости пребывали в полнейшем восторге, а Фридрих даже вышел в холл и крикнул куда-то на верхние этажи:

— Лена, где же ты? Пропускаешь такой номер: два кенаря — кто кого!

Но по голосу было слышно, что не в своей он тарелке: чем-то озабочен, даже подавлен...

* * *

Елена спустилась чуть позже («Ну, никуда еще вовремя не явилась, даже в собственную гостиную!» — это Фридрих на улыбке, но довольно раздраженной улыбке: видимо, гости, хотя и были «своими», толклись здесь уже минут сорок, и уж кому следовало их развлекать, так это хозяйке).

Елена оказалась бывшей красавицей. Впрочем, нет, не бывшей: высококлассная работа хирурга дорогой лондонской клиники была, как и полагается, практически незаметна. Разве что легкая приподнятость в натянутых скулах, веках и подбородке сообщала ее лицу слегка патетическое выражение (которому соответствовал и голос — высокий, бедноватый оттенками, слегка назойливый). Вероятно, в молодости это славянское лицо с задорным носиком и глазами цвета патоки было проще, мягче... милее, что ли. Сколько ей? На вид — тридцать девять, следовательно, лет пятьдесят пять. Бездетна; и это совсем другая тональность...

На пороге гостиной она чуть развела полноватые руки (не стоило так уж их обнажать), словно собираясь обнять всех разом, но никого не обняла; атласной щекой, впрочем, осторожно приложилась к мятым щечкам обеих пожилых дам. Знакомство с Леоном было отмечено целым спичем, посвященным... *ну, это пропустим, обычные комплименты средне-бывалых любительниц оперного жанра, и, гос-с-споди, кто бы выключил наконец его неаполитанские, ни к селу здесь ни к городу, рыдания:*

Ma non mi lascia-a-are,
Non darmi questo torme-e-ento!
Torna a Sorre-e-ento,
Fammi vive-e-e-ere!

...Подняв палец, как бы предлагая прислушаться к улетающему ввысь и тающему его голосу, Елена заговорщицки улыбается:

— Леон, вы оценили?

Что тут ответишь... Ручку, ручку поцеловать, вот так, и на мгновение прижать ее к левому лацкану пиджака...

Но вот на Айе глазик хозяйки пыхнул, ох как пыхнул, хотя с самого начала Елена старалась ту не замечать и даже держаться к ней спиной:

— Как же это вы умудрились познакомиться! И с каких это пор Айя посещает концерты! — Это Леону, интимным тоном, да еще по-русски; подкожная инъекция капельки яда: — Уж мы-то с вами в курсе наших семейных проблем.

Леон подумал: гадина. Гадина!

— Айя, — мягко окликнул он, привлекая к себе девушку и изливая на нее сияние всех артистических рамп: — Продемонстрируй Елене Глебовне мой подарок, убедись, что это был правильный выбор.

И перехватив оценивающий и холодный взгляд Елены, мысленно усмехнулся: *славный одесский выпад, правда, Барышня? Славный одесский выпад по пути в синагогу Бродского.*

А скосив глаза на *свою бродяжку,* восхитился: как прекрасно она держится, как выигрышно демонстрирует украшение, наклоняя голову на косульей шее (*вот тут они и мелькнули на тропинке в Эйн-Кереме — запятнанные солнцем, в густом сосновом аромате... прочь, милые, прочь!*), и как идут ей новые серьги; да ей все чертовски идет: эти глаза с их сложной зеленовато-ореховой гаммой немедленно отзываются всему, что ни поднесешь: вот сейчас вспыхивает под ласточкиными бровями травянистая зеленца, зато вишневые искры золотого ликера исчезли напрочь.

Судя по всему, светской жизнью в этом доме ведала супруга. Во всяком случае, с ее появлением все оживилось, подтянулся и выстроился общий ход беседы, в водоворот небольшой группы гостей было умело вброшено несколько расхожих тем, и все заговорили: «Вы считаете, он пойдет на это безумие?.. А как это отзовется...» «Какие там теледебаты! Да мы скоро перейдем на кулачные бои при обсуждении годового бюджета — а что, вот в японском парламенте...» «Страшный ураган у берегов *брахмапутры*, видели во вчерашних новостях? Ужасно: просто, понимаете ли, плывут в океане дома...» «...И я не понимаю, почему это у одного государства может быть ядерное оружие, а другому запрещено?» «Фантастическое зрелище, что-то невероятное: она танцует на осколках стекла...» «Это какой-то фокус!» «Нет-нет, любому предлагается подняться на сцену и разбить вдребезги настоящее зеркало. Говорят, в Малайзии это такой вид танцевального искусства...»

Предзастольный шумок постепенно разогретой гостиной...

Che bella co-osa una giornata di so-ole, «Как ярко светит после бури солнце...» — где-то там, на террасе прекрасного дома в Санторини над морщинистой синевой залива пел его голос песню, посвященную Магде, песню, растворявшую боль и горе ее жизни... Un'aria sere-ena dopo la tempe-esta!

По молчаливому кивку Елены Глебовны Чедрик принялся за коктейли и аперитивы — в углу гостиной стояла небольшая консоль с дружной порослью разновысоких, разностильных и разнопузатых бутылок, ведерко со льдом и стеклянные кувшины с соками. Леон вышел в прихожую, извлек из своей сумки бутылку аквитанского «Saint-Estèph» девяносто пятого года...

— Ох, уж эти францу-узы (спасибо-спасибочки)! — Елена Глебовна приняла бутылку; тональность голоса — лукавая милота. — Эти патриоты отечественных вин...

— Ну, я вообще-то не француз, — уклончиво возразил Леон, — но винно-французский патриот, да.

— А вот мы поклонники вин и-таль-ян-ских! — отчеканила она. — И не просто итальянских... — И Чедрику: — Налей мистеру Этингеру *нашего*...

В руках громилы возникла темная бутылка без этикетки, и через мгновение Леон уже пробовал-смаковал, катая во рту глоток... да, отличного белого. Тосканское? «Санджовезе»?

— А вот и нет! — торжествуя, воскликнула Елена с ухмылкой на славно отделанных устах. — Гадайте, гадайте, ну-ка...

Подтянулись крахмальные викинги, припали к бокалам, включились в гадание: «Верментино?» «Альбарола?»

— Боско? — предположил *твидовый мидовец* из кресла: значит, еще держал марку; не все еще плыло перед глазами.

Хозяйка наслаждалась бестолковостью горе-дегустаторов. Наконец приподнятым голосом произнесла заветное имя:

— *Пигато!*

— А я даже и не слышал о таком, — добродушно заметил морж-адвокат.

— И правильно, этот сорт винограда растет только у нас! Местная достопримечательность... Попробуйте!

Порубленным и сшитым на живульку громилой Чедриком Елена управляла полностью и молча, одними бровями: «подай», «налей», «убери», «сгинь!».

— Да, чудесный вкус... очень легкое вино... должно быть, в жару хорошо идет. Но не под мясо?

— Абсолютно справедливо, оно хорошо только под легкую лигурийскую кухню.

Как только Леон *поймал тональность* напыщенной болтовни Елены Глебовны, он немедленно прилип к ней и вил, и вил прихотливую ниточку разнотемного щебетания: как удачно подвернулись эти итальянские вина, вот по ним и поплывем. Что это значит — *наше вино?*..

Он и задал этот вопрос невинно-оживленным тоном *(певец в восхищении)*:

— Вы что, сами выращиваете виноград?

Елена оживилась, усмешливо заметила, что не совсем, конечно, *сама*, не буквально *сама*, но... тут ее перехватили, и повторять вопрос, как-то вытягивать *местность* было не с руки. В сущности, хорошо, если *пункт назначения* так и не будет назван, — когда потом об этом разговоре станут напряженно вспоминать, перебирая каждую произнесенную фразу...

Смена тональности: а что там с ремонтом вашей яхты, дорогие Мэри-и-Джеймс? Мне порекомендовали одного подрядчика с Гамбургской судоверфи...

Впрочем, тема вин никак не оставляла кружок гостей, и в конце концов все разъяснилось: и симпатяги Джейкоб-и-Герда, и Мэри-и-Джеймс, мироносцы под черным стягом *Веселого Роджера*, владели фермами и виноградниками — одни в Тоскане, другие под Миланом, где знаменитые виноградники Ольтрепо-Павезе. Заповедный круг знатоков, винно-масонская ложа... Несколько минут увлеченного обмена опытом по самым насущным темам: как подвязывать, подрезать, подкармливать, бороться с паразитами... Какие субсидии дает государство владельцам виноградников...

— А у нас ведь еще и склоны крутые! — горячо подхватила Елена. — У нас ведь не Тоскана! На наших террасах надо быть горным козлом, чтобы выращивать виноград. Спасибо, построили эту монорельсовую дорогу, хоть не на горбу тащишь...

Итак, у нас — не Тоскана... А что же? Где эта монорельсовая дорога и сколько их на бескрайних горных террасах Италии? Можно вообразить, как эта скроенная из лоскутов собственной кожи дамочка тащит на округлом плече корзину с виноградом. Что-то из итальянской живописи девятнадцатого века? Не помню, прочь...

— Я не видел, чтобы его продавали в винотеках... впрочем, я не любитель ходить по винотекам...

— Нет-нет, пигато раскупают на сувениры. Но в маленькой уютной траттории вам всегда подадут графинчик домашнего.

Опять небольшой водоворот реплик винно-посвященных. Надо вклиниться, нельзя упускать тему. Откуда это местоимение — наше, у нас... Где же это — у нас? Если не в Тоскане...

— Надо же! — воскликнул Леон. — И я-то считал себя ценителем, пока не угодил в настоящий клуб знатоков, и вот уже чувствую себя каким-то второгодником...

— Милый мой, — отозвалась очаровательная хозяйка, — просто в моем лице вы видите осатанелого фаната Италии, итальянской кухни, итальянской музыки... А то, что мы впервые услышали вас в Венеции, дорогой Леон, для меня это — особый знак.

В вашем лице... в вашем лице, прекрасная Елена Глебовна, я вижу лишь завистливую злобу, с которой ваши глаза с искусно подтянутыми пожилыми веками поминутно мечут картечь в мою любимую, — кажется, именно вы однажды бестрепетно предложили Гюнтеру «умолкать девку»?.. За что поплатитесь — да, вы, вы, Елена Глебовна.

Te si' fatta 'na veste sculla-ata,
nu cappie-ello cu 'e na-astre e cu 'e rrose...

«Ты купила платье с глубоким декольте, шляпу с розами и лентой...» Какая мука, дешевка — эти разговоры под переливы моего голоса... Но ведь неприлично и грубо — подойти и выключить мою обслуживающую неаполитанскую функцию? И толчком в сердце — Айя! Совсем брошена мною, бедняга... Глаза мечутся от одного лица к другому, губы безотчетно слегка шевелятся...

— ...И я совершенно помешана на виноделии! У меня вон, гляньте-ка — целая полка специальных книг!

Елена взяла Леона под руку и потащила к тесному книжному царству противоположной стены, где в одном из шкафов и правда целую полку занимали пестрые винные справочники, каталоги выставок, альбомы и прочее пьяноведческое хозяйство. Вытянула один из ряда:

— Тут как раз о лигурийских винах, о нашем пигато...

Так-так... значит, Лигурия — морское побережье, известное огромным количеством бухт и романтических гаваней, и в каждой может ожидать свой тайный груз мирная яхта какого-нибудь почтенного бизнесмена...

— Никогда не случалось там бывать, — попутно солгал Леон на всякий случай.

— Неужели? — весело удивилась хозяйка. — А вот другие тенора не обходят своим вниманием наши края!

— Лена, ну что ты, в самом деле, навалилась на человека со своим винодельческим хобби! Он уже явно одурел от твоего энтузиазма...

Это Фридрих, радушный хозяин. Минуту назад окучивал моржа-и-альпинистку, до того что-то вяло обсуждал с румяным мидовцем... Но, развлекая гостей, то и дело поглядывает на «дорогую девочку» и раза три уже подходил к ней (довольно близко, черт побери!), и приобнимал за плечо, и что-то говорил, слишком приблизив лицо: да-да, для ее же удобства, конечно... А та, несмотря на дикое напряжение, держится молодцом, моя умница, хотя по тому, как еле заметно растягивает гласные, как крутит головой, пытаясь удержать в поле зрения, проследить, ухватить мимику всех персонажей и собеседников, видно, насколько она, в сущности, несчастна в этом доме.

А главное, Желтухин, оставленный гостями, примолк, несмотря на мои неаполитанские призывы, и

142 едва слышно попискивает в своей походной клетке, но Фридрих — в полном порядке. Неужели наживка закинута напрасно, и бедный кенарь совершил свое эпохальное путешествие вхолостую? Неужели Илья Константинович ошибся и своим аллергическим приступом в подвале «птенческой лаборатории» Крушевич обязан вовсе не канарейкам?

— Допусти уж и меня к артисту, — добродушный Фридрих, добрейший *дядя Фридрих*, многоопытный «Казах», хитроумный тройной агент... Он что-то чувствует? Настороже? Желает прощупать жениха? — И мне охота похвастаться своей коллекцией... Вы должны оценить, Леон, — если вам хоть раз приходилось попасть в лапы к какому-нибудь букинистическому совратителю...

— Еще бы! Однажды я...

— ...тогда вы меня поймете! Я и вообще помешан на антиквариате...

— Ну, оказавшись у вас дома, не заметить этого просто невозможно.

— Да, я и в ковровый бизнес угодил теми же тропками... Но книги, знаете, — это нечто особенное... это моя страсть! Шрифты, гравюры, обложки, затхлость застарелой пыли, запашок старой бумаги... Вам Айя, конечно, рассказывала о моем отце — простом казахском парнишке, который был просто выдающимся каллиграфом? Так что это — наследственное.

Интересно, что в разговоре с Леоном «Казах» предпочел перейти на русский. И говорит свободно, четко, «вкусно», не замыленно... Значит ли это, что русский ему роднее и приятнее английского? Или это знак уважения к Леону, знак особенной доверительности, вовлечение, так сказать, в круг семьи? Или попытка на сей раз во что бы то ни стало удержать возле себя Айю, окольцованную птицу...

Взяв Леона под локоть, Фридрих потянул его к соседнему шкафу.

— Основная коллекция у меня не здесь, и не только фолианты, между прочим. У меня инкунабулы есть, даже несколько папирусов!.. Но и тут кое-что имеется...

Открыл дверцу, наугад вынул первую попавшуюся книгу... затем еще и еще, и вправду — жемчужины!

Пальцы его крупных, красивой лепки, рук чуть подрагивали, когда он касался корешка и переворачивал страницы. Да: это страсть, это истинное. Так прикасаются к телу любимой женщины.

— ...Позвольте, это... пятнадцатый век? Я не ошибся?

— А как же: басни Эзопа в переводе Генриха Штайнхофеля. — И нежно провел ладонью по развороту. — Аугсбург, 1479 год... А вот это... — потянулся и снял с верхней полки, — легендарный «Ганц Кюхельгартен», первая книга Гоголя, один из считаных оставшихся на свете экземпляров. Николай Васильевич в отчаянии от уничтожительной критики скупал собственные книги и уничтожал. По секрету: цена этого экземпляра на аукционе может дойти до полумиллиона долларов... Вообще, знаете, одно время у меня была страсть — покупать именно первые книги будущих классиков. Представьте, как на заре прошлого столетия вы лениво прохаживаетесь вдоль полок книжного магазина где-нибудь на Невском, не обращая ни малейшего внимания на имя «Владимир Набоков». Сборник стихов «Горний путь», всего пятьсот экземпляров, автору — 17 лет... — Фридрих вытянул из ряда книг тоненькую брошюру...

В какой-то момент глаза Леона безотчетно и беспокойно стали перебирать корешки на третьей полке сверху — так нащупывают гармонические ходы на клавиатуре, гармонические ходы, которые жаждет воплотить слух. Фридрих говорил и говорил, увлекаясь все больше, отмахиваясь на оклики жены: «Ну, понеслось, ну, теперь он не оставит человека в покое... Слышь, прекрати душить Леона книжной пылью! Он — артист, музыкант, а не книжный червь, можешь ты понять или нет!»

И Леон на это, с любезной полуулыбкой:

— Вы ошибаетесь, Елена Глебовна, я такой же чокнутый барахольщик, как ваш супруг...

— ...Уж не стану демонстрировать моих «лилипутов», — торопился коллекционер. — Взгляните только на миг: вот эта сантиметровая крошка, в ней молитва «Отче наш» на семи европейских языках! Послушайте, Леон, вы должны прийти к нам просто так, вечерком, я покажу вам рукописи Томаса Манна — у меня целая тетрадь, сплошь записанная его рукой, из второй части «Иосифа и его братьев»... Есть несколько листов черновиков Шиллера! Есть и курьезы...

Тут Леон выдернул взглядом из строя книг серый безымянный корешок — вот она, тональность! Смутно волнуясь, может быть, слишком поспешно спросил:

— Вы позволите? Кажется, что-то примечательное...

— Да бога ради... Это как раз то, о чем я говорил.

Леон потянул на себя потрепанный том, который с готовностью вывалился прямо к нему в ладонь и так уютно в нее лег, точно узнал родную руку.

...Он держал в руках прадедову книгу, напечатанную в типографии полоумного графа Игнация Сцибор-Мархоцкого, книгу-курьез, без начала и конца, ошибку переплетчика, а может, придурь вольнодумца-деспота, благодетеля малых сих в государстве Миньковецком... На обложке — старинной кириллицей со всеми причиндалами дореформенной орфографии — дурацкое название: «Несколько наблюдений за певчими птичками, что приносят молитве благость и райскую сладость».

Следы скольких же пальцев хранит переплет этой книги, и среди прочих — его прапрадеда, николаевского солдата Никиты Михайлова, и прадеда его, Большого Этингера... Отпечатки Яшиных пальцев и пальцев Николая Каблукова... Следы жестких рук Якова Блюмкина, купца-разведчика Якуба Султан-заде, отпечатки осторожных пальцев умного антиквара Адиля, коснувшегося этой книги в последние минуты своей жизни...

А вдруг это случайное совпадение, в смятении подумал Леон, невероятный близнец книги, уникальный второй экземпляр?..

В эту минуту (повезло, повезло!) Елена Глебовна, подавляя в голосе явное раздражение, отозвала супруга для решения какого-то внезапно возникшего вопроса — хотя, казалось, для хозяйственных нужд под рукой у нее всегда имелся бугай Чедрик.

И предоставленный себе на считаные мгновения, все еще удерживая на лице светскую полуулыбку, Леон неторопливо раскрыл книгу. Как во сне, уперся в тяжелые кубические буквы экслибриса «Дома Этингера»: гривастый лев, трогательный символ его романтического и бестолкового семейства, второе столетие сидел на задних лапах, властно положив переднюю на полковой барабан.

Где я... что со мной... Почему позволяю всем этим выползкам безнаказанно бродить по проклятому дому под нереальное звучание моего собственного голоса? И где, черт возьми, мое оружие, чтобы положить сейчас здесь всех до единого, кто имеет отношение к...

Все с той же светской полуулыбкой умеренного интереса ко всему, что его окружало в интересном доме Фридриха и Елены Бонке, Леон листанул книгу до страницы *смертельной опасности*, где и встретил милый сплющенный фантик от карамели, бог знает сколько лет назад подаренный Барышне францисканским монахом; фантик слегка прилип к старой шероховатой бумаге, чудом зацепившись для свидетельства... Какого свидетельства?

Все было сосредоточено в этой книге: его семья, его судьба, его память, его риск и ненависть; его любовь...

Его любовь в эту минуту подошла и положила на плече ему невесомую руку так тихо, что Леон вздрогнул, — перед этой чуткой рукой он был совершенно беззащитен: эта рука *слышала* не только речь, но и учащение пульса и, кажется, даже мечущиеся мысли. И ошеломленная внезапной бурей в его крови, Айя инстинктивно сжала пальцами его плечо.

— Да-да, вы обратили внимание на этот потрясающий экземпляр, — послышался за спиной голос вернувшегося Фридриха. — Причудливая штука, правда? Я купил его в Иерусалиме, в Старом городе, несколько лет назад — помнишь, Айя, старика антиквара с ущербной рукой, который совсем заморочил нам головы этими своими монетами? Меня, знаете ли, привлекло забавное сочетание: на обложке шрифт русский, а внутри — то ли иврит, то ли арамейский... Жаль, что мы с вами никогда не узнаем, что там, в этой книге...

А вы бы за переводом к сыну обратились, уважаемый господин Бонке, к сыну, который, не правда ли, специалист по семитским языкам...

Впрочем, Леон уже знал, «что там, в этой книге». В *книге было последнее доказательство, за которым он пустился в путь, начав его с острова Джум в Андаманском море.*

Так кто же из них успел подать сигнал — Кунья? Рахман? Сам Адиль, когда понял, кто перед ним стоит и зачем, угрожая оружием, приказывает спуститься в подвал? Сейчас это уже значения не имело, ибо убийца заметил движение антиквара и, прикончив старика, хладнокровно прихватил книгу, перед тем как покинуть лавку...

Остается узнать, кто именно сломал шею Адилю, кто пустил по следу Куньи и Рахмана убийц — «Казах» или Гюнтер, который так вовремя оказался в Иерусалиме и так искусно, так изящно вывел из строя видеокамеры, которые могли бы свидетельствовать о преступлении... Так Гюнтер? Или все-таки «Казах»?

Невозмутимо захлопнув книгу, Леон поставил ее на место.

— Ну, Фридрих, чего же мы ждем, — нетерпеливо окликнула Елена. — Все в сборе и все голодные!

— Да я и сам проголодался! — с удовольствием подхватил тот. — К столу, пожалуйста, прошу...

Он распахнул обе створки двери из гостиной в столовую, где посреди комнаты, обставленной шедеврами искусства восточных резчиков — витринами и буфетами с коллекцией посуды и мелкой скульптуры разных стран, стилей и эпох, — стоял просторно раздвинутый накрытый стол.

И правда, по-домашнему все было — никаких строгостей, никаких претензий на соблюдение сервировочного этикета, но все со вкусом и все, разумеется, антиквариат, никакой штамповки — такой разброс, такой свободный размах разностильного уютного быта! Леон и сам так уютно и по-домашнему накрыл бы стол: тут и «Веджвуд», и «Беллик», и целая флотилия изящных графинчиков английского серебра под водительством флагмана — высокого кувшина для домашней наливки, великолепного экземпляра «шинуазри»: горлышко — гофрированный раструб, а вместо ручки — крылатый дракон, когтистыми лапами вцепившийся в края кувшина: вольная фантазия мастера на китайскую тему.

По всему столу расставлены были закуски в керамических плошках иранской ручной работы. Издалека угадывалась изящно составленная композиция из стаффордширских фарфоровых статуэток (небольшая компания в стиле «рожденственский вертеп» — все персонажи «Принцессы Турандот»).

А в центре стола, в ярко-желтой керамической бадье, аппетитно и празднично, слегка растрепанной горкой красовался Главный Торжественный Салат...

Леон приблизился, не веря своим глазам:

...кропотливо вырезанная из красной луковицы роза с нежными, как губы девушки-подростка, лепестками — луковая роза украшала тайский салат из холодной говядины.

Ну что ж, сказал он себе, а в ушах уже пела, уже стремительно неслась, множа голоса и подголоски, нарастающая тема тревожной страсти и яростного возбуждения, что ж, блюдо распространенное; возможно, каждый повар просто обязан завершать данный популярный салат этой канонической розой. К тому же хозяева вполне могли заказать еду в соседнем тайском ресторанчике.

О нет... в этом доме — по всему видно — готовую еду не заказывают...

Леон собирался сесть рядом с Айей (ему нужна была ее рука, предупредительная рука-лоцман на его колене), но усадили их друг против друга; значит, приходилось надеяться лишь на движение ее бровей, на еле заметное шевеление губ. Фридрих — Леон это чувствовал, даже не глядя, — глаз не сводил с племянницы. Он сидел во главе стола, а возле Леона села хозяйка дома, и после первого же тоста — вполне традиционного, за здоровье именинника — от *наших виноградников*, что так жгуче Леона интересовали, повернула в сторону оперы. В свое время она наверняка закончила музыкальную школу, во всяком случае, музыкальные термины вворачивала густо и почем зря. Надо отдать ей должное — была в курсе музыкальной жизни Лондона, следила за расписанием фестивалей, за репертуаром театров, отлично знала все залы, их достоинства и недостатки («Вам уже приходилось петь в *West Road Concert Hall?* Там на удивление прекрасная акустика, даже в последних рядах слышно изумительно!»), довольно метко судила об исполнителях. Очень огорчилась, что ничего не знала о концерте в Часовне Кингс-колледжа: «Я непременно приехала бы!» «Не расстраивайтесь, Елена Глебовна, этот концерт наверняка мы повторим осенью. Я лично вас приглашу...»

Посыпались тосты: с норвежской стороны — за крепость здоровья дорогого Фридриха: ох, как оно необходимо при такой интенсивной жизни; затем на редкость уместный тост уже бессильного приподнять зад мидовца — «за тонкий вкус... и шир... широч-ч-чайшие познания *нашего умнейшего Фрица* в областях... — (задумался ненадолго и рукой махнул), — да во всех, к едрене фене , областях!» — опрокинул стопку, и все засмеялись...

Гостей Фридрих потчевал хорошими бренди и водками, сам же скупо прихлебывал сухое красное (единственное, что позволили врачи после операции). Вокруг стола никто не суетился — лишь Чедрик возникал изредка, но вовремя, унести-принести — из столовой лестница вела вниз, в полуподвальный этаж, в кухню, где он и затихал, как и положено джинну, в бессловесной готовности к вызову.

Все уже прилично накачались и досыта напробовались закусок, хотя Фридрих время от времени патетически восклицал: «Помните о баранине!» Неаполитанские песни пошли по второму кругу, и Леон, криво улыбаясь, сказал Елене Глебовне, что при следующей встрече подарит ей свой новый диск: «Песни сицилийских нищих». Та благодарно встрепенулась, не учуяв его глубоко спрятанного бешенства.

В какой-то момент открылась дверь в полуподвал, и из кухни явилась и строевым шагом промаршировала к столу с огромным блюдом запеченных морских гребешков... водонапорная башня — так выглядела эта могучая старая женщина с мощным задом и маленькой головой, гордо несущей седой кукиш на затылке. Да, Берта была Большой. И не такой уж старой, и очень бодрой. Сгрузила блюдо на стол, критически оглядела всю компанию. Уперлась взглядом в Айю, охнула и укоризненно покачала головой:

— Мы что, не знакомы, а, *мэйдел?!*

Айя вскочила и с криком: «Берта!» — обежала стол и повисла у той на шее. Берта обстоятельно и невозмутимо обняла, осмотрела «мэйдел» со всех сторон. Небольшой *оперный* немецкий Леона позволил различить басовитые: «Ты такая красивая, чертовка. И дорогая!.. Который же твой жених? Какой-нибудь богатый черт, а? — По кивку Айи нашла глазами Леона, скривилась и громко припечатала: — *Нох айн казахе!*» Фридрих одобрительно рассмеялся.

Берта принялась собирать тарелки из-под салатов, **151** но тут неожиданно подал голосок Желтухин — будто, оставшись в одиночестве, почувствовал необходимость развлечь себя самого. Большая Берта застыла, бросила тарелки на столе, ринулась в гостиную, и через мгновение оттуда донесся ее изумленный вопль:

— Oh! Ein Vögelchen! Ein Vögelchen![1]

И завился басовитый и умиленный разговор-пересвист растроганной старухи с заскучавшим кенарем. Желтухин воспарил и, вдохновленный благосклонным вниманием, сыпал и сыпал новыми коленцами.

— Das muß ich dem Junge zeigen![2] — послышался энергичный голос Большой Берты.

Она появилась в дверях столовой с клеткой в руке и, не обращая внимания на гостей, крикнула Фридриху:

— Ein Vögelchen! Das will ich mal dem Junge zeigen![3]

Тот отозвался на немецком (судя по интонации — недовольно и малопочтительно, насколько это позволяла общая мажорная тональность вечера); из всей фразы Леон различил: «старая корова» и «чтобы не смела соваться, и вспомнила, как в прошлый раз...» — что-то в таком роде. Могучая старуха явно плевала здесь на всех, и на хозяев, и уж тем более на гостей.

Сквозь шумок застольного разговора слышно было, как топает она по лестнице, похахатывая и приговаривая:

— Юнге, юнге! Смотри, кого я тебе несу!

Медленно и едва заметно Айя выпрямилась на стуле — так выпрямляется скрипичная струна, подкрученная на колке. Одними губами Леон спросил, неподвижно скалясь: «Он здесь?» И она чуть прикрыла веки, побелев настолько, что темная пудра, которой она тро-

---

1 Ой! Птичка! Птичка! *(нем.)*
2 Надо мальчику показать! *(нем.)*
3 Птичка! Хочу показать мальчику! *(нем.)*

нула скулы, зацвела двумя багровыми пятнами, горящими, как от пощечин.

Леон перевел дух, обернулся к Елене Глебовне и повел оживленный разговор о парижских премьерах. «Лючия де Ламмермур» в «Опера Бастий»... О да: бесподобное сопрано молодой японской певицы. Знаете, масло в верхах и бриллиантовая россыпь в среднем регистре...

К разговору, хвала милосердным богам, подключилась пожилая пара юристов — тоже меломаны, театральная публика, всё наши кормильцы, дай им бог здоровья. И дай мне хотя бы минуту... не успокоения — какое там успокоение! — но выдержки, пока где-то наверху скачет в клетке безмятежный Желтухин, лакмусовая бумажка на «грязную бомбу», славный маленький диверсант...

Он напрягал свой фантастический слух, чтобы уловить хоть дуновение звука там, наверху... Бесполезно: и дом построен основательно, и, несомненно, тут поработали над звукоизоляцией отдельных комнат.

Он улыбнулся Айе, кивнул на стол: *ешь, моя радость, не сиди как приговоренная к повешенью...* И та послушно вцепилась в вилку и нож, будто приготовилась к бою.

Вероятно, все было очень вкусным. Леон что-то жевал между фразами, слегка поворачивая голову то к Елене, то к *моржовому усу* — тот вспоминал драматическую судьбу Робертино Лоретти («Вы просто по возрасту не можете помнить его бешеную славу... Его пластинки расходились миллионными тиражами. Вот это была слава! Но в один прекрасный день — обычная история — у парня началась мутация...»).

— Что там она застряла, старая идиотка! — негромко по-русски спросила мужа Елена. — Пора баранину нести!

— Пошли за бараниной Чедрика, — слегка нахмурясь, проговорил Фридрих, и громила, будто услышав его слова, возник за спиной, склонился к уху, бормотнул пару слов и бесшумно метнулся в сторону лестницы.

— По поводу пресловутой «легкости» лигурийской кухни, — произнес Леон, как бы подхватывая разговор. — Мне казалось, что она... бедновата? В отличие от римской или пьемонтской. Вообще, когда я слышу об «итальянской кухне», я всегда недоумеваю: ее ведь просто не существует... Вернее, она — созвездие региональных кухонь.

И в этот миг уловил едва слышный глухой удар наверху, будто кто-то стул опрокинул (нет, для стула звук *тяжеловат*), и кто-то еле слышно вскрикнул, после чего наступила тишина.

— Что там самое известное, — увлеченно продолжал Леон, подняв голос на два тона, — трофи под соусом песто?

— А знаменитая фокачча?! — с неожиданным напором возразил лучший в мире знаток персидских ковров (оказывается, он не был *узким специалистом*). — А инсалата ди полипо, салат из вареного осьминога?! А асуги рипьени?

— Что еще за ас... суги, — подал голос британский дипломат, — впервые слышу!

— Как! — возопили иранские ковры, заглушая все, что Леон жаждал услышать — там, наверху. — Вы не пробовали фаршированные анчоусы?! Это делается так: рыбку чистят, расправляют книжкой, запихивают фарш, обваливают в яйце и сухарях, и...

Тревожные звуки наверху стали яснее и четче — видимо, там открыли дверь.

Фридрих чуть пригнул голову, прислушиваясь, а Елена, вскинув и без того высоковато перешитые брови, вопросительно обернулась к мужу...

154   В эту минуту произошло одновременно следующее: Фридрих торопливо снял салфетку с колен, поднялся, пробормотав извинения, и сверху грянул вопль Большой Берты:

— Friedrich! Der Junge stirbt![1]

И Фридрих ринулся прочь, через гостиную — в холл, к лестнице.

Елена пожала плечами и натянуто улыбнулась:

— Прошу извинить. Наша тетушка очень э-э... эмоциональна. Сейчас Фридрих разберется, что там за сюрприз... — И вздохнула: — Эти старики, знаете, сущие дети...

— Но готовит она изумительно! — заметила одна из дам. — Правда, Руди?

— Особенно тайский салат с говядиной, — вставил Леон. — А роза-то какая, прямо брабантские кружева!

— Ну-у... — рассеянно отозвалась Елена Глебовна. — Как раз к тайскому салату наша тетушка не имеет никакого отношения.

Сверху слышались глухие шумы, словно там двигали или тащили по полу что-то тяжелое; кажется, раздавался плач, больше похожий на скулеж собаки...

Они неплотно прикрыли дверь, значит, не до того им, значит, там — серьезное...

— Колин, еще виски? — приветливо осведомилась хозяйка у молодого дипломата, будто ничего не слыша. — Леон, обратите внимание: ваша невеста совсем не пьет. А помнится, она уважала крепкие напитки. — И ледяная улыбка в сторону Айи: — Не правда ли, дорогая?

— Правда, — вежливо отозвалась девушка. — В те времена, когда я была «казахской шлюхой».

---

1   Фридрих! Мальчик умирает! *(нем.)*

С этой ее фразы действие покатилось сразу по нескольким звуковым дорожкам, завертелось, вспыхнуло, полетело, как *хоровой дукс*... Появился с блюдом дымящейся баранины Чедрик (возясь в кухне, он, скорее всего, ничего не слышал). Одновременно где-то наверху со стуком распахнулась дверь, выплеснув рев Большой Берты:

— Der Junge stirbt! Der Junge stirbt!.. — и властный, но в то же время испуганный оклик Фридриха, призывавшего наверх своего верного джинна.

Чедрик бросился к лестнице и там столкнулся с Фридрихом, сбегавшим к телефону в холле, где, судя по всему, стал названивать в неотложную помощь. И, как всегда бывает в самых срочных случаях, не мог добиться толку: его выспрашивали, куда-то переключали, там не сразу брали трубку, а когда брали, мучили идиотскими вопросами о температуре и цвете губ... Наконец трубку взял врач.

— Да, удушье, удушье! Странный приступ... — отрывисто бормотал Фридрих. — Внезапно и без всякой причины. Возможно, сердце... или астма. Нет, аллергией никогда не страдал. Да-да, прошу вас, ради бога!

Не заглядывая к гостям, опять взбежал по лестнице на второй этаж.

— А хорошо ли ему этак гонять — после операции-то, — негромко заметил кто-то из гостей.

За столом наступила пауза, некоторое участливое замешательство. Елена все еще прекрасно держалась. Она вздохнула и проговорила:

— Не понимаю, что там стряслось! Ужасно досадно: у нас тут проездом дальний родственник... человек, знаете, нелюдимый, странноватый. Может, ему нездоровится?.. Пожалуйста, ешьте баранину, пока не остыла. Колин, а ведь вы у нас специалист по баранине! Я помню прошлогодний очаровательный пикник у вас в Хэмпстеде...

За минуту до того, как приехала «скорая», Фридрих сошел вниз. Он держал себя в руках, только был из-желта-бледен. Заглянул в столовую, посылая гостям предупредительные пассы ладонями:

— Сидите, сидите, дорогие! Прошу меня извинить. Просто... э-э-э... небольшой приступ у моего сына. Сейчас тут начнется бедлам, так что я прикрою дверь, чтоб никого не беспокоить... Лена, будь добра!..

Извинившись, Елена поднялась из-за стола, и, пока шла к мужу, даже спина ее в элегантном платье была гораздо выразительнее, чем лицо и голос.

За хозяйкой плотно закрылась дверь, и две-три минуты за столом длилась неловкая тишина, что позволило Леону услышать несколько отрывистых, но драгоценных фраз в холле:

— ...они говорят — опасно; поеду следом за «скорой».

— Я не дам тебе садиться за руль, сама поведу!

И еще:

— Боже мой, а поднимется ли он к двадцать третьему?..

— Ничего, еще десять дней. Будем надеяться...

— Так это дальний родственник... или все же сын? — наконец удивленно пробормотала *альпинистка-альпеншток*, нарушив молчание.

— Впервые слышу, что у Фридриха есть сын! — озадаченно отозвался ее муж. На что сосед его, норвежский миротворец, резонно заметил:

— В таком случае Елене он как раз и приходится дальним родственником... Колин, не подадите ли вы мне... о-о, благодарю вас, не затрудняйтесь...

В окно эркера видно было, как подъехал желтый с сине-зелеными шашечками мини-вэн, как выпрыгнули из него двое молодцов, вытянули носилки, какую-то аппаратуру, чемоданчик, поднялись на крыльцо — и разом холл наполнили знакомые всем звуки беды: отрывистые голоса, звяканье складных носилок, топот по лестнице...

— Неприятная история... — вздохнул специалист по иранским коврам. — У меня тоже прошлой весной двоюродный брат на собственной серебряной свадьбе, знаете...

Айя смотрела на Леона не отрываясь, будто боясь пропустить какой-то жест его, слово или движение брови — какой-то сигнал, по которому ей придется решительно действовать: куда-то бежать, что-то хватать?.. Леон же мысленно отсчитывал мгновения: вот парамедики поднялись по лестнице... там пять-семь минут на манипуляции — кислородная маска? капельница? — затем сгребут больного, погрузят на носилки...

Те считаные минуты, когда будут выносить больного к машине, сказал он себе, — они и есть единственный шанс опознать Гюнтера; пусть отекшего, непохожего на себя, но именно его, никакого сомнения, никакой подмены...

За столом гости вяло перебрасывались словами, кто-то вспоминал «как раз такую историю», кто-то сокрушался, что Фридрих разволновался — а ему-то, после операции на сердце, совсем негоже... «Вы не знаете, ему поставили байпасы?» «Обидно — они на днях собирались к себе в Лигурию. Ему бы сейчас полезно... морской воздух, йод, бром... это отлично восстанавливает сердце».

...Наконец торопливые шаги и отрывистые голоса стали приближаться — «возьми повыше, левее... осторожней, перила, перила!» — спускались все ниже: больного сносили по лестнице.

Мало что слышно было сквозь двойные двери.

Леон выждал, пока шумы поравняются с гостиной — значит, вынесли в холл, двигаются к выходу, — а там уже на крыльцо и к машине, и тогда...

— Нет, все же так нельзя! — произнес он легко и взволнованно, вскакивая и направляясь к дверям столовой. — Может, нужна наша помощь! — быстро пересек гостиную, толкнул обе створки двери и хищно прянул вперед, боясь пропустить мгновение.

Это было похоже на «Синдиков» Рембрандта или на «Ночной дозор» — когда каждая фигура на своем месте в неумолимой композиции картины и на краткий миг зафиксирована в том незыблемом движении, что выдано каждому персонажу.

Этажом выше на площадке стояла, прижав обе руки к щекам, зареванная и красная буйволица — Большая Берта. Фридрих и Елена, уже одетые, торопливо спускались по лестнице; Чедрик громоздился на пороге, сторожа распахнутую настежь входную дверь.

А двое парамедиков в темно-зеленой форме с нашивками «London Ambulance Service» тащили мимо Леона носилки, где, укрытый до подбородка, с выпученными и налитыми кровью глазами, с мучительной судорогой удушья на губах, безвольно простерся давний знакомец его юности: услужливый мастер-на-все-руки, расторопный повар-виртуоз... «Ужасный нубиец». Винай!

...Леон отпрянул и аккуратно прикрыл дверь. Постоял, пытаясь унять бешеное сердцебиение...

— *...А знаешь, что я заметил? Ты не слишком жалуешь моих «ужасных нубийцев»!*

— *Глупости, Иммануэль. Напротив, я им благодарен: они так нежно за тобой приглядывают...*

«*Вот ты опять со своей идиотской интуицией. Брось,* **159**
ее просто не существует. Разведка — дело скучное: ана-
лиз ситуации и фактов, помноженный на кровавый опыт
других...»

Все верно, шеф, и потому секретный координатор по
связям КСИРа с «Хизбаллой» годами ошивался у вас под но-
сом... Родэф, истинный родэф, *блестящий профессионал,*
полиглот, он окопался в одном из лучших домов, где соби-
ралась элита нашей армии, разведки, цвет военной анали-
тики и военной промышленности, — свободно скачивал из
самого воздуха этих свободных бесед бездну информации.
Змея, вползшая в дом, он обвивал тело тщедушного ста-
рика, омывал его, кормил и ухаживал за ним — попутно
вытягивая из его окружения драгоценные сведения...

А сейчас вы хотите, чтобы я отыграл ваш провал,
отпасовал вам последний удар, уступил эту сладость:
сжать пальцы на его горле?!

Нет уж! Нет!!! Это мой удар и моя заработанная
радость: самому раздавить гадину, убить своей рукой
родэфа, преследователя, *убийцу Адиля, Куньи и Рахма-*
на! Это — моя привилегия; вожделенный, заслуженный
мною дар...

Первым делом он подошел к стереоустановке и
выключил цвет: «Не каждая фотография достойна стать
черно-белой». Ты потрудился сегодня, Голос, ты помогал изо всех сил, спасибо тебе...

В столовой едва теплился тихий принужденный
разговор. Неловкая ситуация для гостей, когда не знаешь, что уместнее: предложить свое деятельное сочув-
ствие или ретироваться восвояси, предоставив хозяевам самим достойно справиться с неприятностями.

Где-то там, в глубине дома, тягуче рыдала Большая
Берта. Леон подумал — при этакой ее привязанности
к «юнге» какой это был невероятный поступок: разы-

скать сбежавшую Айю и предупредить ее об опасности!

Перед гостями явился Чедрик и на довольно приличном английском неожиданно мягким голосом, никак не подходящим к его угрожающей внешности, передал, что Фридрих и Елена просят их извинить, предлагают гостям оставаться; буквально через полчаса Елена вернется — только подбросит мужа к приемному покою больницы, тут недалеко, — тем более что сейчас подадут десерт, который сегодня особенно удался.

И все-таки гости уже поднимались из-за стола, предпочитая откланяться: «Ну, какой там десерт, когда в доме несчастье...» «...Передайте благодарность за прекрасный ужин, за удовольствие общения... впрочем, конечно, мы позвоним попозже вечером — узнать, что и как...»

Леон выжидал, пока Чедрик оденет и проводит «нашего тегеранского представителя» и обе сиамские четы. Остался один лишь твидовый мидовец — тот как-то вдруг оказался совершенно пьяным, приплелся в гостиную, рухнул в викторианское кресло перед камином и немедленно уснул.

Леон огляделся в поисках Айи и напрягся: ее нигде не было. Неужто отправилась утешать Большую Берту? Сейчас, *после всего?!*

Вдруг он увидел ее и обмер: она неслышно и медленно спускалась по лестнице со второго этажа — тень, сомнамбула, в руках клетка с невесомым Желтухиным, — и вновь про себя ахнул: умница, умница!

Бледная как мел, она смотрела на него с ужасом в проваленных темных глазах.

Это не Леон стоял посреди холла — одинокий, отдельный, разящий, — это была смертельным кольцом свернувшаяся змея, готовая к удару. Это не Леон был —

а тот, кого она боялась больше, чем Фридриха, больше, чем Гюнтера. Тот, кто едва не убил ее там, на острове, и ни объятия, ни слова, ни всплески сладкой боли не могли заслонить удушье, и уплывающее сознание, и те его глаза, что горючей смолой растекались в глубине ее оцепенелого сердца... Все это длилось какую-то долю секунды; они встретились глазами, и морок растаял: она увидела *своего Леона* и ускорила шаг, чтобы оказаться в спасительном кольце его рук.

А он представил, как с этим искаженным лицом она проскальзывает на второй этаж, прокрадывается в комнату ненавистного ей человека, хватает клетку с кенарем, и все потому, что просто не может — папина дочь! — бросить невинную птицу здесь, в этом доме.

— Мда, бывает... ужасно... — бормотал Леон, не глядя на Чедрика. — Аллергия — бич нашего времени.

И, повернувшись к Айе, тревожно-ласково:

— Пожалуй, мы тоже пойдем, дорогая?

Он молча снял с вешалки ее плащ, молча его развернул. И она послушно подошла и, неловко опустив клетку с кенарем на пол, молча продела руки в рукава. С угрюмой настороженностью за каждым их движением следил от дверей Чедрик. Толстые, как гусеницы, шрамы, багрово-синеватые в минуты растерянности или гнева, странно расцвечивали его диковатое лицо восточного джинна из спектакля какого-нибудь провинциального ТЮЗа. Внутренне он метался: чуял, что не стоило бы отпускать этих двоих безнаказанными, но перед глазами у него был хозяин, явно взволнованный возвращением преображенной девки. А как вилась хозяйка вокруг *этого утонченного араба* с таким подозрительно свободным русским языком! Огромный и сильный детина — монстр, готовый на любое

162 насилие, — он настолько привык действовать по приказу, что сейчас чувствовал себя беспомощным.

Леон же медлил, наслаждаясь диковатой ситуацией, тонко, как бы невзначай испытывая терпение джинна, — хотел до дна испить последние минуты этого незадачливого, но такого блистательного визита... Вот сейчас он разглядел изумительные витражные панели, отделяющие прихожую от холла. Выполненные в стиле прерафаэлитов, они являли две разлученные фигуры: печальную деву в гирляндах цветов и фруктов и томного рыцаря — вероятно, раненного — в рубиновых брызгах на матово-бледном лице.

Перед тем как навсегда покинуть проклятый дом «Казаха», Леон через всю гостиную бросил взгляд на неубранный стол.

Последним в памяти осталось желтое керамическое блюдо — в нем горстка тайского салата и никогда никем не съедаемая, утонувшая в соусе луковая роза Виная.

Love in Portofino

1

Разумеется, он знал, по каким адресам следует обращаться за *пресуществлением* чистого бланка *Schweizer Pass* в реальный швейцарский паспорт, если б только решил подарить *конторе* этот восхитительный пейзаж: зеленые скалы над синей подковкой бухты, где в стае белокрылых яхт покачивается та, в чьем брюхе созрел радиоактивный эмбрион, некий груз, аллергенный для обладателя канареек.

Заодно уж и дату подарить, и имена *харонов*-перевозчиков.

Сбросить бремя священной казни на казенные руки...

Нет уж, мы по старинке как-нибудь, лично приглядим-озаботимся. Нам есть кого порадовать на небесах.

Точной даты операции он пока и сам не знал, как, впрочем, не знал и пункта отправления яхты. С именами тоже проблема: многовато их, аж по два на брата.

Так что в деле изготовления *ксивы* пришлось обойтись без *конторы*; у него и выбора, в сущности, не было.

— А хороша корочка... — Кнопка Лю задумчиво вертел в руках слишком новый, слишком красный, со слишком белым крестиком бланк. — Когда-то мечтал о такой... Где раздобыл, мон шер Тру-ля-ля?

Они сидели и тянули дешевый ром на кухонном островке в довольно забавной берлоге крошки-эфиопа. Эту социальную квартиру в Кретей (всего одна, зато большая комната с выходом на просторный балкон седьмого этажа) бывший марксист получил как беженец — из Анголы, кажется, или другого подобного рая, где в свое время очутился по просьбе и заданию советских товарищей.

— У меня просто дворец, старина, — хвастался он, впервые зазывая Леона в гости. — Альгамбра! Версаль! Тишина, море зелени, вид на озеро такой — Ниагары не захочешь! Тут тебе метро, тут и магазины... И никаких хлопот: весь товар, мебель-ковры-барахло, с грузовичком в придачу, — все в деревне у Шарло.

Бородавчатая физиономия старого хитрована морщилась в улыбке:

— Известно ли тебе, что мой Шарло — троцкист? Если б в молодости какой-нибудь гад заявил мне, что я всей душой буду предан троцкисту, я бы того в дым распустил! А знаешь, сколько у моего троцкиста пуделей? Восемь!..

Бывая у Кнопки Лю, каждый раз Леон изумлялся причудливому вкусу приятеля. Его квартира была настоящей лавкой старьевщика, то есть ужасно Леону нравилась: помимо фанерных полок с книгами и каталогами, тут были горы древних видеокассет с фильмами всех времен и народов, от «Набережной туманов» до «Летят журавли», и такие же горы древних аудиокассет с записями — от концертов Яши Хейфеца до конкурсов трескучих виртуозов тамтама.

Аппаратура, надо заметить, была из той же дорогой сердцу Кнопки Лю эпохи его молодости.

Бо́льшая часть мебели — шкафы, диван с гаремной россыпью подушек и подушечек, круглые кофейные столики, о которые гость спотыкался на каждом шагу, — была выдержана в марокканском стиле. Непременный персидский ковер (фазано-павлины, старательно клюющие блеклую травку) висел над диваном и нежно отсвечивал старыми красками, если до него дотягивался дневной луч. Довершала великолепие парочка музейных французских секретеров, которые не нужны, но нет сил расстаться, и пара-тройка русских икон, водруженных на эти самые секретеры.

Все имущество гордо стояло, лежало, валялось и прислонялось к стенкам на зеркальном от лака — как в московских хрущобах — полу.

Зато на стенах висела приличная реалистическая живопись конца позапрошлого века. Сюжеты: «Хмурым парижским утром дети идут в школу», «Утро лесбиянок», «Атака зулусов». Из нового — симпатичный зимний пейзажик «под Грабаря».

Возле помпезного, обитого винным бархатом, с золоченой развесистой спинкой кресла в стиле Людовика Шестнадцатого — в котором Кнопка Лю казался просто сморщенной сливой — неизменно стоял на полу высокий кальян (фальшивое серебро, фальшивое золото, темно-синее стекло фигурного корпуса — роскошная вещь!).

Главной же достопримечательностью квартиры, гордостью хозяина, не тускневшей с годами, была «американская» кухня-бар, то есть стойка в виде носовой части яхты, установленная прямо посреди комнаты. Она торчала, как утес в сердце залива, как взрезающий комнату волнолом, о который разбивались океанские валы спиртного. Множество ящичков по бортам яхты содержало несметные запасы сгущенки, шоколада и сухофруктов — хозяин любил сладкое. В буфете всег-

165

да можно было отыскать ром, зеленые лимоны, гашиш, кофе, сардины и фасоль в банках.

— Слушай, ты на флейте играешь? — внезапно спросил Кнопка Лю, откладывая в сторону чистую «корочку». Перегнулся через борт *яхты*, выдвинул один из семидесяти ящиков и извлек темно-красного лака бамбуковую трость. — Японская, видал? «Сякухати» называется! Четыре дырки всего, но, говорят, райский звук... На броканте нашел, выторговал за два евро... Теперь думаю, это ж какую наглость надо поиметь — купить музыкальный инструмент, не умея на нем играть! Так я что: ты научи-ка меня быстренько пару штук симфоний, а?

Леон молча отобрал у него японскую флейту и минут пять забавлялся, вытягивая из бамбуковой палки «Подмосковные вечера», довольно заунывные.

Вот тогда эфиоп принялся вновь ощупывать, осматривать и одобрительно обнюхивать девственный бланк *Schweizer Pass*. На его вопрос о происхождении сего пропуска в рай Леон усмехнулся, отнял от губ трость сякухати и весомо произнес:

— Не докатился я еще — мужскими победами хвастать...

Правильный ответ в образе благородного Тру-ля-ля.

На самом деле в его словах была некая доля истины: чистый бланк паспорта лет пять назад украла на спор некая девица, мелкая сошка в одном из отделов NDB. Она, конечно, не собиралась из-за Леона идти под суд и бланк в закрома родной конторы намеревалась возвратить — спор-то выигран. Но не успела... Нет, ничего страшного, упаси боже, с девицей не стряслось, кроме того, что она очень крепко спала в том прелестном гнездышке на подъезде к Женеве...

...вспомни только резную каменную террасу, выходящую на бледно-маслянистую гладь озера. Вспомни белоснежных лебедей — их грациозные шеи и алые клювы, которыми они выдалбливали из-под крыльев какие-то свои секреты...

...в том гнездышке, где Леон усердно потчевал дорогим снотворным ликером девицу, потерявшую голову от заезжего певца.

В этих придорожных мотелях, между прочим, всякое случается: вместе с бланком швейцарского паспорта из номера *исчезло* кое-что еще из мелочей, принадлежавших артисту, — дорогой кожаный несессер, серебряные запонки с монетами императора Адриана и галстук, купленный в дьюти-фри аэропорта Схипхол.

Возмущенному Леону ничего не оставалось, как устроить грандиозный скандал администратору. Полицию, впрочем, по понятным причинам никто вызывать не стал, хотя Леон категорически на этом настаивал и уговаривал барышню «действовать логично» — впрочем, с логикой у нее в то утро дела обстояли самым плачевным образом.

Ну, дело прошлое, все быльем поросло; паспорт он втайне от конторы приберег для себя, на всякий пожарный, то и дело меняя тайники в своей, мягко говоря, не обширной квартирке. Не Альгамбре. И не Версале.

На придумывание схронов он был мастак.

...И с утра тихо радовался тому, что перед отъездом в Лондон перепрятал свой запасец. Ибо сегодня он нанес неофициальный визит в собственную берлогу. И когда, неслышно отомкнув замок в калитке бывших конюшенных ворот, невесомо взлетел по винтовой лестнице к своей двери так, чтоб его не услышала Исадора (он еще не

168 *решил, стоит ли показываться ей на глаза и вообще обо-
значать свое присутствие в городе), едва провернув ключ
в замочной скважине, сразу понял, что его навестили.*

*Нет, все стояло на своих местах, посуда цела, подуш-
ки не взрезаны, шкафы не вывернуты. Никакой ярости
разочарованных грабителей — работа профессионалов...*

*Никогда он не мог объяснить, откуда приходит это
острое, как запах скунса, ощущение чужой враждеб-
ной тени, все еще висящей в воздухе, еще не до конца
развеянной: чувство диссонанса, не разрешенного в гар-
монический аккорд, едва слышная фальшь в застойном
ожидании самого воздуха. Как будто пианист, всегда
безукоризненно чисто пробегавший сложный пассаж, на
сей раз прихватил мизинцем лишний звучок, и никто из
публики не услышал этой мимолетной — на сотую долю
секунды — оплошности, никто, кроме самого исполните-
ля да еще одинокого гения-слухача в оркестре.*

*Причем Леон сразу понял, что побывали гости не-
давно. А вот кто это был — ребята из конторы или те,
другие, уже разыскавшие его адрес (да что там разыскивать, все на виду), — этого с ходу сказать не мог.*

*Они смотрели везде и прощупали многое — стояло-
то все на своих местах, но возвернутое чужой рукой. Две
рамки с фотографиями на «стейнвее» глядели слегка виновато (с любимыми лицами на старых карточках это
случается от малейшего изменения ракурса): одна чуть
сдвинута влево, под второй потревожена кромка пыли.*

*Тайник в массивной раме картины был вскрыт — и не
подарил им ничего. Они — профессионалы! — нашли и аккуратно прикрыли еще два пустых тайника, в ванной и в
спальне. Кухню оставили на закуску, но, вероятно, спеши-
ли и были уже утомлены и не так внимательны; во всяком
случае...*

*...во всяком случае, когда, опустившись на корточки,
он выщелкнул из связки ключей потайное лезвие и поддел*

им двойное донце столика размером с поднос в столовке Одесского судоремонтного, в руки ему вывалились бланки трех паспортов, седой паричок Ариадны Арнольдовны фон (!) Шнеллер и еще две-три вещицы, которые он не всем гостям демонстрировал.

Что и говорить, безукоризненный швейцарский паспорт ему и самому бы не помешал. Но сейчас он куда больше был озабочен безопасностью Айи.

И теперь предстояло самое сложное: объяснить маленькому эфиопу странную просьбу известного артиста, законопослушного гражданина — как говаривал сам Кнопка Лю, «элитной персоны, далекой от грязи и низости этого мира».

— Дело в том... — проговорил Леон взволнованным и смущенным голосом, — что мы боимся преследований ее мужа. Он способен на все, на все! Наймет частных сыщиков, громил, даже убийц... Ты не поверишь: он настоящий зверь, а я, извини, не приспособлен ломать чьи-то шеи. И вообще: мне голос надо беречь, голос и... репутацию! Ну и... в моем статусе...

Он умолк, понуро помотал головой и глотнул из рюмки.

Обезумел, понимаешь ли, чувак от любви — важная краска.

— Да ладно, ладно, — махнул рукой Кнопка Лю. — Не объясняй, чего там... Сам из-за этого дела горел и трещал по швам. Однако... как тебя угораздило влипнуть! Она что — настолько смазлива? Ну, молчи, молчи, не спрашиваю, я деликатный. Поиграй-ка еще на флейте, знаешь, вот это: «Течьёт река-а во-о-оль-га-а-а»...

Леон мягко отвел занесенную над его рюмкой маленькую крепкую руку с бутылкой и настойчиво продолжал:

— Ну, я и подумал: может, у тебя еще остались прежние... э-э... связи? Само собой, заплачу, сколько скажешь... — И умоляющим тоном: — Честно говоря, старина... я растерян и сам уже не рад своей эскападе. Ни черта не понимаю во всей этой идиотской конспирации, ты ж меня знаешь много лет! Просто мы хотим смыться на время, вот и все. А с ее документами это невозможно: «зверь» мгновенно нас выследит!

Он извлек из нагрудного кармана пиджака прозрачный пластиковый пакетик с паспортной фотографией Айи, помедлил и положил на стойку.

Что и говорить: вся затея с документом от начала до конца очень рискованна и абсолютно непрофессиональна.

— Хм! — одобрительно заметил эфиоп, бросив взгляд на паспортный квадратик, минутный шедевр фотоавтомата в придорожном кафе. — Правильное лицо. *Какое угодное...*

Леон давно подозревал, что бывший филолог до сих пор поддерживает связи не только со своими прежними дружками, но и — принимая во внимание волшебную легкость, с которой он получил французское гражданство, квартирку и прочее благорасположение властей, — с совсем иными, куда более серьезными структурами, вроде DGSE. Обнаружение себя как перед теми, так и перед другими было делом опасным и ненужным, и в любом случае никто из конторы не погладил бы Леона по головке за столь рискованный фортель.

Но, во-первых, он был сейчас загнан в угол; во-вторых (и в-главных): он бы и себе не признался, что в самой потаенной сердцевине этой многоходовой и многолюдной постановки кроется его неистребимая жажда театра; что он упивается каждым поворотом сюжета, каждой двусмысленной фразой, да и всей этой историей, в которой свободно, как рыба меж сетями, переплывает от

*одной заводи к другой — не потому, что предусматри-
вает и рассчитывает будущие ходы оперного либретто,
а просто: наслаждаясь мизансценами. Почему-то в двух
этих, таких разных состояниях души не было противоречия, будто каждым из них заведовал свой участок мозга: Леон пребывал в ярости; Леон наслаждался.*

Кнопка Лю вновь подобрал с кухонной стойки
бланк швейцарского паспорта и задумчиво его пощу-
пал. Так хирург осторожно пальпирует область пред-
полагаемой опухоли, так закупщик-эксперт модного
дома чуткими многоопытными пальцами щупает материю для новой линии весенних моделей.

— На чье имя ксиву мастырить?

Леон запнулся, будто не ожидал подобного вопроса. Поднялся и вышел на балкон, с которого открывался вид на большой, но невзрачный пруд, тусклый
в этот пасмурный день, как алюминиевая шайка в
одесской бане. По окоему пруда росли плакучие ивы
в вечно провожающем кого-то поклоне. В единственной лодочке гуляла семья: папа на веслах, грандиозная
мама (она лодку потопит!) обеими руками прижимала
к себе двух визжащих малышей.

— Не знаю! — отозвался Леон, не оборачиваясь. —
Честно говоря, не задумывался. На какое-нибудь такое — расхожее, незаметное... Ну, пусть хоть на... Камиллу Робинсон, а?

Эфиоп кивнул, записал имя на обрывке муници-
пального счета за воду и спрятал бланк паспорта с фотографией в один из ящиков своей кухни-яхты.

— Не забудешь, куда положил? — встревожился
Леон, переступая порог комнаты. Набычив голову, Лю
укоризненно глянул на Леона своими лемурьими, в
розовых прожилках, глазами и — вот, наконец! — перешел на русский:

— Замечьяние настояс-чего мудазвонца!

— Мудозвона, — поправил Леон.

Дальше они принялись обсуждать нынешний рынок предметов «де люкса» и даты ближайших распродаж. Леон просил подобрать ему небольшую прикроватную лампу Тиффани. Полагаюсь на твой безупречный вкус. Стиль — неперегруженный, традиционный, что-нибудь, знаешь, — «лист лотоса»... Цвета? Старая роза, бордо, блекло-зеленый...

— Не надумал свой гобелен продавать? — как обычно, спросил Кнопка Лю, и Леон, как обычно, добродушно послал его к чертям.

Они договорились о сроке — пять дней, шесть — самый крайний, помни, что мы рискуем, скрываясь от настоящего зверя! — и Леон вышел к лифту. Маленький эфиоп стоял в проеме двери — удивительно трезвый для такого количества спиртного, какое в себя влил. Громыхнул стакан лифта, причалив на этаже.

— Счастливчик, мон шер Тру-ля-ля... — с мечтательной грустью произнес эфиоп. — *Эх, гдье мая молада-асть!*

Леон шагнул в кабину и нажал нижнюю кнопку — фойе.

2

Айю он прятал в Бургундии, в деревушке среди лесистых холмов и полей.

Не в Жуаньи у Филиппа и даже не в Дило, на ферме старого польского ветерана и его супруги, коротконогой бургундки с железными руками трактористки. Слишком легко там было выйти на них — через Филиппа.

Собственно, он не так уж долго и решал, где ее спрятать. Колебался между коттеджем на берегу Прудов Святых Ангелов и съемной квартирой в прибрежном Канкале, в Бретани.

Поселок коттеджей по весне пустовал, и Леон мог бы договориться с владелицей одного из них, Авророй. Собачья парикмахерша Аврора (сама лохматая, как пудель, и дико активная, так что хотелось ее остричь и посадить на привязь), помимо предоставления «эстетических услуг», нелегально лечила больных животных, хотя диплома ветеринара не имела. К тому же она держала нечто вроде собачьего пансиона, вернее, притона — если судить по уровню собачьего бомонда и по запущенной территории вокруг коттеджа, обнесенной металлической сеткой. Так вот, Авроре лишние руки всегда были нужны, и Айе она бы искренне обрадовалась.

Зато в Канкале можно снять квартирку (на туристов там не обращают внимания) и гулять по утрам к причалу, наблюдая, как гладкие бутылочные подбрюшья валов катятся к берегу под безучастными небесами, как прилив охватывает кольцом ребристые утесы и по крутой дуге над волной, скрежеща голосами, скользят резкие тела белых чаек...

Там у причала, поросшего мохнатыми водорослями, можно за сущие гроши купить устриц (а лимон подарит продавец); в ближайшей продуктовой лавке отовариться хлебом, маслом и бутылкой шабли.

Погода в тех местах дрянная, а с вином и устрицами можно целый день не выходить из дома — что еще человеку нужно? Человеку, который спасается от людей...

* * *

Она молчала всю дорогу, молчала, пока они спешно выметались из лондонской гостиницы, срывая с вешалок в шкафу вещи и как попало бросая их в чемодан. Прижимала к груди клетку с Желтухиным и молчала, пока ехали в поезде, пока из Кале мчались в колымаге Жан-Поля...

И Леон молчал, сосредоточенно глядя перед собой на дорогу: гнал как одержимый. Слишком хорошо знал, чего стоит в таких случаях драгоценная фора, лишние два-три часа.

Без конца прокручивая минувший восхитительный вечер бешенства, ненависти и изощренной лжи, он выуживал из памяти реплики Елены, Фридриха и гостей, сопоставлял их, отсеивал ненужное, вновь вытаскивал за хвост какую-нибудь невинно произнесенную фразу — ядовитую гадину из клубка змей, — поворачивая ее так и сяк, мысленно проговаривая то важное, что выпало в осадок сознания и интуиции. Да, шеф, уж прости этот жалкий непрофессионализм — именно интуиции:

— *У нас ведь не Тоскана... на наших террасах... спасибо, построили эту монорельсовую дорогу...*

— *...Боже мой, а поднимется ли он к двадцать третьему?..*

— *Еще десять дней. Будем надеяться...*

— *А вот другие тенора не обходят своим вниманием наши края!*

И заветный ключ к событиям прошлого: книга с экслибрисом Дома Этингера на полке в проклятом доме «Казаха» — книга с закладкой-фантиком на странице смертельной опасности!

В те несколько часов он еще не вспомнил про игуменью Августу, настоятельницу монастыря в Бюсси. Молча гнал машину на сильно превышенной, но ровной скорости. Временами Айя косилась на мертвую хватку, с какой эти артистичные руки держали руль, но от замечаний удерживалась.

Он молчал. Многое надо было извлечь из памяти, проветрить, вывернув все заначки; слишком многое — из того, что подзабылось и осело в дальних уголках отрочества и юности.

Вспомнить — не обсуждал ли когда-нибудь он с Иммануэлем свою работу при «ужасных нубийцах»? Мог ли Винай вычислить занятие Леона или тот оставался для него просто «цуциком», давней благотворительной слабостью Иммануэля?

Вдруг он с горечью припомнил, как упрямо просил Иммануэля быть сдержанным при тайской парочке и даже в самых невинных обсуждениях — живописи, книг, музыки или очередной Владкиной выходки — переходил на русский язык, полагая, что *оберегает свои частные интересы и контакты*. Болван! Ведь Винай наверняка понимает русский, хотя, возможно, знает его не так хорошо и не так досконально, как иврит.

И главное: мог ли вчера Фридрих после их телефонного разговора упомянуть имя Леона при Гюнтере, объявить, что вечером в дом явятся Айя с женихом, — или инстинктивно предпочел держать сына подальше от девушки, тем более что, как обычно, Гюнтер отсиживался у себя наверху?

И уж конечно, не мешало бы знать наверняка: мог тот опознать Леона за считаные мгновения, когда самого его — оплывшего, полузадохнувшегося — парамедики волокли на носилках в машину?

* * *

Остановились они только раз, у одного из типовых придорожных заведений круглосуточного (судя по веренице трейлеров, припаркованных у кромки шоссе) обслуживания — заправить бензином бак и выпить кофе.

Ночь набухала мощными запахами весны. Сквозь бензиновые выхлопы грузовиков и легковых машин прорастало ее темно-зеленое, терпкое, душистое тело. Придорожные кусты бузины, уже оперенные листвой буки, дубы и каштаны — все источало предрассветную влагу в предвкушении ясного солнечного дня.

Они сидели в самом углу стеклянного зала с двумя игровыми и одним фотоавтоматом, и Айя молча смотрела, как, поставив локти на стол, Леон обеими ладонями с силой растирает лицо, взбадривая себя, но одновременно и укрываясь (хочешь не хочешь) от ее непереносимого взгляда.

Принесли крепкий и неожиданно отличный для дорожной забегаловки кофе. Обжигаясь, Леон его заглотал, рассеянно пролистывая окружающие лица усталой шоферни.

Наконец перевел взгляд на Айю, в ее вымогавшие хотя бы словечко глаза и, сцепив руки на столе, скупо обронил, что есть, мол, такое благородное понятие «месть».

— Благородное?! — спросила она.

Да. Благородное, что бы там кто ни говорил. Ибо подразумевает немалую силу чувств, невозвратимые потери и неослабное страдание оскорбленного.

Ты понимаешь, о чем я толкую?

— Пытаюсь...

— Вот... Кстати, прекрасно звучит на всех языках и у всех народов, а мне особенно на русском нравится — острое отточенное слово, удар кастетом: «месть!».

Все-таки он бандит, бандит, бандит, в смятении думала она. Достаточно посмотреть в эти испепеляющие глаза, когда он произносит это бандитское слово своими бандитскими губами!

— Дело в том, что... понимаешь ли, Супец... Я пока тебе — конспективно, как уговорились, да? подробности потом, если выживем... Короче, сегодня выяснилось, что этот твой родственничек, этот Гюнтер... он уже бывал в моей жизни, правда, под другим именем. Он уже в ней прохаживался, хозяйничал втихомолку и, похоже, очень уютно себя чувствовал. В свое время, понимаешь ли, мы с ним были очень, оч-ч-чень хорошо знакомы. Я поражен, что не опознал его раньше на той фотографии, пусть даже и со спины. Я просто идиот! Если б я вовремя его опознал, ты, моя героическая бедняжка, была бы избавлена от вчерашней вечеринки.

Взметнув *ужаснувшиеся* брови, она уставилась на этого чертова конспиратора. Никак не отозвалась, пыталась осознать новость, ждала еще каких-то объяснений, хоть какой-то внятной истории с началом и концом — той, что, судя по всему, он не собирался ей рассказывать.

— И вот теперь, подавившись этой пилюлей, я должен восстановить поруганную честь. — Он усмехнулся: — Ты бы сказала проще: отчистить обосранный мундир, да? Ну, прости за пафос, я не нарочно — это так, издержки оперного жанра. В реальной жизни мои мертвецы на поклоны не вставали.

Она смотрела на него и видела лишь одно: меловую бледность затравленного лица. Но, может, это усталость от бессонной ночи за рулем?

— Вот тут горит, не остывая, — бормотал он, нетерпеливым движением кисти ополаскивая горло и грудь. — Горит и жжет... и просит залить пожар. Я даже знаю, какой жидкостью его заливать... Но это уже — как ты говоришь? — это уже театр.

Он покрутил в пальцах пустую чашечку и твердо поставил ее на стол.

— Ну и... некоторое время я буду этим очень занят. Разнообразно и опасно занят... И, как приличный человек, вынужден объявить, что ты можешь чувствовать себя... э-э ...свободной... — Он с трудом переглотнул, будто у него действительно болело горло. — Свободной от меня и от всех моих гнусных дел, моя любовь.

Зачем ты это сказал? Ведь это же ложь, ведь ясно: стоит ей всерьез вознамериться встать и уйти, как ты взовьешься и настигнешь, и опрокинешь ее, и сверху упадешь — как сбивают пламя на жертве.

— Он принес тебе... горе? — наконец спросила Айя, все так же пристально и сурово на него глядя, легко пропустив мимо ушей, просто отметая идиотское предложение какой-то там *свободы* (будто она уже не нахлебалась досыта этой *свободы* — в аэропорту Краби, когда уходила в водоворот толпы на свой безнадежный рейс, а он стоял и глядел вслед, не двигаясь, как зацементированный. Будто они оба не нахлебались этой *свободы* — когда она загибалась от тоски в Бангкоке, а он метался в поисках ее — аж до апортовых садов катился!). — Нет, ты сейчас скажи, я хочу понять. — И с напором: — Он зло тебе причинил?

— Дело не во мне. В одном старике, которого я очень любил.

— И Гюнтер... что — издевался над ним?

Она ничего не могла понять в этом внезапном обвале новых бед и злилась: на него, на себя — за примитивный первобытный страх, что всякий раз подкатывал из желудка к сердцу, когда Леон вскидывал на нее свои невыносимо горящие глаза на очень бледном лице и казался просто безумцем, просто окончательно спятившим артистом, вот и все!

— Пытал он, что ли, этого твоего старика? Убил его?

— Наоборот, — безрадостно рассмеялся Леон. — Гюнтер прислуживал ему, купал, кормил и укладывал спать. Готовил свой неподражаемый салат с луковой розой... А убил — другого старика, в другое время... И еще кое-кого прикончил — не сам, чужими руками, — кто был мне достаточно дорог, кто от меня зависел и верил мне, а я вот их не спас... И этот провал тоже во мне клокочет.

— Леон... — в отчаянии проговорила она. — Я ничего не пойму в твоей бормотне!

— Да что тут понимать! — рявкнул он, оскалившись так, что Айю продрал мороз по хребту. Это был оскал волка, не человека. — Это ты-то просишь «понять» — ты, которая бежала от него на остров, к морским цыганам?! Мне нужна его голова! — прошептал он, склонившись к ней над столом, проникновенно и страшно улыбаясь. И простонал, чуть ли не задыхаясь от нежности, как задыхался в самые острые мгновения любви: — Мне голова его нужна! С луковой розой во рту.

* * *

В тот момент, когда они вновь сели в машину и Леон выехал на шоссе и погнал к зазеленевшей над деревьями полоске неба с черными галочками какой-то высокой перелетной стаи, — в тот момент он и вспомнил про маленький женский монастырь в бургундских лесах. Усмешка в лукавой бородке Филиппа: «Чем хороши эти богоугодные заведения — они во все времена человеческой истории играли роль этакой банковской ячейки, где можно передержать что угодно: спасенное еврейское дитя, внебрачного отпрыска какого-нибудь барона, беглого генерала СС, наконец...»

— Я не прав, моя радость?

«Моя радость» — настоятельница монастыря матушка Августа, в рясе и клобуке, сидела за столом напротив и благоразумно молчала. На губах у нее всегда витала чудесная, слегка удивленная полуулыбка, как

180 бы оставшаяся (как улыбка Чеширского Кота) от прошлого светского ее облика. А вслед за улыбкой, как
продолжение чуда, возникал голос: глубокий и чувственный — альтовый, совсем не монашеский.

Матушка Августа в молодости была хорошей альтисткой — в те времена, когда звали ее Сесиль Фурнье и
она концертировала, выступая (и побеждая) на международных конкурсах. Филиппа знала с детства: ее отец,
контрабасист, много лет играл в оркестре Парижской
оперы под управлением отца Филиппа, Этьена Гишара.

Но... что-то стряслось в судьбе этой незаурядной
женщины, о чем не распространялся даже такой закоренелый и неутомимый сплетник, как Филипп. Последние лет двадцать Сесиль провела в этом маленьком
монастыре, возведенном на месте обычной, средних
размеров, крестьянской фермы. Каждое утро над пересохшим каменным колодцем звонил колокол церкви, перестроенной — Леону особенно нравился этот
евангельский мотив — из бывшего хлева. Когда умерла
прежняя игуменья, из русских эмигрантов старинной
дворянской фамилии, Сесиль заняла ее место, приняв
имя Августы.

И вот что вовремя вспомнил Леон: по соседству с монастырем существовала ферма, купленная парижскими
друзьями игуменьи. Обычная бургундская ферма, из
тех, где время остановилось век назад: деревянные ворота в невысокой каменной ограде, за ними — большой
двор, клочковато заросший травой. Внутри, как водится, службы, ныне пустующие: хлев, сарай, конюшня и
мастерская... Но главное — старый фермерский дом:
прохлада и уют мощных каменных стен, ряд чердачных
окон в высоких скатах черепичной крыши.

Большую часть года ферма пустовала. В ней-то однажды и пришлось заночевать Леону с Филиппом, когда они припозднились за ужином в монастыре, крепко выпили и как-то не хотелось вести машину по узким средневековым улочкам меж каменных стен, а затем и лесом, и пустынной дорогой, да все по темени, выколи глаз. Вот тогда игуменья и предложила им заночевать на ферме, тут рядом...

Дом оказался просторным, с красноватыми, как поджаренные гренки, плитами каменного пола. На первом этаже все было обустроено для большой семьи: кухня с современной газовой печью (но старинную чугунную никто не выбрасывал) и гостиная с истинно бургундским, циклопических размеров камином, приспособленным под местные холодные зимы. Наверху, как обычно, три спальни, на чердаке — сеновал, винный погреб — в подвале.

Традиционный, добротный основательный дом.

...Утром выяснилось — еще и светлый, несмотря на черные балки потолка и громоздкую дубовую мебель. Сквозь целый ряд высоких, в частых переплетах окон ломилось солнце, так что надраенная решетка чугунной плиты в кухне, ввинченные в балки потолка крюки для окороков и разрозненная кухонная утварь над печкой горели яростной медью. Над диваном в гостиной обнаружились две картины в золоченых рамах. На одной группа крестьян дружно валила дерево, на другой те же крестьяне работали на винограднике, и корзины с винно-красным изобилием гроздей казались совсем неподъемными для их согбенных спин.

Но все это проявилось и озарилось наутро, а накануне вечером две монахини и сторож отперли ворота и провели гостей в дом, где выяснилось, что на ферме какая-то поломка в электрической сети, так что сторож побежал в монастырь и вернулся с фонариком и тремя толстыми свечами монастырского производства. Совместными усилиями разожгли огонь в огромном камине, и до поздней ночи Леон с Филиппом сидели в

182 двух таких же циклопических креслах, обращенных к огню, попивая монастырское винцо и мусоля свои, все те же музыкально-театральные темы, — стоило из Парижа уезжать! Леон, в своей жизни лищенный ежевечернего зрелища усмиренного огня, мирно лижущего бокастые поленья, невольно вспоминал то страшное пламя на Кармеле, черный скелет погибшей сосны. (Наутро странно было увидеть пирамидку белесого пепла на месте вчерашнего жарко-золотого цветения.)

Когда в сон потянуло, они даже не стали подниматься на второй этаж — искать спальни. Да и рассвет был — рукой подать. Филипп завалился на могучий диван с разлапистым резным изголовьем, а Леон, в свете огарка нащупав какую-то кушетку, решил: с его комплекцией — сойдет.

— Ты не находишь, что этот деревенский дом подвернулся очень кстати? — проговорил Филипп, ворочаясь с боку на бок на своем патриархальном ложе. — Не представляю, как бы я уснул в монашеской келье — с моими-то грехами, с моими-то мыслями о чьих-то соблазнительных формах за стенкой. А?

— Что? — донеслось с кушетки.

— Да я все насчет грехов... — вздохнул Филипп.

— А я безгрешен, — кротко отозвался Леон, и правда — уснул как младенец...

* * *

Он даже не стал заезжать в Париж; и когда с кольцевой дороги свернул на Фонтенбло, над верхушками деревьев огненной рыбкой уже всплывало солнце, вызолотив мох на огромных серых валунах вдоль дороги. Стволы сосен, буков и платанов вспыхнули красным золотом; под деревьями проступили гигантские резные папоротники немыслимых окрасок — охристые, ржаво-зеленые, кроваво-кирпичные... В приспущенные стекла машины вливался ни с чем не сравнимый древний папоротниковый дух — земли, полыни и почему-то моря — может, ископаемые эти растения за миллионы лет пронесли в своих древесных жилах память о морской глубине?

С рассветом ему полегчало — ему всегда, даже в самые тяжелые моменты жизни, становилось легче с наступлением дня.

К тому же Айя уснула и минут сорок спала, приоткрыв рот, с удивленным лицом, и когда проснулась, солнце уже бежало по мокрой траве на обочинах дороги, а Леон уже знал, куда они едут.

— Смотри, какое солнце кругло-малиновое... Прямо огонь в брюхе плещется!

— Ой... — сказала она, проснувшись, — как красиво...

Она так часто, совсем по-детски повторяла эту фразу, с такой благодарностью отзывалась на любой пейзаж, что Леон каждый раз давал себе слово купить ей камеру — сразу же, сразу же! Он снизил скорость, глубоко вдохнул папоротниковый ветер и стал ей описывать — очень смешно, в лицах — монастырь и его насельниц, старую монахиню Аглаиду, например. Как в один из его приездов, когда прямо у ворот монастыря развалилась очередная тачка изверга Жан-Поля, она предложила подбросить Леона в Париж. Рванула по деревенским дорогам со скоростью 120 в час, и он перепугался, что на репетицию *приедет с мокрыми штанами*.

— «А что это вы в Париж наладились?» — осторожненько так спрашиваю напряженным голосом, поверх визга тормозов. «Да на исследования еду: катаракты надо оперировать на обеих глазыньках, совсем слепая

184 стала...» — и продолжает давить на газ, визжа тормозами, вписываясь в повороты деревенских каменных улочек, что твой каскадер... Это бургундская глубинка, — добавил Леон, — здесь, если верить местной шутке, покупая на почте марку с изображением Марианны[1], мужики плюют на нее с двух сторон...

Мысленно он перебирал варианты: в случае, если на ферме кто-то живет, — куда деваться? Надеялся, что и тогда матушка Августа согласится принять девушку на постой в какую-нибудь келью, хотя бы на несколько дней, пока Леон обмозгует ситуацию и *выстроит либретто*. Самое же дорогое в монастыре — русский язык. Айя может общаться с монахинями и паломниками. Там русский многие знают. Он вдруг вспомнил огромную бельгийку, сестру Ермигонию — всегда сонную, всегда на кухне: печет просфоры и истово молится. Если что подгорит — начинает внезапно и пугающе громко рыдать. Вообще-то у нее диплом Оксфорда, но что с того? У каждого своя биография. Во время редких наездов Леон говорил с нею по-французски; она называла его «месье Этинжэ», по-своему произнося фамилию. Но вот в монастырь приехал столяр Федя из белорусской деревни. И однажды утром Леон прямо застыл на монастырском дворе, наблюдая истинное чудо: Ермигония (опять зареванная) балакает с Федей на великолепном и очень живом русском языке!

— Сестра Ермигония! — вскричал Леон. — Почему ж вы никогда со мной по-русски не говорили, мне было бы приятно!

— А зачем? Вы *и так* говорить умеете, месье *Этинжэ*... А Федя — нет...

1 Символ Французской республики, олицетворение Свободы.

На полях уже копошились люди и ползали тракторы. В матово-солнечной дымке утра замаячил над пятнистой черепицей домов бесплотный и будто парящий в воздухе Кафедральный собор Санса. Вскоре миновали Жуаньи — мелькнула среди старой терракоты крыш, с островками зеленого мха и темными пятнами копоти, высокая, узорная, чешуйчатая крыша церкви, устланная полукруглой черепицей.

Наконец проехали крошечный Брион и въехали в Бюсси.

Вот она, деревенская площадь с разъездом вокруг фонтана, вот почта, мэрия, продуктовая лавка. Магазинчик, где торгуют газетами, леденцами и табаком...

Он свернул к Отскому лесу, и вскоре показались ворота монастыря.

На проезжей части деревенской улицы монастырский сторож играл с мальчишками в футбол.

Фермерский дом оказался свободен, Желтухин Пятый, странник и храбрец, обрел наконец покой; Матушка Августа творила благодеяния с той же альтовой полуулыбкой. Огромный камин разжигался по-прежнему удивительно легко, дрова постреливали шальными искрами, и огонь отплясывал над золотыми поленьями нескончаемую свою жигу...

3

Для себя он снял номер в одной из тех затрапезных трехзвездочных гостиниц на площади Гамбетта́ в Двадцатом округе, что принадлежали марокканцам, тунисцам или пакистанцам и постояльцев имели соответствующих — небогатых туристов из России и стран Восточной Европы. В кафе на улице Пиренеев — за углом — всегда можно было перехватить сэндвич и кофе.

На стойке он предъявил паспорт благонадежного Льва Эткина и минут двадцать с весьма приблизительной туристической картой в руках донимал портье — несчастного пожилого армянина с благостным профилем очередного Папы Римского и фасом крестного отца итальянской мафии, — пытаясь на гремучей смеси французского и английского выяснить «местоположение Лувра» и «еще двух знаменитых музэйонс... как это... как это... Помпиду! Да, и Нотрэ Дам, пли-и-из!» — получая истинное удовольствие и от диалога, и от откровенной муки, написанной на лице портье, который разительно преображался, стоило ему сменить фас на профиль, и от реплик двух марокканцев из обслуги, отпускавших на счет «идиота-русского» тихие язвительные замечания на арабском.

Ему необходимо было уладить несколько неотложных дел: провести две репетиции с барочным ансамблем, обсудить с главным режиссером театра свое присутствие в репертуаре «Опера Бастий» на будущий год, договориться о недельном отпуске с девятнадцатого апреля и... и тому подобные рядовые и мелкие заботы по делам своего «оперного бизнеса», которые сейчас казались ему до смешного уютно-малозначимыми.

Вообще, за последние недели как-то померкла и отодвинулась вся его парижская жизнь, будто некий театральный осветитель погасил угол сцены, где в данное время нечего смотреть. Сейчас этот чертов осветитель с неумолимой ослепляющей яркостью озарил иное Средиземноморье: Иерусалим, милый дом в Эйн-Кереме, старый прекрасный сад в богатом предместье Тель-Авива, где в патио вокруг бассейна бродили тени, ставшие за последнее время столь осязаемо грозными, что полностью затмили его нынешнюю жизнь. Леон знал, что должен доиграть до финальной сцены этот спектакль — посмертный, но с такими живыми воспоминаниями, такими запахами летней жаркой ночи, что першило в горле и слезы выступали на глазах... И от того, как он расставит персонажей давнего спектакля, как исполнит свою партию и насколько убедительным выйдет финал, будет зависеть вся его дальнейшая жизнь...

Вечерами он валялся в возмутительно тесном номере паршивой гостиницы, где не то что шагать — повернуться было рискованно; просыпался среди ночи, вскакивал к компьютеру, шебуршил в Интернете, проверяя очередную дикую идею, пришедшую в голову, изучая расписание работы какой-нибудь очередной марины на очередной ривьере... Без конца крутил, переставлял, соединял известные ему детали, даты и факты, пытаясь собрать некий пазл, сценарий, сколько-нибудь пригодный для постановки.

На Лигурию указывали редкие белые вина, над которыми квохтала обольстительная Елена Глебовна: *пигато, шаккетра*... Опять же — монорельсовая дорога, построенная в помощь сборщикам винограда. Берем Лигурию, добавляем монорельсовую дорогу, множим на виноградники — получаем Чинкве-Терре: тысячелетняя культура вина, сотни виноградных хозяйств... Убедительная площадка для финальной сцены: все пять деревушек-борго расположены на террасных землях, подпираемых каменными стенами. Если верить Интернету, «протяженность этих стен семь тысяч километров — длина Великой Китайской стены»... О'кей, к черту Интернет, к черту туристические справочники. Важно то, что во всех пяти деревушках Чинкве-Терре марины нет, хоть бейся головой о какую-нибудь каменную террасу! Нет ни одной марины, только маленькие причалы для рыбацких лодок. Ближайшая марина — в Портовенере. Значит ли это, что вилла «Казаха» там и находится? И как опознать нужную яхту? Списки с фамилиями владельцев яхт в офисах марин, безусловно, существуют. Но кто выдаст их первому встречному, а главное — с чего ты взял, что яхта записана непременно на имя «Казаха»?

А ведь в Италии еще и нет адресных столов. Можно, конечно, обратиться в коммуну с запросом, оставив свои координаты. И если разыскиваемая персона готова встретиться с тобой, ты получишь по почте ответ. Помнится, Иммануэль рассказывал, что у нацистов в Италии были проблемы с домашними адресами евреев: приходилось конфисковывать в синагогах списки прихожан.

Все было глухо у него внутри, и ни единого звука не долетало из той области чувств, которую его бывший шеф именовал «твоей идиотской интуицией». Время шло, день проходил за днем, а Леон пока и не представлял, с какого конца подступиться к поискам. Впору было сдаваться *конторе*, подарив ее *специалистам* свое кровное прошлое...

Кроме того, его мучили некоторые побочные соображения: почему, собственно, пунктом отправления выбрана Лигурия, одна из самых дорогих европейских ривьер? Почему вообще Италия, когда самой немудреной дорожкой из Казахстана в Иран могла быть морская прогулка по Каспию?

Впрочем, напоминал он себе, в наши дни трафик любых передвижений определяется надежностью и быстротой каналов транспортировки. Маршруты зависят от связей владельца. Посмотреть, к примеру, как идет письмо, доставляемое какой-нибудь экспресс-почтой: маршруты могут кренделять из России в Париж через Латинскую Америку. Все зависит от расположения крупных сортировочных центров, объемов, перевозочных средств... А у нас перевозочное средство — какое? Яхта! И уместнее всего, и безопаснее всего она смотрится на обжитых просторах европейского Средиземноморья...

Мысленно он прочерчивал невероятный для яхты маршрут (это должен быть крейсер, а не яхта): из Средиземного моря через Суэцкий канал, а там, огибая Аравию, через Ормузский пролив — в Персидский залив?.. Безумный рейс.

Нет, самым разумным для яхты маршрутом может быть только: Средиземным морем — в Бейрут, а там (несмотря на беспредел в Сирии и Ираке) головорезы из «Хизбаллы» найдут способ переправить груз в Иран... Или, что не исключено, оставят его в Ливане — «грязная бомба» и «Хизбалле» пригодится в хозяйстве.

Вновь — по зернышку — Леон перебирал рассказ Айи: «Фридрих сказал: "Андрей участвует в какой-то операции *российским экспертом*... Андрей — консультант, он ведь там все знает". В общем, как я поняла, на полигоне проводилась секретная операция — сбор плутония, что ли...»

Что ли, что ли, моя наблюдательная умница... Секретная операция Казахстана, России и Америки, столь умело *заныканная* от МАГАТЭ. Вот там, надо полагать, Крушевич и поживился... Только чем?

Натан, помнится, упоминал об альтернативном пути создания бомбы. В данном случае грязной бомбы, «пугалки-загрязнилки» для нашего огорода. Милые *альтернативные* плутониевые яблочки...

Что такое плутоний и с чем его едят, черт бы побрал твое музыкальное образование?

Он пытался на сей предмет покопаться в Интернете. Но когда ты — пришлец и кенарь, и изотоп плутония 239, с периодом полураспада порядка 25 тысяч лет, не сильно для тебя отличается от другого изотопа плутония, 238, с периодом полураспада всего в 87 лет, и тебе, в сущности, глубоко плевать, для чего используют тот и этот и почему сей таинственный процесс называется не «распадом», а «полураспадом»...

Вдруг вспомнился Бостон, гастроли трехлетней давности, визит в университетский музей науки (один из спонсоров гастролей непременно желал что-то там чудесное показать), и неожиданно сильное впечатление, когда провожатый предложил ему взять в руку черный шар величиной с теннисный мяч, который неожиданно оттянул руку восьмикилограммовым грузом. И щекастое, ужасно довольное лицо провожатого, похожего на пожилого подростка, хвастающего научными чудесами:

— А это и есть уран! Плотнее его только плутоний... ну, и платина.

Плутоний... Плуто, плут, плутократия... Вот кому надо позвонить: Рику, славному кембриджскому гребцу в сланцах на босу ногу. Кто, как не физик-теоретик, может доступно растолковать тупому лабуху всю эту ядерную хренотень? И мысленно огрызнулся: да раньше надо было звонить, раньше! О чем ты думал — профан, невежда!

Но Рик пропадал где-то на конференции в Бразилии, о чем любого желающего дружески извещал автоответчик, при всей своей приветливости не сообщая номера сотового телефона.

Наконец Леон застал его — после бессонного рейса — и благословил судьбу за простодушное величие подлинного человека науки: сразу почувствовал, что тут не требуется обычных в таких случаях идиотских легенд и тщательно продуманных историй. Рик был прост и утомлен, будто вернулся не с конференции, а с соревнований по гребле на реке Кем... Так что Леон — из уважения к его занятости — не стал особо крутить, на скорую руку соорудив байку из серии «и такое бывает».

— Рик, тут дурацкая история, — смущенно посмеиваясь, начал он, — даже неудобно, что беспокою. Ко мне в гости приезжает одесская кузина с женихом. Он какой-то гений в области ядерной физики, ну а меня, с моей *авемарией*, вы уже знаете... Как представлю напряженное общение с будущим родственником... Ну и я что: хотелось бы не то чтобы скоренько образование получить, — (тут перед ним мелькнул Кнопка Лю: «Ты научи меня быстренько пару штук симфоний»), — не то чтобы... но хоть чуть-чуть представить — о чем речь... А то я уж совсем — музыкальный болван болваныч. Боюсь ляпнуть что-то чудовищное, расстроить свадьбу сестры. Вот, залез в Интернет, а там в новостях все какой-то плутониевый путь создания ядерной бомбы...

— О'кей, — буркнул Рик. — Только плесну себе бренди.

— Да и я плесну, — обрадовался Леон, не уточняя, что именно себе плеснет (молока: с утра у него саднило горло). Они синхронно расстались на минуту и дальше («Значит, так, — плутоний, если уж мы о нем заговорили, — серебристый металл, довольно быстро окисляется, приобретая желтоватый оттенок...») — и дальше часа полтора увлеченно беседовали, мгновенно сблизившись (чего не случилось в Кембридже), приканчивая — по разные стороны Ла-Манша — содержимое двух разных бутылок, переспрашивая, поправляя, уточняя, терпеливо разъясняя — и кое-что записывая, чтобы не забыть...

— Черт, украл у тебя уйму времени! — прощаясь, воскликнул Леон и в ответ получил меланхолическое приглашение «позванивать, когда требуется, — глядишь, человеком станешь...».

Затем Леон часа полтора валялся в номере, перебирая листки из тощего гостиничного блокнота со своими каракулями, тасуя их, как карты, разглядывая, как самые дорогие фотографии:

«...в одном литре — 20 кг!!! но: критич. масса — около 11 кг, след-но, одним куском выше критической массы — взрыв! Потому: никогда больше 1-2 кг в одном куске, в свинцовой оболочке, не оч. толстой, т.к. плут-й не излучает гамма-лучей, только альфа-частицы (ядра гелия) со слабой проник-щей способн-ю... Несколько кг пл-ния вместе со свинц-й оболочк. провезти легко, потому боятся ноутбуков — идеальная упаковка! Но в аэропортах — через рентген — видят черное пятно, это — риск!

Главное: 12 кг плутония (в 4-5 отдел. кусках) — достаточно для бомбы...»

Обдумывая эти обрывочные сведения и сваленные в кучу цифры, он пытался вообразить, где на яхте спрятал бы небольшое количество плутония? И резонно себе отвечал: да где угодно, если как следует поломать голову.

* * *

...Между тем паспорт на имя Камиллы Робинсон был готов, и в наилучшем виде.

Они встретились на бегу, у того самого «музэйона Помпиду», на минуту присев на бортик фонтана Стравинского. Леон изумился безупречному исполнению *этой изящной пьесы* и с новым уважительным интересом разглядывал суетливого человечка в тяжелых ботинках и потертом комбинезоне смутно армейского образца.

— Я тут красоту навел, — пояснил Кнопка Лю, — велел понаставить с десяток въездов-выездов...

За его спиной в фонтане истекала двумя струйками знаменитая скульптура: непристойно красные и непристойно пухлые губы, формой в точности повторяющие толстые губы крошки эфиопа.

— Горжусь тобой! — ответил Леон, листая паспорт — уже *настоящий*, как бы размятый торопливыми и хваткими руками пограничников, слегка потертый, с чуть замусоленными уголками страниц.

Да, такую убедительную ксиву, такой подлинный пропуск в рай могли сработать только в самой серьезной лаборатории, криминальные структуры тут ни при чем.

Интересно, во что мне станет эта дикая эскапада...

Впрочем, сейчас он не мог думать о том, что будет после. Внутри у него были взведены все пружины, словно чья-то неумолимая рука долго заводила механизм, поворачивая и поворачивая ключ, и еще докручивая на последние пол-оборота... И вот-вот раздастся то ли взрыв, то ли оглушительный звон обезумевшего будильника, то ли трактирная шарманка зальется расхожей полькой и будет крутить и крутить ее — не остановишь! — пока не раздолбаешь каблуки или не выдохнется завод.

*Пока ускользающая дичь не забьется в моих руках —
в смертельной агонии.*

Сейчас он лишь отметил про себя, что Кнопка Лю
и правда поработал на славу и что Камилле Робинсон
придется при расчете накинуть ему сотню «целковиков».

Когда уже расставались (каждый торопился, у каждого свои дела-заботы), Леон вдруг щелкнул пальцами,
будто вспомнил нечто забавное, подался к эфиопу и,
понизив голос, проговорил:

— Да: я исчезаю, и, возможно, надолго... А ты, если
захочешь опохмелиться, подскочи в Лондон. Корейский ресторан на Шарлотт-стрит — там ждет бадья отличного пойла. Назовешь у стойки мое звездное имя,
тебе нальют. Вылакай все!

— Ты... очумел или как? — озадаченно пробормотал Кнопка Лю. — Где я, а где этот Лондон?

— Отличное корейское пойло, — со значением повторил Леон. Закинул на плечо пустотелый рюкзак с
красной книжицей подорожной удачи внутри. — Соджу называется. Сод-жу!

И адресок повторил, улыбчиво и спокойно глядя в
изумленные глаза Кнопки Лю. Знал, что тот запомнит:
у старого марксиста была отличная память.

Он и сам не очень ясно представлял себе, к чему за-
теял этот финт. Точно так, уезжая на гастроли, всегда
прихватывал на всякий случай тьму-тьмущую ненуж-
ного барахла — вдруг пригодится? И были, были моменты, когда потрясающим образом совпадали нужда
с припасенным счастливым обстоятельством. Он был
артистом, он был певцом и распеваться привык в разных регистрах и разных тональностях.

В один из этих дней, совсем измаявшись, поехал на ферму в Бюсси...

Неожиданно застал ухоженный дом, будто неделю в нем шуровала выездная бригада опытных уборщиков, и умиротворенную, загорелую под весенним деревенским солнцем, похожую на мальчика-мулата, скуластую сладостную Айю.

Она увидела его в окне, вскрикнула и побежала открывать... Оба одновременно споткнулись на пороге, уцепились друг за друга и замерли.

От нее пахло упоительной мешаниной: укропом и розмарином (помогала на монастырском огороде?), еле слышным ароматом специй, сладковато-пряным духом копченостей из монастырской коптильни, легкой испариной... Отросшие и уже вьющиеся волосы пружинили под его пальцами; он подумал, что они с Айей, должно быть, опять ужасно похожи этими упругими завитками одинаково крутых затылков.

В голове предательски мелькнуло: может, к черту все? Зайти в ближайшее интернет-кафе, черкнуть Шаули два-три слова о прекрасной Лигурии и о «казахском сыночке»; кинуть предположительную дату: двадцать третье апреля...

(*«А поднимется ли он к двадцать третьему?»* — и *«он»* поднялся: во всяком случае, в справочной службе лондонского госпиталя Святого Фомы некой девушке, озабоченным голоском осведомившейся о здоровье такого-то, ответили, что такой-то выписан позавчера в удовлетворительном состоянии.*)*

...короче, выложить все, что на сегодняшний день имеется в наличии, и закрыть эту тему навсегда. С пе-

196 релицованным Винаем разберутся, и очень скоро. Имманиэль умер много лет назад в полнейшем неведении и вовсе не требует от тебя сведения счетов с его любимым «ужасным нубийцем»... В конце концов, разве ты не твердил годами самому себе и друзьям из *конторы*: «Я — артист, я — частное лицо. Я просто голос»? Так вот и стань частным лицом, просто Голосом — именно тогда, когда ты встретил свою пару: свою голубку, свою лебедицу, свою волчицу — кто там еще в животном мире никогда не расстается, а умирает от тоски, когда погибает другой?

Отослать письмо и все забыть... Им с Айей всего лишь придется погулять тут по лесистым холмам Бюсси как раз с неделю — время, которое он и взял для отпуска. А дальше можно будет просто жить: петь, фотографировать, забросить в Сену с моста Турнель седой паричок вместе с паспортом Ариадны Арнольдовны фон (!) Шнеллер и вожделенным швейцарским паспортом Камиллы Робинсон. Наконец купить Айе фотокамеру, да, пожалуй, и снять другую квартиру, побольше, ибо *эта мадам Этингер* весьма скоро потребует своей беспрекословной доли свободного пространства...

— Пойдем, что покажу! — выдохнула она ему в ухо, схватила за руку и минут двадцать таскала по двору и по дому: заставила подняться на до сих пор пахнущий сеном пустой чердак с мощными стропилами, высоко, как в соборе, вознесенными над головой. Затащила в винный погреб: «Настоящее чрево земли!» — где под низкими сводами выгнутого дугой потолка деревянные стеллажи целили запечатанные дула пыльных бутылок.

Это был добротный фермерский *cave à vin*. Если судить по кирпичной кладке — века полтора от силы. Но, присмотревшись, можно заметить серые камни прежней кладки, а копнув хорошенько, обнаружить кладку еще древнее. Короткий аппендикс лестницы штопором вонзался в грунт, глухо заваленный камнями. Старая добрая Бургундия: поколение за поколением тут рыли погреба, многокилометровые тайные ходы, что впоследствии заваливались и приходили в негодность.

— Ну, да, подвал... — одобрительно заметил Леон. — Хозяйство было немаленьким.

— Нет, ты глаза закрой и нюхай! — потребовала она. — Здесь есть одна тайна.

И сама зажмурила глаза, ноздри раздула, с шумом втягивая сырой воздух:

— Чуешь? Яблоками пахнет! Совсем как в ангаре у нас на Экспериментальной базе. Только это не апорт, там запах с кислинкой, а здесь сухой, сладковатый. Откуда — среди виноградников? Загадка!

— Ну уж и загадка, — насмешливо улыбнулся Леон. — Это запах ратафии, крепленого вина. Прежний хозяин гнал ее из яблок, вот и вся загадка. В тех вон бочках бродил сидр, набирал нужный градус, а потом отправлялся на винокурню, чтобы стать аперитивом...

...В этой подземной матрешке было сыровато и знобко, но въевшийся в стены стойкий запах яблочного брожения отгонял мрачные мысли.

Они прихватили бутылку красного сухого и по лесенке поднялись в кухню, озаренную жаркой медью сковород и половников, начищенных и развешанных по стенам.

Айя и тут не могла остановиться, все хвастала хозяйством: в шкафах целые залежи прошлого — смотри, какие ухваты, а какой серебряный щелкунчик, видал? А какие чугунные узорные подставки под все на свете! Без умолку болтала новым, свободным и полным голосом без обычной своей хрипотцы, будто дом и ферма принадлежали ей и Леону, а глаза, насыщенные всей этой зеленью, и медью, и красным деревом, и искрами каминного огня, молча умоляли только об одном: давай здесь останемся, давай!

Леон поймал ее за руку, притянул к себе, стиснул.

— Да что за безобразие! Охотник прискакал с намерением завалить лань, а та изворачивается и бегает по двору! Так: вот удобный диван: за-ава-а-аливаем...

— Погоди-погоди! — вскричала она. — А ситцевый балдахин в спальне, ты ж не видел! — Вырвалась, помчалась по деревянной лестнице на второй этаж, крикнула оттуда: — Ты просто рухнешь!

Он взбежал за ней следом, налетел, зажал под мышкой ее голову и — *рухнул*, заволакивая *лань* под ситцевый балдахин...

Проснулись только под вечер, не слышали, как вошла в дом и сновала по кухне, расставляя судки с едой, послушница из монастыря: матушка Августа считала своим долгом подкармливать *девочку Этингера*.

Солнце еще перебирало оборки балдахина — голубого, с черными провансальскими маслинами, — ползло по такой же голубой-оборочной скатерке на деревенского вида комоде, обтекая сливочным блеском фаянсовый кувшин с незабудками...

Проснулись, но все валялись, то и дело напоминая друг другу блаженно-тягучими, на зевках, голосами, что надо спуститься, поставить на газ чайник, приготовить что-нибудь пожрать... Часа через полтора Леон намеревался выехать в Париж. Медленный прозрачный разговор, не имеющий отношения к *их страшному и мутному*:

— А по-французски «крестьяне» — это «пейзане», да?

— Сейчас их так редко называют, только в смысле «деревенщина». Сейчас говорят «земледелец», *agriculteur*. Произносится приблизительно так: «агрикюльтёр».

— Покажи еще раз! — приказала она, обеими ладонями поворачивая к себе его лицо.

— Аг-ри-кю-уль-тёр... — он преувеличенно артикулировал, гримасничая, пытаясь дотянуться губами до ее лица. — Постой, а Желтухин-то где?

— Опомнился. Вот цена твоей любви. Желтухин теперь живет в трапезной. Поклонниками обзавелся! Его лично матушка Августа кормит. И, главное...

— Что это играет? — вдруг спросил Леон.

— Наверное, радио. Знаешь, я в кухне отыскала настоящее старое радио, явно по такому «агри-кюльтёры» слушали передачи во время войны. И оно действует: я ладонью слушала... Там такая смешная ручка-рулетик и дли-инная линейка станций. Видимо, прикрутила не до конца. А может, девушка-послушница включила. А что, ты?..

— Подожди! — Он перехватил и сжал ее ладонь.

Пел Андреа Бочелли... Разумеется, Леон сразу узнал этот голос, один из самых красивых голосов в мире — благородно-чувственный тенор, глубокий и мягкий в нижнем регистре:

> Lo strano gioco del destino
> A Portofino m'ha preso il cuor
> Nel dolce incanto del mattino
> Il mare ti ha portato a me...[1]

---

1   Злая судьба
     Сердце мое отняла —
     Лодку твою поутру привела
     Ко мне в Портофино... *(ит.)*
Здесь и далее перевод М. Бородицкой.

«И, между прочим, у нас там симпатичное общество собирается, — произнес в памяти голос Николь. — Где-где — в Портофино! Ну-у-у... ты уже забыл, я тебе вчера рассказывала? Love in Portofino...»

Популярная когда-то песенка «Love in Portofino» раскачивала мелодию, как лодку, ритмично лилась и лилась, обволакивая нездешними мечтами старый бургундский дом.

«...Можно прекрасно время провести: образованные люди, коллекционеры, умницы — всё наши соседи и всё наши клиенты... Кстати, и россияне есть, так что скучно тебе не будет...»

Леон рывком сел на кровати. Сердце колотилось о ребра, раскачивая не только тело, но и кровать, и весь дом.

Айя села рядом, нежно и сильно провела ладонью по его голой согнутой спине — от затылка до ягодиц. Молча прижалась щекой к плечу. Он даже головы не повернул.

Так вот оно: укрытая среди скал курортная деревушка Портофино. Маленькая удобная марина, уютная пьяцца, пустынная (не сезон) набережная...

«Ведь это полезно для голосовых связок — теплый морской воздух?..»

Сильным проигрышем вступила скрипка, пронеслась мелодическим вихрем, взмыла, растаяла в мягком, но темпераментном ритме ударных, подготавливая вступление голоса, полного чуть старомодной романтической любви:

> So-cchiu-do gli o-o-o-cchi
> E a me vicino
> A Po-orto-fino-o
> Ri-ve-do te-e-e-e...[1]

[1] Только закрою глаза —
Ты снова со мной,
Рядом со мной
В Портофино... *(ит.)*

И сразу же игривый, но несколько натянутый голос Елены Глебовны подчеркнуто произнес:

— *А вот другие тенора не обходят своим вниманием наши края!*

Леон вскочил и молча стал одеваться. Обняв колени, Айя следила за ним запавшими глазами. Весь солнечный взмыв ее гибкого тела, мягкая кошачья сила полуденной любовной схватки, весенний загар, солоноватый на вкус, — все вмиг ушло, оставив тоску и обреченную готовность к беде.

— Опять бежим? — спросила она. — Вот мне лафа... Ты просто путеводная звезда пилигримов.

— Одевайся! — коротко приказал Леон, быстрыми пальцами *проигрывая* пуговицы на блейзере. Надо успеть собраться, наскоро прибрать за собой в доме, попрощаться с благодетельницей — игуменьей Августой. — И поторопись... Мы возвращаемся в Париж.

Потом бесчисленное количество раз он допрашивал себя — почему не оставил ее на ферме, зачем поволок в безумие погони, в потный страх, в сердцебиение смертельной опасности, в блевотину соленой морской воды? И, как часто с ним бывало, не мог себе внятно ответить. Мысленно твердил, что ферма и монастырь — отнюдь не самое безопасное место (чепуха, чепуха, чепуха!), что Айя и сама бы отказалась с ним расстаться (приказал бы — осталась!), что она гениально подыграла в задуманном им спектакле, без которого... а иначе бы... а в противном случае...

И сам себя обрывал: чушь, бред, хрень собачья! Ты просто не мог от нее оторваться, вот и все! Не мог даже помыслить вновь ее потерять — обсирался от страха! Облепил себя ею, как пластырем, и ее связал по рукам-ногам — себя, ее... головоногий тяни-толкай!

Но даже в рваные, залитые кровью часы пыток, когда вопль раздирал его несчастные голосовые связки, он знал, почему это сделал: его инстинкт, его нутро, все его существо спасалось в этой любви и питалось ею; само присутствие Айи странным образом обосновывало справедливость смертного приговора, что самолично он вынес и привел в исполнение.

* * *

Портье затрапезного пансиона стоял лицом к входным дверям и потому являл ипостась угрюмого мафиози. Леон успокоил его с порога, просто подмигнув и невзначай обронив на стойку перед его грозным носом купюру в сотню евро. Тот нахмурился, засуетился (все же чаевые были неожиданно жирными) и обратил зверский фас к компьютеру, явив постояльцам благостный профиль Папы Римского...

После простора бургундского дома их возмутительно тесный закут, выкроенный в конце коридора явно из какого-нибудь бывшего туалета или кладовки, Айю не то чтобы шокировал, но озадачил.

— Мы здесь будем жить? — поинтересовалась она.

— Уже не будем. Завтра вылетаем в Геную.

— В Геную... — эхом повторила она, взметнув ласточкины брови. — А это что такое? — откинув занавеску на окне, ощупала никелированные ручки *нашего транспорта*, сложенного и прислоненного к стене. Леон снова восхитился: мгновенно заметила — вот наблюдательность, глаз-алмаз!

— Это инвалидное кресло.

— Та-ак... И кто тут инвалид?

— Я, — коротко отозвался он. Айя промолчала, продолжая осматриваться. Научишься тут помалкивать, подумал Леон чуть ли не с благодарностью. Если б она распахнула дверцы хлипкого шкафца, втиснутого в простенок, то обнаружила бы там и палку с крестовиной внизу. И то и другое, как и черный ортопедический ботинок, Леон приобрел в *Гранд Фармаси Думер-Пасси*.

Его любимый персонаж Ариадна Арнольдовна фон (!) Шнеллер (это, говорил Шаули, уже смахивает на обсессию) иногда взбадривалась, поднималась и шкандыбала, опираясь на палку: инвалидное кресло не всюду протащишь. А порой, как это было однажды в Праге, прямо-таки молодела лет на десять. Почему при этом Леон гримировался под Барышню в старости, он объяснить не мог. Эська, уже впавшая в маразм, столько раз повествовала о благородной Ариадне, принявшей еврейскую смерть, что в воображении Леона две старухи слились в один лелеемый им образ.

К тому же тут присутствовал еще нюанс: Леон ведь не просто выпускал в мир ожившую Ариадну: он посылал ее на месть. Спустя семь десятилетий после своего исчезновения старуха являлась в хаос этого грязного мира карающим ангелом, мышцей простертой, изничтожающей зло.

— Ты можешь еще поспать, — предложил Леон, доставая чемодан и раскрывая его на прикроватной тумбочке. — Время есть...

— Я бы хотела душ принять — это здесь позволяется?

— Вон там, за занавеской. Там и унитаз — не пугайся. Я буду выходить по требованию. А раздеваться лучше здесь — туда вползают по стеночке и только боком, причем левым. Постарайся локтем не сбить зеркало.

— Вот сволочи, — в сердцах бросила она, стянула через голову свитерок, расстегнула джинсы и переступила через них. — Бесстыжая обираловка!

— Да уж, это не ферма в Бюсси...

Она нырнула за занавеску и включила душ.

— Работает, слава богу! — крикнула оттуда. — И напор приличный... А мы ведь еще вернемся на ферму, а, Леон? Обещай мне. Я их всех так полюбила... Знаешь, там есть одна послушница — Нектария. Она египтянка, дочь дипломата, жутко умная, книжница такая, ой-ей-ей. Похожа на фараона в саркофаге, в смысле — высохшая, как мумия. И все время молчит...

Он не вслушивался в то, что она там бормочет, но сочетание ее голоса с шумом воды доставляло ему странное наслаждение, вначале необъяснимое, потом он понял: тот душ на пенишете, когда ему пришлось собственноручно мыть ее — тонкую, как мальчик-подросток, с этим шрамом под левой лопаткой, поливая на расстоянии и умирая от желания залезть к ней прямо в одежде и прижать к себе, ну и так далее.

Вдруг ему пришло в голову сейчас же опробовать на Айе... Точно! Почему бы и нет? И улыбнулся, предвкушая ее реакцию...

Достал из чемодана и открыл небольшую пластиковую «шкатулку с сюрпризом».

Она была трехэтажной: каждое донце выдвигалось, являя какие-то скучные баночки, пинцеты, тампоны и кисточки, лоскуты сероватой морщинистой кожи, напоминавшей шкурку ящерицы, прозрачные пластины с как бы проросшими сквозь них волосками бровей, усов и бород разного цвета... И несколько линз на глаза, которыми, впрочем, он редко пользовался, считая ненужным штукарством.

— ...И вот кто-то привез в подарок монахиням невиданное баловство: черную икру! Ее вывалили из банок в лохань и поставили в трапезной на общий стол. Египтянка положила себе, как обычно, рисовой каши, сдобрила ее икрой и хорошенько посыпала сахаром. И принялась давиться этой бурдой — с каменным лицом. Представляешь? Смирение паче гордости. И никто ей ничего не сказал — чтобы не смутить...

По крайней мере, душ здесь работал хорошо, и Айя не торопилась, с удовольствием намыливая себя с головы до ног дешевым гостиничным шампунем, пригоршнями плеща в лицо воду, отфыркиваясь и продолжая громко вываливать впечатления из *монастырских закромов*:

— А еще там есть такая старенькая монахиня из Голландии, ну эта вообще — чудо из чудес. Захожу вчера в кухню и вижу кошмарную картину, можешь не верить: из огромной раскаленной духовки торчат тощие ноги в башмаках! Я ка-ак заору от ужаса! А она выползает ногами вперед — в нейлоновом подряснике, без единого ожога, и в одежде ни дырочки. Вот, говорит, проголодалась, решила отрезать себе кусок пирога. А тот стоит в самой глубине печи.

Леон *наизусть* подклеивал мятые мешки под глазами, почти не всматриваясь в свое отражение в зеркальце. Его пальцы досконально знали каждый выступ, каждую мышцу и впадину лица, надбровные дуги, горбинку хищного носа, и бежали, где-то прихлопывая складочку, где-то присборивая морщинку, придавливая весьма натуральную бородавку над правой бровью...

В театре он известен был тем, что не прибегал к услугам гримеров; а одна из них, китаянка Же Чен, когда бывала свободна, приходила поглядеть, как он гримируется. Бесшумно витала вокруг него, дышала в затылок, хмурилась где-то у виска, обдувала неслышным выдохом щеку. Говорила: маэстро Этингер, я учусь. Вы грим накладываете, как ноту берете: точно в тон...

— ...Я вокруг нее прыгаю: как вы, да что вы, да не надо ли помочь... А она мне с таким спокойным достоинством: спасибо, мол, я справилась. На десятом десятке становишься как-то самостоятельнее... В общем, обязательно туда вернусь и сделаю серию рассказов о монастыре и о деревне — какие там лица есть, Леон, какие лица!

Наконец вышла из-за занавески, обернутая большим полотенцем. Другим полотенцем, поменьше, взлохмачивала темно-каштановую гривку уже отросших волос, что-то оживленно бубня из-под махровой ткани. Наткнулась на молча стоявшего Леона и подняла голову.

Она не издала ни звука, только отпрянула всем телом, уронила полотенце и осела на журнальный столик: к телу Леона была приставлена подрагивающая голова седой старухи с такими тошнотворными золочеными клипсами, что одно это могло кого угодно привести в ужас.

— Видали ее, — сказала страшная старуха отчетливыми губами Леона. — Разнагишалась тут. Подбери титьки, бесстыжая!

Айя изменилась в лице, медленно поднялась на дрожащих ногах и, размахнувшись, так что упало опоясывающее ее полотенце, с силой залепила старухе меткую сверкающую затрещину.

Та подхватила клипсу, издала короткое ржание и торопливо проговорила:

— Нормально, это шок... Да ладно тебе, Супец, я же просто для провер... — и вновь получила по мордасам уже с другой руки, для равновесия (ох и тяжеленькие это были ручки, когда Айя *вкладывалась*).

Короче, эксперимент, подытожил Леон, минут через пять собственноручно высушивая феном ее темно-каштановый затылок, эксперимент прошел успешно.

Она обозвала его клоуном — когда пришла в себя. Господи, говорила, бросая брезгливые взгляды на морщинистую образину, слишком натуралистично, по ее мнению, *навороченную*, — с кем я связалась! С кем связалась!

— С Ариадной Арнольдовной фон Шнеллер, — мягко втолковывал ей Леон, слегка грассируя. — Погоди, вот мы еще должны как следует *продумать тебя*... Ведь ты и сама *была в этом бизнесе*, а? Платка-берета, понимаешь ли, тут недостаточно, все это чепуха. Кардинально человека меняет прическа. Я тут из гримерки стащил пару симпатичных париков римских легионеров, надо выбрать, примерить... — И обиженно ахал, как хозяйка, чей пирог гости недохвалили: — Почему — в жопу? Ну при чем тут жопа, Супец! Кстати, о ней тоже надо подумать: твоя походка недостаточно сексуальна... Не дергайся! Рассматривай это все как грандиозный спектакль. Ты же художник! Ты же сама рассказыватель историй...

Позже он все-таки разгримировался (она в постель его не пускала) и, лежа на немилосердно комковатом матрасе, брошенном на какие-то металлические козлы, в желтоватом сумраке их постылого закута расписывал Айе Портофино и Чинкве-Терре — пять лигурийских деревушек, «Пять земель», пять *борго*, где сам вообще-то никогда не бывал...

Она лежала щекой на его плече, закинув руку ему на шею, сонно переспрашивая, уже совсем засыпая... и вдруг опять задавая какой-нибудь вопрос.

Было забавное ощущение, что он укладывает неугомонного ребенка, который вот уже и набегался, и устал, и три сказки выслушал, и дал честное слово крепко закрыть глазки, но вдруг широко открывает их,

блестящие, полные оживления, и доверчиво спраши-
вает: а правда, что боженька видит, когда человек не
спит, даже если у того глаза зажмурены? И ты отвеча-
ешь: правда-правда, ну-ка, давай, усыпай, наконец!

Ему необходимо было продумать *воздаяние* в мельчайших деталях, перебрать возможности, предусмотреть
проколы, ничего не упустить. К тому же хотелось (и это
смутно ощущалось им как измена Айе) мысленно побыть наедине с Николь, *попрощаться по-настоящему* —
она это заслужила.

Леон ринулся к ней за помощью, как только тенор Андреа Бочелли — там, на ферме — слился в его
памяти с голосом Николь, безмятежным, ровным, но
всегда исподволь вымаливающим у него хоть каплю
ласки...

* * *

Ты поступаешь как подонок, твердил он себе,
давя на газ, промахивая узкие каменные улочки Бюсси, Брион, поля и живописные городки со шпилями
церквей. Обойдись без этой встречи, без этих преданных тебе и *преданных тобою* глаз... И понимал, что не
получится, не получится обойтись. Ничего не выйдет
без сведений, которые может сообщить ему только она.
Мала рыбачья деревушка Портофино, но никто не даст
ему нужного адреса, а времени на розыски просто нет.
Двадцать третье апреля — вот оно, буквально на носу.
Нет выхода, надо ей довериться — до известного преде-
ла, конечно. Провести партию умно и осторожно. По
возможности не лгать. По возможности не ранить. По
возможности вытянуть все, что необходимо.

И он позвонил — с телефона заправочной станции,
когда Айя отлучилась в туалет.

Бесподобным своим слухом ощупывал, внедрялся в напряженную паузу, в перехваченное дыхание, воцарившееся на том конце провода, едва он выговорил:

— Николь... Николь, моя дорогая...

Удушающая волна собственной фальши окатила его изнутри, хотя насущная нужда в Николь и его симпатия к ней были самыми искренними. Разве он не скучал по ней время от времени?

Она перевела дух, негромко рассмеялась и сказала:

— Не дорогая, нет... Давай уже признаем, Леон, что — совсем тебе не дорогая. Но зачем-то нужна, слышу по голосу.

— Мне необходимо с тобой увидеться. Срочно. Сейчас. Возможно ли это?

— Конечно, — отозвалась она просто. — Конечно, *мой дорогой*...

Они договорились о встрече, и нужно было мчаться, чтобы успеть...

Поэтому, когда вышла Айя, он купил ей кофе на-вынос, и по дороге она отхлебывала из картонного стакана, обжигаясь и морщась, когда на крутых поворотах кофе слегка выплескивался на руку. И вот эта *его дорогая*, дьяволица эта, детектор лжи, а не женщина, заметила, искоса на него глянув:

— Что может стрястись с кавалером за те пять минут, когда дама удалилась в туалет? Что за призрак тебе явился...

Он не стал обращать в шутку ее слова. Просто сказал, что да, через час должен встретиться с одним человеком, и займет это минут двадцать, тридцать, а ей, значит, придется пошататься где-то поблизости, чтобы...

— ...Чтобы я ненароком с ней не столкнулась, — понятливо продолжила Айя, мгновенно и непринужденно преображая «человека» в существо женского пола.

И Леон, почему-то разозлившись, ледяным тоном
отозвался:

— Именно так.

* * *

...Николь уже сидела где уговорились встретиться:
за столиком кафе на площади Гамбетта́. То первое, что
в голову ему пришло: и от гостиницы недалеко, и угло-
вое расположение на пересечении двух улиц даст хороший обзор площади.

*Когда уже его перестанет интересовать какой бы
то ни было обзор каких бы то ни было площадей!*

Сидела, как он велел, — в глубине зала в углу. И
когда он возник в дверях и двинулся к ней между столиками, продолжала послушно сидеть, глядя на него с
милой улыбкой.

Он подошел, склонился и поцеловал ее в душистую
макушку, где пышная стрижка цвета спелой ржи свободно распадалась на как бы небрежные густые пряди.
С нежностью поцеловал, совершенно искренней...

*...при этом в памяти мелькнули искрящая синева Ан-
даманского моря за бортом пенишета и его собственная
рука, бестрепетно снимавшая бритвой густые ручьи совсем других, вшивых волос, что покорно падали на пол,
открывая ужасный шрам, розовой пиявкой всосавшийся
в тонкую спину...*

Сел напротив, и с минуту он и Николь молча глядели друг на друга. Она прекрасно выглядела и была
прекрасно одета — в фиалкового цвета кашемировый
костюм, сидящий на ее полноватой фигуре как вли-
той. Надо сделать комплимент, спросить, не весенняя
ли это модель ее нового модного дома... Какую все же
кроткую ласку придает женскому лицу этот темно-го-
лубой цвет глаз!

Красивая, подумал он. Верная. Богатая. Нежная... Ненужная.

— Ты изумительно выглядишь!

— Ну-ну, Леон... — проговорила она и улыбнулась через силу. — Ты явно торопишься, у тебя что-то стряслось, не стоит тратить время на комплименты.

И все, подумал он. Так женщины, воспитанные в приличных домах, дают понять бывшему любовнику, что полностью выздоровели от страсти.

— Я тороплюсь, — согласился он, — но не настолько, чтобы не полюбоваться тобой.

Ее лицо вмиг озарилось смуглой волной удовольствия — возможно, горького удовольствия — от его слов.

Ждала ли она от этого свидания чего-то серьезного? Тогда надо прекратить это мучительство.

Подошел официант. Леон, не спуская глаз с лица Николь, попросил кофе. Какой? Неважно, горячий, сказал он — и рассмеялся, вспомнив, что Айя так заказывает суп.

— Черный, по-турецки, пожалуйста.

Когда официант отошел, Леон проговорил с искренней силой:

— Николь, все так старо и так больно: прости меня!

— Не трать времени и на это тоже, — торопливо сказала она. — Я уже поняла: ты влюблен.

— Как догадалась?

— Ну, это просто: осунулся, высох, как копченая сельдь, растерял свою великолепную невозмутимость, стал похож на... — она грустно улыбнулась, подыскивая сравнение.

— ...На арабчонка, — подсказал он.

— Да нет, ты ведь артист, всегда в образе. Сейчас ты скорее — сицилийский рыбак перед выходом на лов. Эти вьющиеся волосы... Очень романтично — я бы сказала, *очень байронично*. Странно, что ты всегда упорно

212 их сбривал, будто самого себя ненавидел. Но ты весь какой-то... измученный. Я не спрашиваю, кто она. Наверняка что-то потрясающее... — Николь храбро улыбнулась, тряхнула прелестной стрижкой. — Так говори скорей, что тебе нужно.

— Твоя сдержанность, — быстро сказал он. Слегка подался к ней и, не отрывая глаз от ее озадаченного лица, подчеркнул: — Твоя благородная сдержанность.

И далее — не выбирая ни тембра голоса, ни выражения лица, ни каких-то особо убедительных слов:

— Мне нужно твое молчание, даже если сейчас тебя что-то поразит или расстроит. Твоя забывчивость нужна: все, о чем я спрошу, и все, что ты ответишь, ты просто выкинешь из головы и никогда вслух не произнесешь — даже самой себе, Николь...

Непроизвольно выпрямившись на стуле, она подняла с колен дорогую сумочку, переложила ее на стол и спросила серьезно, спокойно:

— Тебя разыскивает полиция? Потому ты назначил встречу в этой паршивой...

— Нет, за последнюю неделю я никого не убил, — оборвал Леон, усмехнувшись. — Но готов, чтобы тебя не разочаровать.

Видимо, на приличных женщин ты производишь стойкое впечатление убийцы, с горечью подумал он. Так ты и есть убийца, был убийцей и будешь им снова.

— Помнишь, ты рассказывала о Портофино?

— Конечно! — оживилась Николь. — Любимое место. Как раз на днях едем всей семьей, чтобы успеть к двадцать третьему...

— К двадцать третьему?! — воскликнул Леон, не удержавшись. — Да что, черт побери, такого там происходит в этот день!

— Ну как же — двадцать третье апреля, день Святого Георгия, — озадаченно пояснила Николь. — Он же патрон, покровитель Портофино. Там и церковь на горе с его мощами. С утра в этот день процессия торжественно обходит всю деревушку... А вечером вообще ужасно весело: музыка, иллюминация, толпы туристов. Главное развлечение — костер, когда стемнеет. На пьяцце устанавливают пеноллу — длинное такое бревно, метра три — и устраивают грандиозную огненную феерию. Символ борьбы Святого Георгия с драконом. Так красиво!

Красиво... Шумно, весело и красиво: туристы, музыка, наверняка колготня. Удобное время для чего угодно — скажем, для переправки на яхту нестандартного груза...

— ...и пока огонь горит, все веселятся, пьют-едят, слушают музыку — ждут, в какую сторону упадет пенолла. — Николь с беспокойством вглядывалась в Леона, стараясь угадать причину этого неожиданного, мягкого, терпеливого, но все же — допроса. — Если в море — то рыбачий сезон будет удачным...

— И последние лет восемьсот пенолла падает в море... — в тон ей подхватил Леон.

— Конечно! Послушай, дорогой, к чему, собственно?..

— Ты говорила, там сейчас есть кое-кто из русских, — перебил он. — Кого имела в виду?

Она замешкалась.

— Я так сказала? Странно, почему я так выразилась, — не совсем они русские, конечно. У них скорее совершенно восточные вкусы, даже есть галерея персидских ковров где-то там — не то в Рапалло, не то в Генуе... Да, в Генуе — он еще приглашал посмотреть. А сами живут вообще в Лондоне. Хотя он — немец, вполне симпатичный, вполне интеллектуал... Фамилии не помню, надо дядю спросить — они клиенты нашего банка. Я видела его раза три на приемах. Имя какое-то типично немецкое, помпезно-императорское: Генрих или...

— ...или Фридрих, — продолжил Леон ровным голосом.

— Точно! — воскликнула Николь. — Он — Фридрих, а жена... такая элегантная, *очень сделанная дама*, Хелен, а муж зовет ее коротко, как прислугу: Лена. Вот она как раз русская, да. И между собой они говорят по-русски. — Николь участливо покачала головой: — Милый, ты выглядишь таким изнуренным, и такая... придушенная ярость в твоем лице. Что стряслось? Что тебе сделали эти люди?

И Леон опять не ответил, опять перебил Николь, понесся дальше, не скрываясь, не играя, коротко и жестко задавая вопросы:

— Ты не помнишь, где находится их дом?

— Конечно, помню, довольно близко от нашего — на соседнем склоне, за мысом Кастелло Браун. Это тридцатиминутная прогулка. Постой, я нарисую... У тебя есть ручка или официанта спросить?

Леон поднял с пола рюкзак, нашарил в одном из карманов и достал три шариковые ручки — всегда таскал с собой несколько, ибо постоянный рок: какую ни возьми, кончился стержень.

Придвинув к себе салфетку, Николь развернула ее в квадрат, подумала и провела несколько основных линий:

— Точного адреса не скажу, но это просто: от церкви Святого Мартина вверх, вверх и вверх...

Как прилежная ученица, принялась уточнять пометками: перекрестки, повороты, стрелочки...

— Здесь будет развилка перед казармами карабинеров, на ней поверни резко влево. И поднимайся по этой улочке, которая постепенно перевалит на другую сторону горы, иди до самого конца — она приведет к двум прекрасным виллам, на которых, разумеется, ни адреса, ни фамилии владельцев не значится. По пути слева — за́мок за каменным забором, сплошь увитый глициниeй, очень поэтичный, но тебе он не нужен: принадлежит, если не ошибаюсь, «Дольче и Габбана», а может, американскому сталелитейному магнату... Так вот, два палаццо. То, что ниже по горе, — приземистое, из серого камня, брутальное, но не лишено конструктивистского шарма. Там иногда обитает какой-то министр — то ли образования, то ли здравоохранения. А вот последняя вилла на склоне — это они, Фридрих и Хелен. Ты сразу опознаешь: очень высокий и очень противный кирпичный забор, как в техасской тюрьме, а за ним — прелестная, розоватого тона типично флорентийская башня. Дом тоже прекрасных пропорций, но за этим вульгарным забором все навсегда погребено. Короче, настоящая крепость на скале.

— У них есть выход к берегу?

— Не знаю. Некоторые владельцы вилл, удаленных от набережной, строят себе лифт и получают доступ к морю с другой стороны горы. Есть такие, кто предпочитает спускаться к воде по вырубленной в скале лестнице, — ну и что, что двести ступеней, зато для здоровья полезно. А бывает, в таких крепостях совсем уже хитрый спуск, чуть ли не природный туннель из самого дома...

— Ну да, — медленно проговорил Леон. — Карстовые скалы, пещерки, удобные пустоты...

— Ради бога, Леон, — хоть слово о себе, ну, успокой же меня!..

Он, как бы не слыша ее торопливой мольбы, придвинул к себе салфетку, подробно рассмотрел путеводный чертеж, молча сложил его вчетверо и спрятал в рюкзак, хотя мог и не забирать — он все запомнил, там и запоминать было нечего.

А вот интересно: на что «Казаху» — на итальянской ривьере — магазин ковров?

— Не знаешь, есть у них яхта?

— Нет, — определенно ответила она. — Только катер, прокатиться вдоль побережья.

— Ты уверена?

— Я бы знала, если б была... У каждой яхты есть место парковки — четко закрепленная прописка, стоит немалых денег. Мой дядя Гвидо — вот он сумасшедший яхтсмен — много лет плавает на большой гафельной яхте — знаешь, что это? Треугольные паруса называют «бермудскими», а четырехугольные — «гафельными». Я на ней выросла, так что знаю. Стоять на якоре в бухте могут все. Но швартоваться у причала — только члены Итальянского яхт-клуба, там всего четырнадцать мест.

И тем не менее двадцать третьего апреля из марины Портофино к берегам Ливана должна отправиться некая яхта с неким грузом...

Официант забрал из-под руки Николь пустой бокал, но она, даже не обратив внимания, продолжала задумчиво мять и крутить в руках ремешок своей дорогой сумочки. Наконец сказала:

— Постой-ка... Я могу ошибаться, но... Словом, не считай то, что сейчас скажу, святым писанием, просто прими к сведению. У них нет яхты, приписанной в Италии, но раза три в бухту приплывал и стоял там дня по два их приятель. Он тоже русский, тоже бизнесмен — однажды пригласил нас с отцом и с Гвидо на завтрак — на яхту. Она не очень большая, метров сорок пять, сорок шесть, но внутри великолепно отделана: просторный салон с дубовой мебелью, все обито вишневой кожей, по потолку — балки мореного дуба, в библиотеке — сплошь полированный клен... И тому подобное. Семь, кажется, кают — человек на четырнадцать. Команда —

как обычно на средних яхтах: капитан с помощником, шеф-повар, официант, пара матросов... И стояла она не в марине, а в заливе Параджи. Мы добирались на катере Фридриха, странно и романтично, среди ковров.

— Среди ковров?!

Николь умолкла, озадаченная силой, с какой, не сдержавшись, вскрикнул Леон.

— Ну да... — в растерянности пробормотала она. — Ковры были из галереи Фридриха, такие рулоны — лежали на деке... Я еще вслух пожалела, что упакованы в непрозрачный целлофан — нельзя развернуть и посмотреть: Фридрих говорил, что торгует только дорогими экземплярами. Ну, оно понятно — морская вода для таких вещей нехороша... Потом коврами занялась яхтенная команда, их поднимали лебедкой, грузили... А нас встречал хозяин. Так вот, когда я что-то сказала о коврах, мол, жаль, что нельзя посмотреть, Фридрих сразу велел размотать рулоны. И после обеда мы любовались коврами, и правда, дивными: под стеклянным потолком, в солнечной паутине... Узоры переливались, как волшебные рыбы. Фридрих сказал, лучшие экземпляры, прямо со стендов. Их так и везли — на штангах.

— На каких штангах?

— Обычных, металлических. Ты видел, как в музеях висят гобелены и ковры... Леон? У тебя лицо... такое пугающее, дорогой... Что тебя потрясло?

Он не ответил.

Так вот где они прячут контейнеры с товаром. Что ж, довольно изобретательно: внутри пустотелой металлической штанги можно запаять несколько свинцовых контейнеров — они ведь маленькие: супертяжелый плутоний в одном кусочке весит два-три килограмма. Три-четыре прекрасных ковра на музейных штангах — вот вам и начинка для бомбы...

— А хозяин яхты — совсем невыразительная личность, знаешь, — продолжала Николь. Казалось, изо всех сил она пытается отвлечь Леона от каких-то непонятных ей и неприятных переживаний, почему-то связанных с клиентами ее отца и дяди. — Такой невзрачный: полноватый, лысоватый, нос уточкой. Зовут Андреа, а вот фамилию не спрашивай, я ее под пыткой не вспомню: что-то шипящее, длинное и каркает... Криш... Краш-ш...

— Крушевич, — проговорил Леон так тихо, что Николь разобрала это скорее по его губам. — Андрей Крушевич.

— Кажется, так, — с облегчением кивнула Николь. — Леон, я же с ума сойду от беспокойства! Ты угодил в беду?

Да, я угодил в беду, в ту беду, что сам для себя заквашивал много лет. И вот она поднялась, эта зловещая опара, топкая и вонючая, как болото...

Он смотрел поверх головы Николь, куда-то туда, где сновали парни из яхтенной команды Крушевича, стропили рулоны ковров, поднимали их лебедкой, перемещая в глубину палубы, пока респектабельные гости, сливки итальянской и швейцарской банковской элиты, направлялись в роскошный вишневый салон. Неплохо придуман тайник, ей-богу, он неплохо придуман. Гуардия костьера, береговая охрана, ищет нынче нелегалов. Кому придет в голову сунуть нос на такую вот яхту? А если и сунут, станут ли досматривать прекрасные персидские ковры, только что привезенные из дорогой галереи в Генуе, со всеми сопроводительными документами...

— Имя яхты, конечно, ты не помнишь...

— Нет, помню! — с торжеством воскликнула Николь. — Еще как помню! Точно так назывался кинотеатр в Афинах, где мы целовались с моим первым мальчиком. «Зевес» — вот имя его яхты.

— Да здравствует первый мальчик, — тихо выдохнул Леон.

Он достал купюру из портмоне, положил ее на стол и поднялся. Николь продолжала сидеть, молча изливая на него непереносимую тревожную ласку темно-голубых глаз. Уже не задавала вопросов. Она всегда чутко понимала пределы своего присутствия в его личном мире.

Он сказал:

— Николь! Я не повторяю просьбы, зная цену твоего слова. Вряд ли я когда-нибудь встречу человека благородней тебя. Я даже пока не придумал, как тебя благодарить и что сказать, чтобы...

— ...Чтобы эта последняя встреча показалась мне слаще меда, — задумчиво продолжила она. На его попытку возразить протестующе подняла руку с сумочкой, как бы пытаясь защититься, — трогательный, немного жалкий жест. — И на этом, мой дорогой, пусть прозвучит финальный аккорд. То, что произошло между нами несколько недель назад, — то не в счет. Мы ведь оба с тобой прекрасно знаем, что все закончилось на Санторини...

Возникла пауза, такая плотная, что трудно было вдохнуть.

— Это ты... — наконец выговорил Леон, — была в гроте?

— Я не была в гроте, — со спокойной горечью отозвалась Николь. — Ты же знаешь, у меня никогда не было привычки следить за тобой, когда ты хотел побыть один. Просто я рано проснулась и, как ты велел, стала собираться... а тебя все не было. Я вышла на террасу и там столкнулась с этой сумрачной женщиной, женой твоего друга, ее звали... Магдой, правильно? Она расцветала, лишь когда ты брал первую ноту.

— Просто она любит музыку, — торопливо и смущенно вставил Леон.

— Просто она любит, — в тон ему подхватила Николь. — И точка. Она поднялась на террасу со стороны моря, с тропинки, в мокром купальнике. Она истекала водой, как кровью... У нее было какое-то странное, потрясенное лицо, и она тяжело дышала, будто спасалась бегством... Я спросила, не встретился ли ты ей на море, потому что нам пора в аэропорт. Она вдруг перебила меня, сказав что-то вроде: «Милая девочка, оставь его. Он ничего тебе не сможет дать». Это было так неожиданно и грубо, как... оплеуха! За что? Я растерялась. Просто спросила: почему? Она сказала: «Потому что любовь свирепа, и сейчас я это видела...» И прошла мимо меня в дом. А вскоре ты явился — тоже мокрый и какой-то... раздавленный. Не глядел на меня, только сказал мертвым голосом, чтобы я поторопилась. Вот и все...

Она подняла на него глаза и увидела, что Леон смотрит на улицу сквозь стеклянные двери кафе. У него было напряженное и в то же время отрешенно-счастливое лицо, не имевшее касательства к их разговору.

Он действительно напрягся: на скамейке напротив входа в кафе сидела Айя, которой полагалось болтаться по окрестным улицам. Она сидела, понятия не имея, что за ней наблюдают, перекинув ногу на ногу, разбросав руки по спинке скамьи так, что ее грудь натягивала тонкую ткань свитерка. Сидела, провожая взглядом прохожих, и, казалось, полностью была этим увлечена.

Перехватив взгляд Леона, Николь обернулась и пару мгновений жадно рассматривала девушку.

Спросила:

— Это она?

— Да, — обронил Леон.

— Какая... обыкновенная, — пробормотала Николь.

А он взгляда не мог отвести от сидящей фигурки, так ясно и так больно зная ее сквозь одежду, видя всю с головы до ног, с мальчишескими бедрами и грудками-выскочками, с этим ножевым шрамом на спине, всякий раз пронзавшим самого его, как впервые. Смотрел на нее и желал так мучительно, словно месяца два жил одними мечтами...

— Она глухая, — проговорил он, продолжая загадочно улыбаться, торжествуя, купаясь в созерцании фигурки на скамье (то же чувство охватывало его, когда в полном одиночестве он прослушивал особенно удачные свои записи: чувство абсолютного владения самым дорогим, самым драгоценным в жизни). — Абсолютно глухая! И у нее ужасный характер. И ей плевать, во что она одета и что о ней думают.

Вместе с Николь он смотрел туда, где, закинув одну длинную ногу на другую, девушка, больше похожая на кудрявого мальчика, какого-нибудь «Пастушка» Донателло, спокойно наблюдала жизнь не слишком густой толпы. И то, как она выхватывала каждый следующий персонаж и вела его по тротуару чутким движением брови, как шевелились ее губы и ежесекундно менялось лицо, само по себе было захватывающим зрелищем.

Николь очнулась первой. Легко коснулась плеча Леона и тихо проговорила:

— Забудь, что я сказала. Это просто зависть. Она... она прекрасна!

* * *

Среди ночи он проснулся, — возможно, потому, что вдруг приснился их двор в Одессе, две обшарпанные, препоясанные *словесами* колонны перед дверью в подъезд, за одной из которых он прятался в нетерпеливом ожидании Виная: во сне тот имел прямое отношение к убийству Большого Этингера, и оставить это безнаказанным было нестерпимо. А Владка, в коротком цветастом халатике, распаренная летним жарким пляжем, взбежала по щербатым ступеням, шлепнула ладонью по колонне, крутанулась вокруг нее и задорно крикнула:

— Пали-стукали сами за себя! — и дальше помчалась, размахивая пластиковой пляжной сумкой...

Проснулся от внезапно оглушившей его тоски по Владке и такого непереносимого желания ее немедленно увидеть, что даже испугался — не стряслось ли чего. Неслышно поднялся, стараясь, чтобы Айя не учуяла пустоты рядом с собой, достал уже сложенный в рюкзак ноутбук, открыл его на прикроватной тумбочке и — впервые за несколько последних лет — щелкнул по адресочку в «Скайпе». Видимо, нынешней ночью где-то там, в небесной комиссии по помилованиям, куда поступают приговоры наших душ и намерений, вышел Владкин срок; видно, положено было ей *вернуться из пустыни*.

Ты становишься сентиментальным придурком, думал Леон, с волнением слушая звонки, попутно себя ругая — приспичило же ночью звонить! — и злясь *на нее*, что не подходит к компьютеру... С какой стати ты подорвался, говорил себе, мог и до возвращения подождать. И раздраженно себе ответил: не мог! Ну, не мог!

Тут экран проснулся, и в отблесках настольной лампы расцвели рыжая грива и две ладони, усиленно трущие заспанное лицо. Потом Владка отняла руки и вгляделась в экран.

— Ой, Лео... — сказала, растерянно улыбаясь.

Он не верил своим глазам. Владка выглядела неправдоподобно молодо. Она не старела. А с чего ей стареть, с горечью подумал он, у нее же нет никаких «многия печали»...

— Ну, привет, — буркнул он, чуть не плача, умирая от желания проломить тонкую преграду между ними, схватить этого своего неудачного ребенка, прижать к себе и застыть, уткнувшись носом в молочную теплынь ее шеи, хоть на минуту погрузившись в запахи младенчества.

— Чё эт ты — взял и ночью позвонил! У нас вчера такое бурное собрание было, ты прям не поверишь: я вернулась прям больная, такая расстроенная — опять меня перевыбрали в комитет, опять на них пахать, они же все старые... А я, между прочим, встречалась с Папой Римским! Он так взял мою руку в свои... так нежно глянул прямо в глаза... Не веришь?! Просто я должна была убирать ихнюю временную резиденцию...

...Все в порядке, думал он, переводя дух, все по-прежнему... и не понимал, почему добровольно — на столько лет — изгнал из своей жизни свою нелепую, безмозглую, такую обаятельную Владку.

Вдруг за ее спиной, на собственном старом топчане он приметил такое, от чего даже рот приоткрыл — настолько неправдоподобно *это* выглядело:

— А... кто там у тебя?

— Кто? — Она обернулась, будто и сама подзабыла, что там за куча тряпья валяется. — Да это Аврам. Он вчера приперся — ну, жратвы приволок, две лампочки еще перегорели, кондиционер барахлит, то, се... Встал на табурет, и ка-ак шарахнет его радикулит! Или люмбаго? Представляешь, схватился за спину, воет, слезьми плачет, а сойти не может. Я его обняла, еле стащила. Уложила тут, натерла мазью... Да пусть полежит, не жалко ведь?

— Не жалко... — согласился сын, припомнив, что последние лет двадцать Аврам как-то забывает брать с них плату за эту квартирку.

— Он мне уже так надоел, — весело продолжала Владка. Она постепенно проснулась и сейчас входила в свой обычный градус вечно приподнятого настроения. — С этим сватовством. Выходи, говорит, за меня, сколько можно болтаться без присмотру. Дочери у него все давно позамужьями, ему одному скучно в большом доме... А мне его и жалко, конечно, — ну вот кто ему поясницу разомнет? Но опять же, Лео, прикинь: не станет ли он притеснять мою индивидуальность, а?

Главное, не расплакаться тут, глядя на это по-прежнему юное, безгрешное и прекрасное лицо.

— Д-дура! — сказал Леон. — Немедленно выходи за Аврама!

— Ты считаешь? — оживилась она. — Ну ладно! — И доверчиво добавила: — Он обещает, что не будет приставать. Говорит: «Мне уже не до этих глупостей. Устал к тебе мотаться. Пусть уже, — говорит, — ты будешь под боком...»

В этот миг Леон услышал тихий шорох и почувствовал, как проснулась и приподнялась в постели Айя, подалась к нему, замерла за его спиной.

— А еще у меня большой прорыв в науке! — увлеченно воскликнула Владка. — У меня скоро денег будет, Лео... я тебя озолочу! Только выправлю патент. Тут знающие люди говорят, что вот это уже — настоящее изобретение!

— Опять изобретение, — поморщился Леон. — Что ты там еще наворотила, а?

— Только никому, ладно? Это секрет — до патента. А то украдут. Мне дядька в ихнем комитете так и сказал: не советую вам сильно откровенничать по техническим деталям.

— Ну, короче... — Леон наслаждался, слушая звонкий, даже ночью, даже со сна, ее подростковый голос. В этом голосе заключено было все очарование его детства: Одесса, коммуналка, две любимые старухи, свирепые Владкины драки, с милицейскими приводами, дикие картины ее друзей-художников, синее море и два тенора — как два крыла, — однозвучным колокольчиком взмывавшие над искристой синевой...

— Гондононадеватель, — таинственно сообщила она, приблизив лицо к экрану.

Леон онемел — видать, за прошедшие без нее годы потерял квалификацию.

— Автоматический гондононадеватель, — торжественно и терпеливо повторила Владка.

Еще пару мгновений сын молча рассматривал четкое и живое изображение на экране.

— Господи... ты хоть видала когда-нибудь гондон? — наконец спросил он.

— Конечно, видала, — обиделась Владка. — На лекции по СПИДу в комитете афганских вдов и матерей. Нам такие страсти порассказали. И тут я представила — а если у мужика рук нет? А ведь сколько у нас этих инвалидо-солдат! Ведь это какая проблема, а? Сразу вспомнила такой пластмассовый пистолет с раструбом, помнишь, в детстве у тебя был, шариками стрелял... И это дало мне идею!

Айя позади Леона приподнялась на коленях, положила обе руки на его плечи, придвинулась, прижалась теплой грудью к его спине.

— Ой, эт кто это там? — восхитилась Владка, пытаясь разглядеть обнаженную девушку за спиной сына. — Шикарная какая деваха! Только ты приодень ее, Лео, слышь? Чё эт декольте у нее... до аппендицита!

Сын расхохотался. Все было восхитительно и все по-прежнему: каждое Владкино слово — лишнее, за каждую фразу ее хочется прибить.

226   Айя оторопело глядела на огненно-рыжую женщину в компьютере. И едва ли не в унисон с нею спросила:

— Кто это?

Леон молчал, смущенно улыбаясь между двумя этими женщинами.

— Кто она? — с напором повторила Айя, разглядывая бесшабашно-веселое, молодое Владкино лицо.

Он удивленно качнул головой, будто сам не верил тому, что сейчас произнесет.

— Моя мать, — сказал, будто пробовал на звук непривычное, еще не освоенное им слово.

5

В следующие гиблые месяцы ее беспросветного одиночества и тоски Айя вспоминала дни, прожитые с Леоном, как огромную, многоликую и просторную жизнь.

Как свою единственную светозарную жизнь.

Куда-то сгинули — как корочка отпала на здоровой коже — ее бродяжьи годы; даже то, что мысленно называла она «смертью в канаве», уплыло, как ветошь, как гнилой саван вослед истлевшему мертвецу.

И никак она не могла поверить, что жизни той было им отпущено всего ничего: несколько недель, если не считать их встречи на острове да еще той черной дыры — той разлуки, в которую они, дураки несчастные, сами прыгнули, как в звериную ловушку.

Эта прекрасная жизнь потом росла в ней, как дерево, — вроде и сама по себе, но в то же время по велению и под приглядом природы. В ее светлой кроне шелестели Париж и Кембридж, Лондон и Бургундия и во всем ослепительном блеске — последняя, солнечно-весенняя Лигурия: выхлест водопада из-под каменного мшистого моста, старый сарай с кусками шиферной крыши, прижатыми камнями, чтобы ветер не снес; пять отборных лимонов на малолетнем деревце, широкая штанина шальной радуги, спрятавшей в глубокий карман виноградник и колокольню. И ласковый белый кот, что сидел на каменном парапете над обрывом, невозмутимо зажмурив зеленые глаза...

Так стремительно в ней росла их огромная коротенькая жизнь — путешествие в страну-театр с человеком-театром, в чуткой готовности Леона к мгновенному воплощению, превращению, оборотной стороне, где день становился ночью, а луна так похожа была на «царский червонец».

Ее бесконечно удивляло то, как зависало время, как раздавалось пространство и каждый миг набухал сердцебиением опасного счастья. Как вилась среди каменных стен деревенская виа, как пронзительно синела внизу бухта, как в волшебном фонаре жили и двигались они с Леоном; как переплетались, касались, прорастали друг в друга их тела в пелене сна.

И как медленно, блаженно-устало расправлялась по утрам подушка, когда они поднимали с нее головы...

* * *

Портофино... Пор-то-фи-ино... Последний форт, конечная остановка. К нему и добирасшься, как к последней точке на какой-нибудь вершине, по такой кудрявой спирали, будто штопор ввинчивается в нутро и на самом крутом вираже выдергивает сердце, словно пробку из бутылки... И тогда вокруг амфитеатром рассыпается деревушка, встроенная в излучину горы.

Но до двадцать третьего оставалось еще двое суток. И прежде времени соваться в крошечный Портофино,

228 где каждый приезжий неизбежно выставляет себя на подиум набережной-пьяццы, собравшей в каменный кулак нити считаных, с горы сбегающих улочек, было крайне рискованно.

Так что остановились в Рапалло, на той же ривьере — не Рим и не Милан, но все же курортный туристический город, вполне обитаемый даже в это пустоватое время года.

В Рапалло Ариадна Арнольдовна фон Шнеллер поднялась с инвалидного кресла и, укрепив себя мысленно и телесно, перешла на палку.

...Вечером двадцать первого апреля к одному из недорогих отелей на набережной подъехало такси. Из него выскочила хмурого вида распатланная девица в темных очках и, распахнув заднюю дверцу, принялась немилосердно тянуть из машины свою бабку («Всю дорогу, — рассказывал потом за ужином таксист своей супруге, — она обращалась к пожилой синьоре так: “Ну, заткнись уже, ба!” Вот это наша молодежь, и мы ее заслужили»).

Старуха не то чтобы сопротивлялась, скорее бестолково пыталась помочь, цепляясь за дверцу и всюду застревая ногой в черном ортопедическом ботинке, тыча по сторонам распальцованным копытом своей инвалидной палки. Таксист с неодобрительным видом ждал окончания этой корриды.

Сердобольный молодой портье, заметив сквозь стеклянные двери отеля *затруднения* синьоры, поторопился выйти... Он же помог девушке извлечь из багажника и разложить инвалидное кресло — девица благодарила и чуть ли не руки ему целовала: можно представить, как она, бедная, намучилась в дороге.

Старуху усадили, вкатили в разъехавшиеся двери... Тут опять возникли *затруднения*. Внучкин-то швейцарский паспорт был предъявлен и принят к регистрации, а вот старуха рылась в своей допотопной сумочке с застежкой в виде львиной морды, беспомощно выворачивая ее и встряхивая над тощими коленями в синих спортивных штанах, с которыми никак не вязались крупные позолоченные клипсы в ушах. Голова ее — трогательный серебристый ежик — слегка подрагивала: старческий тремор.

— Боже! — вскричала девица по-английски. — Ты забыла паспорт в аэропорту! Я так и знала! Я знала, что вся эта поездка будет моим мучением, я так и знала!

— Синьорина, синьорина, пожалуйста, не волнуйтесь! — поспешил вклиниться в назревающий, а вернее, перманентный скандал молодой человек. Для служащего небольшого отеля он говорил по-английски совсем неплохо. — Это не трагедия. Сейчас Винченцо поднимет вас в номер, а в аэропорт мы позвоним чуть позже. Я надеюсь, там не выбросят паспорт синьоры...

И когда кресло со старухой уже вкатили в номер, паспорт, слава богу, нашелся — где-то в складках допотопной вязаной шали, накрученной на бабкины шею и плечи. Так что звонить в аэропорт, а тем более ехать туда отпала необходимость. Винченцо получил свои чаевые — и пусть передаст молодому человеку, который так мило помогал и беспокоился, что паспорт мы при случае, попозже... да ведь это и не важно, а?

Девица улыбалась и встряхивала бесподобной гривой — темно-русой, с высветленными прядями, отчего та казалась пышной плиссированной юбкой, довольно нелепой.

— А вот этот концерт с потерянным паспортом — он к чему был? — спросила Айя, заперев дверь номера.

— Чтобы никчемная и немощная бабка покрепче связалась с твоим безукоризненным швейцарским паспортом.

— Но зачем? У тебя у самого есть надежный...

— Не такой надежный, как твой, — возразила старуха, поднимаясь с кресла и стаскивая с ноги бочонок ортопедического ботинка. — К тому же Ариадна Арнольдовна в свое время поколесила по миру и всюду оставила неизгладимый след. Пора ей и на покой. — Взвесив в руке тяжеленький снаряд, бабка от всей души запустила им в угол комнаты и принялась выпутываться из лапчатой бежевой шали: старое милое снаряжение со дна картонного ящика во *фрипри*[1] неподалеку от дома. — Боюсь, это последний вояж славной старухи, после которого она откинет ортопедические копыта.

— К огромному облегчению наследницы... — вставила Айя.

Леон рухнул на застеленную кровать и с наслаждением потянулся. Номер был хорош: просторная комната, высокие потолки, бронзовые бра, худо-бедно копия Караваджо, ну и прочие карнизы-плафоны-гардины; балкон во всю стену... Что тут скажешь: Лигурия, почтенная итальянская ривьера.

Айя открыла балконную дверь и вышла оглядеться. Сказала оттуда:

— Красота — сдохнуть!

Подобные реплики означали у нее обычно профессиональное равнодушие к объекту. Когда ей хотелось снимать, она молчала, щурилась и беспокойно шарила руками где-то в районе диафрагмы, где должен был висеть фотоаппарат.

Балкон их удачно расположенного номера (третий этаж) смотрел и на море, и на город.

---

1 Магазин подержанной одежды (*искаж. фр.*).

Парадная дверь отеля выходила на небольшую площадь, в центре которой на постаменте (как пожилой регулировщик, ожидающий выхода на пенсию) стоял бравый бронзовый мужчина с двумя живыми голубями — на голове и на эполете.

Слева, за каменным парапетом набережной сверкала морская гладь, похожая на задний двор большого мебельного склада, заваленный всяким-разным: нескончаемой толпой бок о бок тянулись вдоль набережной лодки, катера, бесчисленные ряды маленьких парусных яхт со спущенными (штанами, подумала Айя) парусами...

Парадный бульвар по правую руку плавно обегал чудный сквер с толпой каштанов и фикусовых деревьев. Высокие чугунные фонари, уже затеплившись электрическим медом, освещали шеренгу элегантных фасадов в стиле бель эпок: высокие окна, мансардные окошки в скатах черепичных крыш, невесомые изящные балкончики.

Внизу под цветными парусиновыми тентами сновали официанты.

Нежные весенние сумерки все длились и длились, баюкая нарядную и праздную жизнь вечного курорта...

Но по-настоящему взгляд притягивали дальние планы, озаренные уходящим солнцем: россыпь домов и башенок на горах, невесомая гребенка акведука на фоне пепельного неба — все было уравновешено ритмами разнообразной и разноплановой зелени.

Там и тут по холмам, как сухопутные медузы, расселись огромные клубни бледно-зеленых агав. Рассыпчатые гривы гигантов-пальм над гладкими от старости, темными и неуловимо эротичными стволами, издали казались метелками от пыли, воткнутыми в холмик. Они выплескивались из комковатых крон зонтичных

232 пиний, черными облаками присевших на зубчатые башни и крыши старинных вилл.

И всюду крутизна темно-зеленых кудрей на горах была расчесана зубьями кипарисов...

— Тот мужик внизу, обгаженный голубями, — он кто? — спросила Айя, вернувшись с балкона в комнату.

— Скорее всего, Витторио Эмануэле Третий, — отозвался Леон, блаженно пошевеливая большими пальцами босых ног. Он еще в аэропорту обнаружил, что ортопедический ботинок маловат и слишком тяжел. — Его Величество король единой Италии, император Эфиопии, король Албании... Савойская династия, если не ошибаюсь.

— Жирненькое местечко, — заметила Айя.

— Ты еще не видала Портофино, — возразил Леон. — Скромное, оглушительное *рыбачье* богатство первейших мира сего. Говорят, там и Берлускони держит виллу, и еще кое-кто...

— А рыбачьи *борго* на скалах, про которые ты соловьем разливался, — там тоже гламур прет из каждой собачьей будки?

— Разумеется. — Леон скукожился на постели, подтянул ноги и по-стариковски затряс немощной головой: — Туристы обгадили этот мир, дитя мое, как голуби — беднягу Витторио Эмануэле.

— Ты похож на старика Вольтера, — пробормотала она, внимательно его изучая. — Тебя можно снимать без конца, и каждый снимок будет иным.

— Я похож на Барышню, — отозвался он. — На свою знаменитую прабабку Эсфирь Гавриловну Этингер. Понятно?

— Понятно. — Двумя пальцами она приподняла полосатый парик — как дохлую медузу — и с минуту покручивала его над макушкой. Наконец опустила, но задом наперед, отчего приобрела вид горца в папахе. — Даю тебе пять дней, старая мымра. Если через пять дней мои руки — вот эти, — растопырила пальцы и уставилась на них, как безумная леди Макбет, — если они не будут заняты фотокамерой, а мои изголодавшиеся по работе глаза будут вынуждены созерцать одну только твою мятую рожу...

Через пять дней, дитя мое, мы с тобой будем либо навсегда свободны, либо...

— Кстати, на какой помойке ты надыбал эти бездарные перстни и клипсы?

— Цыть, ничтожная! Это старая французская бижутерия. Между прочим, на сцене под софитами сверкает, как яхонты и рубины.

— Зато без софитов ты — вылитая бандерша на покое.

— И прекрасно! Поди-ка сюда, моя скромница... покажу тебе суперприемчик старых шлюх.

— Попробуй только!.. Убери свои старые лапы! И смой с лица это дерьмо!!! — И вслед ему, в ванную: — И развратные клипсы — к черту!

* * *

Карту рыбачьей деревни Портофино Леон знал наизусть, до мельчайших деталей.

Ограниченную естественной береговой линией, стиснутую между скалами, ее можно было обойти за час: коммуна, полиция, Церковный дом братства Богоматери (он же — воскресная школа, где детишки корпят над катехизисом), *адзьенда туристика*, крошечный театрик, где проходят фестивали и концерты... На оконечности мыса расселась под старыми пиниями кряжистая круглая, желто-серая башня замка Кастелло Браун. Две церкви, Святого Георгия и Святого Мартина, отмеряли время неторопливыми колоколами. Ну и, конечно, пьяцца Мартири дель Оливетта, туристическое сердце Портофино — рестораны, магазины, лотки и лавки — подковой лежала у набережной марины с двумя ее причалами: *моло трагетти* для рейсовых катеров и *моло Умберто Примо* — для швартовки яхт, катамаранов и лодок...

Поднявшись на рассвете, Леон тщательно выбрился и привычно загримировался, боком присев на краешек стула. Бывали моменты, когда эта, им же сочиненная, личина казалась ему приросшей к его коже.

(Однажды приснился сон, в котором он до утра слой за слоем снимал вязкую ветошь морщин, похожих на рыбачью сеть с застрявшими в ней ракушками, водорослями и скелетами рыб, но так и не смог очистить лицо. Проснулся в ужасе и долго умывался, вновь и вновь намыливая физиономию и подозрительно вглядываясь в отточенную линию скул, высокий тонкий нос и густые сумрачные брови...)

В последнее время — чаще всего на рассвете — его допекал покойный Адиль: улыбаясь, плыл на изнанке еще закрытых глаз. Или валялся на дне подвала с подвернутой детской рукой. А то вдруг поднимался как ни в чем не бывало и успокаивающе говорил: главное, что ты получил мой сигнал, падре Леон. Я ведь не перепутал страницу, хотя уже видел, как разминаются, готовясь, руки убийцы... И если соберешься мстить за меня, падре Леон, не отдавай эту радость пуле; пусть твои руки — у тебя ведь они обе сильные и здоровые, — пусть они насладятся его последним всхлипом.

Странно, что минувшие годы — музыка, спектакли, города, все, что (ему казалось) милосердно стянуло края этой раны и замутило наконец бесконечно длящийся полутораминутный ролик в Интернете, где толпа глумилась над мертвыми телами парней, которым он обещал защиту, — эти благополучные годы словно бы отпали, унеслись, обнажив ту же разверстую рану, по-прежнему истекавшую его виной, его отчаянием и ядом неосуществленной мести.

И вот он настиг неизвестного врага, был на расстоянии вытянутой руки, увидел его личину... И — отшатнулся, опознав знакомые черты.

Сейчас, проснувшись ночью даже на минуту, чувствовал ровный внутренний жар, так что хотелось пар выдохнуть; а проведешь рукой по лбу — холодная испарина.

Он прислушивался к себе и чувствовал только хриплый безумный гон — то ли охотника, мчащегося во весь опор, то ли волкодава, спущенного с цепи...

Забыл, когда в последний раз распевался. Да и кто распевается на охоте?

Он допускал, что обезумел, что одержим маниакальным стремлением к убийству, и Айю тащит за собой, как заложницу, прикрученную к руке веревкой.

Может, его уже надо вязать по рукам-ногам, запереть в психушку, накачивать какой-нибудь прохладительной дрянью?

Он распаковал фирменную коробку «Левенгука», извлек из футляра и осмотрел бинокль, купленный в аэропорту: легкая компактная модель, двадцатипятикратное увеличение. Хотя, если верить Николь, из-за гористого ландшафта и густой растительности рассмотреть что-либо на соседнем склоне очень сложно. С вертолета разве что... Ничего, попытка не пытка. Ну-с, обновим снаряжение...

Он вышел на балкон и навел окуляры на дальнюю заманчивую гору, на виллы какой-нибудь Санта-Маргариты. Перед глазами промахнула полоса густой курчавой зелени, залатанной черепичными крышами, несколько старых агав, в вихре бледно-зеленых полосатых лент... полет замедлился... Глаз нащупал объект, пальцы подкрутили колесико резкости... И вот на макушке горы возникла зубчатая кирпичная стена поместья — новенькая черепица, одна к одной, по периметру круглой башни, как классическое трезвучие, взбегают окошки — до-ми-соль-до! — и флаг развевается, семейный или гостиничный вымпел. Прекрасно, прекрасно. Вероятно, это и есть тот самый рай на земле.

Леон выждал еще минут десять — жалко было *внучку* будить. Но никуда не денешься, первый рейд надо провести как можно раньше. Первый прогулочный рейд... Где моя инвалидная клюка о четырех копытах? Вот она, приготовлена. Ортопедический ботинок (настоящий «испанский сапог») нешуточно сдавливает ногу: старухина хромота будет вполне натуральной. Сидела бы дома, старая, чего по горам-то шляться...

Наконец приступил к побудке — это всегда занимало какое-то время, словно, засыпая, Айя погружалась в более глубокие слои забытья, чем остальные люди. Чтобы выманить ее из Аида, Орфею недостаточно было окликнуть или просто погладить щеку. Порой приходилось минут пять тормошить ее, щекотать, бормотать в шею или в спину патетические монологи, выцеловывать ушко, рявкая отрывистые приказы, даже вполне чувствительно кусать.

Наконец она открыла глаза, узрела над собой морщинистую образину, опять испугалась, опять вспомнила, закрыла глаза и простонала:

— Уйди-и-и-и... сгинь, старуха!

— «Стару-уха! Прокля-а-атая! Ты меня с ума-а све-ла!» — пропел он Германа из «Пиковой дамы», раскопал под одеялом некую пятку, схватил ее и бесцеремонно потащил Айю с кровати...

* * *

Они сели на первый рейсовый автобус — почти пустой, с несколькими местными мужчинами, говорливыми и громкоголосыми даже в это раннее время (ресторанная и туристическая обслуга разъезжалась по рабочим местам), и, взревывая на кольцах серпантина, тяжело переваливаясь с боку на бок, автобус пошел на приступ горы. Справа ступенчато взбегали еще спящие виллы, отели, великолепные дворцы ривьеры, а вниз на дорогу сползали клочья дымной бороденки утреннего тумана, что цеплялись за ветви пиний и жестяные на вид ленты агав.

Слева тусклой сталью отсвечивал залив, пронзенный вязальными спицами — целым лесом голых яхтенных рей. Два паруса — белый и оранжевый — медленно шли себе, как по рельсам, в полнейшем безветрии, и все пространство бледного аквамарина казалось обитаемым, прогулочным и привычным продолжением суши — как всегда бывает на всех ривьерах.

Промахнули Санта-Маргариту с ее роскошными дворцами в стиле ар-нуво и возносились все выше, к голубеющему небу полуострова Портофино.

И вот в жемчужной дымке на невидимой линии стыка воды и воздуха созрел восход солнца: желтый слиток топленого масла растекся по подолу горизонта, стекая на гигантский поддон моря, закипевшего янтарным огнем. Лохматые ветви сосен и мерлушковые шкурки пиниевых крон на ближних планах, за которыми воссиял залив, показались совсем черными, а склоны гор вспыхнули вечнозеленым блеском. В гуще олеандров и дрока, фисташки и мирта, пушистого дуба и каштана торчали небрежно заточенные карандаши кипарисов. Глянцевой патокой сияли апельсиновые и лимонные деревца, сбрызнутые золотыми каплями плодов. Среди благородного серебра олив и лавра по-осьминожьи скручивались конечности полосатых агав и громоздились колючие заросли кактусов... Сводный райский хор встречал солнце ежеутренней распевкой.

В последний раз автобус навалился боком на поворот, и по излучине горного хребта цветными лоскутами рассыпалась почти вертикальная рыбачья деревня с уже озаренными солнцем напластованиями черепичных крыш — крапчатых, карминных, серовато-зеленых, плоских, разноуровневых и высокоскатных; с двумя колокольнями старых церквей, с зеркальными заплатками окон, с красно-желто-лиловой гармоникой домов над бухтой и с серо-голубым донышком каменной пьяццы, еще погруженной в рассветную тень...

Выйдя из автобуса, они были немедленно взяты в плен одуряющим запахом фокаччи, только что вынутой из печи. Голодные, совершенно проснувшиеся, шальные от дорожных виражей, пошли на запах, как на дудку крысолова, и обнаружили только что открытую панеттерию[1], где купили две божественно хрустящие, пахнущие оливковым маслом, присыпанные травкой фокаччи. Свернув их конвертиком, тут же принялись отщипывать, отхрустывать и жевать...

1 Булочную *(искаж. ит.)*.

Скособоченный Леон весьма натурально наваливался на свою палку, Айя же, глаза ее, все существо — были полностью поглощены красками и запахами лигурийского утра.

В тающей деревенской тишине, продутой морским бризом и уже просверленной множеством птичьих голосов, они шли по испятнанной солнцем улочке, старательно нарисованной Николь на салфетке далекого отсюда парижского кафе.

Эта улица — скорее, деревенская виа, оправленная низкой оградой из серых камней, увитых плющом, — вилась по горе между прекрасными палаццо, как неторопливый ручей, то припадая к очередным воротам, то отбегая прочь.

Сквозь прорехи в плотной стене темно-зеленых кустов то справа, то слева вспыхивала внизу синева окольцованной домами бухты, густо простеганной лодками, яхтами и катерами. Перетасованные цветные кубики домов так ритмично и уместно, так продуманно точно сидели в вертикальной складке горы, что казались прикороченными рукой опытного портного.

Голубую стену залива разделяла надвое колокольня церкви Святого Мартина, а выше на горе на флагштоке Святого Георгия полоскался белый с красным крестом флаг.

Улочка взбиралась по горе. Показалась каменная, шевелящаяся от густой глицинии ограда виллы «Дольче и Габбана». Значит, следующая будет именно той, ради которой они сегодня поднялись так рано.

Здесь неподалеку должна проходить узкая и крутая, но пригодная для машины дорога и спуск к морю,

240 где — если верны расчеты — уже стоит на якоре яхта Крушевича.

— Ну вот... — сказал Леон, останавливаясь и оглядываясь на Айю.

На дальних планах море уже слепило открыточной синькой, припорошенной пенными гребешками, но ближе к берегу, возле причала, отражало растительность скал, окрашивающих прибрежную воду в глубокую малахитовую зелень, на которой особенно ярким вымпелом покачивался какой-то красный ялик.

— Дальше не пойдем. Вернее, обойдем с другой стороны. Во-первых, нам нужен вид сверху, во-вторых, ближе подбираться опасно.

— Почему? — спросила она. — Думаешь, у них камеры?

— Не только камеры. Это тебе, знаешь ли, не Лондон. Такие владения охраняют гораздо тщательнее, чем коллекции живописи в лондонских домах. Пошли, дай-ка руку!

Он помог ей взобраться на склон и потащил еще выше, и вскоре сильно удалившаяся вилла «Казаха» как бы всплыла из густой зелени, так что виднелась уже не только смугло-розовая башня за высокой кирпичной стеной, но и черепичная крыша дома, и два балкона второго этажа с изящным плетением чугунных перил.

— Здесь? — тяжело дыша, спросила Айя, но Леон только мотнул головой, продолжая взбираться по крутой тропе на гребень горы.

Он приметил поляну, окруженную оливковой рощицей, посреди которой расселись три неряшливые агавы.

— Леон, я устала, понял! — крикнула она. — Откуда в тебе-то силы карабкаться, с этим чертовым копытом!

— С копытом да... Кстати, ты права. — Он опустился на землю, расшнуровал и стащил оба ботинка, связал их шнурками и забросил в рюкзак. — Как я раньше не догадался!

А вот и не догадался, как не догадывался снять сна-ряжение в марш-бросках, потому что просто надо было переть и переть дальше.

— Прости, моя бедная!

Будто в ортопедическом ботинке топала она, а не он.

И еще минут пять взбирались по склону вверх, пока наконец Леон не возгласил привал. Айя со стра-дальческим воплем повалилась на дерн у каменистого взгорка, откуда веером разошлись пять стволов одно-го дерева, под землей продолжая сплетаться в объятии родственных пут. Этот взгорок с естественной огра-дой сложно-семейной оливы удачно закрывал их леж-бище с трех сторон.

Леон достал бинокль, принялся молча изучать вил-лу Фридриха и Елены, наполовину скрытую кронами старых пиний. Скорее, палаццо: было нечто величавое в четырехугольной башне, опоясанной открытой гале-реей. По периметру башни — полукруглые сдвоенные окна, разделенные витыми колонками — флорентий-ский стиль. Большой двор замощен плитами пористо-го местного известняка и огорожен безобразной кир-пичной стеной, наверняка оборудованной скрытыми от посторонних глаз камерами видеонаблюдения.

— Ну, что такого ты там обнаружил? — спросила Айя лениво. Она лежала на спине, сняв кроссовки, за-драв одну босую ногу на другую, — внимательно раз-глядывала *объект* над головой: почти на уровне ее глаз, на серой, богатой зеленоватыми и желто-коричневы-ми вкраплениями скале замерла изумрудная пластич-ная ящерка с длинным хвостом... Сидела, не убегала, просилась в кадр. Будто красовалась и сама получала от этого удовольствие...

Леон перевел бинокль на море и там застрял, внимательно и терпеливо ползая по бокам яхт и кораблей, въедливо прочитывая названия. После чего долго исследовал марину, перегруженную катерами и небольшими яхтами, набережную в зеленых и темно-красных заплатах тентов, оконечность гористого мыса с белой башенкой маяка.

Наконец спрятал бинокль в рюкзак, перекатился к Айе и пристроил голову у нее на животе.

Минут десять он растолковывал ей возможности современных охранных систем: периметральная радиосистема, датчики в комнатах, реагирующие на тепловое излучение, приемники и передатчики сфокусированных инфракрасных лучей: человек пересекает луч, невидимая цепь разрывается, на пульт охраны поступает сигнал... и бог знает, что еще можно придумать на любой вкус и страх.

Ну и круглосуточная группа охраны, по старинке готовая к реагированию. Мысленно он отметил, что идею с проникновением в дом надо оставить за невыполнимостью...

Дом наверняка оборудован запасным выходом к какой-нибудь домашней пристани, сказал он себе, порода этих скал карстовая, пустотелая — тот же средиземноморский известняк, что у нас. Вспомни гигантскую цепь пещер-каменоломен Соломона, длиннейший подземный ход от Иерусалима до Иерихона, по которому, если верить историкам, царь Седекия бежал от Навуходоносора...

Да, но ты не Седекия, усмехнувшись, напомнил себе, на розыски времени нет, значит, остается одно: яхта. И она уже должна, непременно должна быть где-то неподалеку!

— Слушай... как могло случиться, что ты ничего не знала об этом доме? Неужели Фридрих никогда не предлагал тебе погостить в раю?

— Чтобы я явилась со своей *вонючей фотокамерой* и предательски снимала их рай во всех сомнительных ракурсах? Вероятно, это был запрет Гюнтера: он вообще уже много лет не слишком церемонится с папашей. Иногда и разговаривает не словами, а так — кивками и жестами. Ну, а Елена при моем появлении от ненависти косеет... Ты обратил внимание, что она болтала о чем угодно: сорта вин, скалы-террасы... Но при всех этих «у нас», «к нам» «наш виноградник» — ни разу не произнесла название места? Не думаю, что для друзей и деловых партнеров это такая уж тайна, но ясно, что чужаков предпочитают держать на приличном расстоянии...

— А если б я прямо спросил?

— Она бы выкрутилась. В этом она виртуоз.

Айя ладонью, пахнущей травой и хвоей, накрыла глаза Леона и сказала:

— Мне надоела эта старуха! Я ее боюсь и не хочу на нее смотреть!

Ну да, бедная: она вынуждена все время натыкаться взглядом на дряблую морщинистую образину...

— Потерпи, — отозвалась старуха. — Потерпи меня еще немного, и я никогда больше тебя не потревожу. И осторожней, не сдвинь мешки под глазами...

За последние два дня Айя то и дело порывалась вновь вцепиться в него со своими невозможными вопросами, растерзать, пустить клочки по закоулочкам... И — отступалась, сникала, вспомнив про свое обещание. Обещание она держала: сама же его дала (вспомни, как плакала! вот и жди теперь конца мытарств). Просто понимала, что биться о Леона со своим гудящим колоколом дознания бесполезно: все равно ничего не скажет. Сколько раз уже, упершись в очередной невыносимый, недоуменный, темный тупик, руками всплескивала:

— Опять спрашивать нельзя?

— Нельзя спрашивать.

— Опять — когда-нибудь?

И он эхом:

— Когда-нибудь. Уже скоро...

— А эта твоя страсть к постоянному маскараду... — и торопливо: — Не сейчас, не сейчас — вообще, весь этот театр как образ жизни: эпохи, костюмы, фижмы-декольте, куртуазная пластика: руки-ноги-походка, будто в штанах у тебя не... молчу, молчу! Пусти, ну, больно же! Я о чем: тебе это нравится? Все это *притворство*, вся эта *понарошка*...

Ты еще, слава богу, моего голоса не слышишь, подумал он, а то бы сбежала — от отвращения... Вслух сказал:

— Это не притворство. Это моя профессия: музыка, голос... и, конечно, театр. Это моя природа. Я на подмостки вышел в таком детстве, в каком ты только на коньках разъезжала. Ну и, послушай... скучно ведь — без театра!

— Что скучно — жизнь скучна? Правда скучна?

— Разумеется, — отозвался он. — Нет ничего тошнее протокольной правды. Да и у правды много одежд и много лиц. У нее оч-чень оснащенная гримерка!

Айя приподнялась на локте, слегка склонилась над фальшивой личиной, с подробным брезгливым вниманием пробираясь взглядом среди морщин и бородавок. Резко отвернулась. Проговорила:

— Не понимаю! Мне, наоборот, из каждого мига жизни нужно извлечь ядро правды, хотя бы зернышко.

Но — правды голой, без одежд, без грима. Ухитрилась извлечь зернышко правды — тогда он навсегда остался, этот миг. А не удалось, — ну, значит... все зря.

— Что зря?

— Тогда он погас, миг жизни, — спокойно пояснила она. — Ушел, развеялся... Ведь его нельзя воспроизвести, как какую-нибудь оперную постановку. Жизнь не терпит дублей. Ее невозможно спеть.

Леон хотел сказать: ого, еще как можно, да еще сколько этих разных жизней можно пропеть самыми разными голосами!

И в который раз горло перехватило отчаянием: она ведь не знает, что такое Музыка! Умом понимает, ритмы чувствует — кожей, но не знает, не представляет, что это: мелодия, гармония, наслаждение звучащего мира... Боже ж мой, какой жестокий надзиратель над его жизнью — там, наверху — придумал для него эту казнь! Вериги эти для его редчайшего голоса, неподъемную, немыслимую эту любовь: жернов — на шею, якорь — на ноги...

Он замолчал, и на какое-то мгновение Айе показалось, что рядом лежит чужой человек, чей мир обернут к ней совершенно чуждой ей стороной — звучащей, переодетой, загримированной... ненастоящей!

Это ощущение длилось две-три секунды — как наваждение. Но вот его рука беспокойно нащупала и стиснула ее руку, и сразу же рядом опять оказался Леон, хотя и в нелепой личине старухи; Леон — многоликий, волевой, скрытный и разнообразный: жестокий, холодный, взрывной и томительно нежный. Леон, без которого жизнь невыносима; Леон, с которым за несколько недель пролистали сотни километров, видали сотни разных лиц, сидели за столиками ресторанов, любили друг друга в замке, в отелях, в каюте корабля, на крестьянской ферме; общались с друзьями, рисковали в доме врага... Ну и пусть гримируется, черт с ним, решила она. Ведь когда-нибудь — он обещал — спрашивать будет *можно*, можно будет спрашивать! Да он и ждать не станет, все расскажет сам. Вот тогда обнажится ядро *его правды*, только потерпеть. Он же предупредил: потерпи меня, недолго осталось.

— Бабка, а мы на набережную скатимся? Я бы съела чего-нибудь...

Он протянул с этим дурацким стариковским гримасничанием:

— Где мои ботинки, детка? Дай-ка их сюда. И палку, палку тоже. А поднять старуху?! Вот так-то. Сейчас мы промчимся рысью еще в одно местечко, а потом вернемся и спустимся к набережной.

— Куда это еще?!

— Ты же любишь монастыри, — сказал он. — Вперед, к аббатству Сан-Фруттуозо!

* * *

Тропинка из Портофино к аббатству Сан-Фруттуозо (на итальянском она так мило называлась: «мулаттьера», ибо скорее всего предназначалась для передвижения мулов) была снабжена указателями, как и все дорожки в Национальном парке.

В начале пути мощенная каменная дорога могла и машину принять, какую-нибудь малолитражку, но вскоре превращалась в тропу, взбегала вверх, к вырубленным в скале ступеням, естественными волнами спускалась и поднималась по склону горы, и бежала, согласно природным впадинам и выпуклостям, временами становясь норовисто-утомительной.

В двух местах ее перегородили калиткой от диких свиней (объявление завершалось вежливой просьбой «закрывать за собой»). Первую калитку миновали в районе Палара, и дальше ровная каменистая тропа катилась через каштановый лес до самого Вессинаро...

В Английской бухте сделали небольшой привал, и Леон вновь извлек «прибор Левенгука», который, увы, опять не отыскал на глади сей очаровательной водной гостиной яхты по имени «Зевес»...

Тронулись дальше, хотя Леон все меньше верил, что обнаружит яхту где-то еще, — далековато от места действия.

После Английской бухты «мулаттьера» пустилась качать их вверх и вниз; подъем сменялся спуском, а тот очередным подъемом. Вторую «кабанью» калитку миновали у Каппелетты, и когда добрели до цели, обогнув гигантскую, какую-то инопланетную агаву, Леон разрешил последний привал на этой птичьей высоте.

Внизу мерцала слезка сапфировой бухты, как на заказ сделанная гигантским ювелиром. Ее обступили курчавые от зелени скалы, отражаясь в воде иссиня-зеленой густой стекловидной массой, серыми напластованиями, застывшими разломами окаменелого теста земли.

А в укромном углублении между скал розовело аббатство. С первого взгляда оно и казалось порождением скалы, если бы не ряд широких арок нижней галереи, ряд тройных венецианских окон жилого здания и круглый чешуйчатый шлем церкви.

— О-о-оххх... — выдохнула Айя в отчаянии, в упоении. — Это бы я сняла-а...

Отсюда открывался такой неохватный вид, что цепенела душа.

Справа широкой стиральной доской уходили к небу крутые террасы с зеленеющими виноградниками — путаница узловатых бурых лоз, глубокие продольные

морщины на бугристом челе горы. Над ними вздымалась буйная зелень: пинии, оливы, буки и дубы; лиловые и белые дымки фруктовых деревьев.

Слева отвесно вниз уходила ребристая скала, протянув в море могучие отростки гигантской куриной ноги, вокруг которой махрилась и взлетала широкая штанина крахмальной пены.

А до горизонта сотнями оттенков сине-зеленого вздымалось море, оживленное парусами, белым пометом пены от катеров и баркасов, далекими кораблями и ближайшими к берегу лепестками рыбачьих лодок.

Дуга прекрасного белого пляжа в летний сезон, вероятно, пестрит цветными купальниками, а под навесами лотков идет торговля мороженым и хот-догами.

У мини-причала покачивался рейсовый катер, а поодаль в заливе стояла на рейде одинокая яхта...

Достав из рюкзака бинокль, Леон нетерпеливо навел на нее резкость: сначала глаза окунулись в рябую блескучую плоть волнующейся воды, жадно забегали меж скорлупками рыбачьих лодок... И вдруг в окулярах выросла, навалилась на Леона яхта, в темно-синем зеркальном борту которой бешеными звездами вскипали, вспыхивали, взрывались и переливались безмолвной канонадой блики волн, а солнечная паутина, как живая, ощупывала белые буквы: «Zeves».

* * *

Солнце уже перевалило за полуостров Портофино... Оранжевая черепица домов еще сияла среди зелени гор, и церковь Святого Мартина, в ее полосатой робе, еще стояла по пояс в солнечном кадмии и сурике, но мозаичное панно перед входом выложенное серой и голубовато-синей галькой (медузы, трезубцы Нептуна, дельфины, изогнутые в подводном танце), уже пребывало в сумеречной тени.

Тем не менее аккордеонист, сидящий перед церковью на складном стульчике, так низко надвинул на лоб длинный козырек черного кепи, что совсем не было видно лица. Зато его пес — лохматый, дружелюбный — валялся на спине, подставляя брюхо каждому, кто бросал мелочь в раскрытый футляр аккордеона или просто подходил поближе.

Легко разворачивая и сворачивая перламутровоалый зубасто-клавишный инструмент, музыкант со сдержанным изяществом исполнял расхожий репертуар променадов и набережных. Он был профессионалом. Мелодии известных танго и фокстротов плавно вливались одна в другую, не противореча ничьему вкусу. Мелочь сыпалась в раскрытый футляр — не водопадом, время еще было не курортное, — но все же не пересыхающим ручейком.

Пес так и лежал доверчивым брюхом кверху, выжидательно посматривая на прохожих из-под мохнатого уха, принимаясь весело крутить хвостом (профессиональный вымогатель!), если кто-то склонялся его погладить.

И ясно было, что дуэт не торчал весь день там, где приселось-прилеглось, не ждал милостей от туристов, а неустанно рыскал в поисках заработка.

Во всяком случае, эту парочку, всюду собравшую дань, чуть позже Айя с Леоном видали и на набережной, под каменным забором национального парка, где взвод идиотских тушканчиков цвета фуксии выстроился рядом с высоко подвешенной тушей носорога, и на пьяцце, перед входом в кафе «Эксельсиор». Так и не поднимая лица, закрытого козырьком черного кепи, уперев подбородок в грудь, музыкант разворачивал и собирал мехи аккордеона, вытягивая душу «Бесамэ-мучей», а пес ассистировал, руля хвостом и подставляя желающим приветливое брюхо.

Из-под длинного зеленого тента, где в конце концов выбрали столик Леон и Айя, открывался вид на бухту, на марину и на причал, где сейчас швартовалась небольшая яхта. Два матроса в красивой белой форме, но босиком, деловито суетились на борту. Они бросили на причал канат, внизу его поймал служащий марины и принялся накручивать на кнехт. Хозяин яхты стоял на верхней палубе в полном одиночестве: наблюдал за швартовкой и кормил с ладони какую-то птицу, то ли ручную, то ли просто местную, прилетевшую за привычной данью.

Два аквабайкера с рычанием гоняли по заливу, лихо огибая катера и лодки, прямо-таки вышивая узоры по синей глади — как плугом вспахивая толщу воды, играючи разваливая ее на сверкающие пласты морской пены.

Под терпким соленым бризом плескались и лепетали протянутые над пьяццей треугольные цветные флажки. Тот же бриз воровато обыскивал кальсоны на веревке под окнами одного из домов.

Обаяние курортного межсезонья, отметил Леон, задумчиво обводя глазами пустую пьяццу.

Из-под рук аккордеониста изливалась томительно-страстная «Бесамэ-муча», и все, что попадало в обзор, двигалось словно в такт этой затаенной страсти. Две пары трижды прошлись мимо их столика. Пожилой элегантный господин, опираясь на сложенный черный зонт с круглой ручкой, вел двух коричневых такс, подметавших камни пьяццы своими длинными ушами.

Вдоль причала околачивалась стайка моряков в безуспешном ожидании клиентов, желающих прокатиться вдоль залива.

Ничего, вот уж завтра покатаете, завтра, в день Святого Георгия...

А к праздничному костру коммуна уже готовилась. На пьяцце, у самой кромки набережной была сгружена огромная куча песка (противопожарные заботы), и трое рабочих устанавливали и крепили очищенное от сучьев бревно, высокое, как телеграфный столб, подтаскивая к эпицентру будущего огня всякий хлам, вроде старых рыбачьих лодок, ящиков, обломков стульев и деревянных ставней...

Очередное истомное танго сменили «Подмосковные вечера», уже обкатанные на любом итальянском курорте, — в последние лет двадцать русские туристы заработали право на свою задушевную долю в международном бизнесе бродячих менестрелей.

— Супец! — окликнул Леон, с иронической нежностью изучая деятельно жующее лицо напротив. — Я истекаю любовью...

— Вот дурень, — ухмыльнулась она.

— ...ты жарко сияешь в центре моей вселенной.

— Это цитата?

— Это образ. Ну, как твой минестроне по-генуэзски?

— Мировецкий! — привычно откликнулась она.

Им попался симпатичный официант — пожилой, но смешливый, как подросток. Это он посоветовал Айе «минестроне по-генуэзски», дунув в ее сторону поцелуем на кончиках пальцев — самая простодушная реклама. *Бабушку* он пытался отговорить от стейка: «Не тяжело ли столько мяса вашему желудку, синьора? Все мы в этом возрасте уже знаем наши проблемы по утрам, а?» Это было так трогательно (Леон мгновенно вспомнил Иммануэля: «В мои годы, цуцик, ты поймешь, что по утрам главное — не проснуться, а просраться!»), что он сдался и приструнил себя рыбой по-лигурийски, и это тоже было неплохо — филе, запеченное в пиниевых орешках и маленьких иссиня-черных маслинах.

День уходил — их последний день, прекрасный, ветреный... и все-таки безмятежный, несмотря на изнурительные поиски яхты и мускулистую, рвущую постромки *охоту* Леона.

День уходил: сгинули, как нечистая сила, рычащие аквабайки и скутеры, вода марины плескалась в лиловой тени, и лодочки-катера мерно качались на волнах. Выше, над домами, в курчавом, колючем и листвяном боку горы стояли башни и башенки, колокольни церквей, палаццо и виллы, чьи венецианские арочные окна досылали зеркальные блики вслед уходящему дню...

Расплатившись, они поднялись и побрели вверх, к остановке автобуса. Честно говоря, Леон так устал за этот день и так натер ногу ортопедическим ботинком, что инвалидная палка-краб на подъеме пришлась очень кстати. Примеряю старость, подумал без малейшей иронии.

Косой лоскут золотого дня медленно уползал вверх, к крышам, будто рука гигантского фокусника, томительно медля, все выше поднимала отрез золотой парчи, накинутый на волшебный ящик «с фокусом» или на классический цилиндр, где вот-вот должны показаться заячьи уши. Сквозь поросль темно-зеленых лаковых кустов виднелась гряда цветных домов над пристанью и пьяццей, по пояс погруженных в вечер.

Они уходили в тень, эти цветные картинки — красные, оранжевые, желтовато-лиловые, с темно-зелеными заплатками ставен, — как уходил под воду какой-нибудь античный город.

* * *

Аккордеонист доиграл «Подмосковные вечера», сложил инструмент в футляр, поднялся со складного стульчика и вошел в ближайший из ресторанов на набережной. Собака осталась сидеть у входа, послушно его дожидаясь.

Он прошел в дальний угол длинного зала, сел у зеркальной стены и кивнул кряжистому коротконогому человеку лет сорока пяти, который здесь был то ли за официанта, то ли за хозяина; во всяком случае, в его фигуре было старомодное обаяние героев итальянских фильмов середины прошлого века: рукава белой рубахи закатаны по локоть, свободные полотняные брюки подхвачены широкими красно-синими подтяжками. Лицо некрасивое и мрачноватое, но, улыбаясь, он становился похож на дружелюбную жабу из какого-то мультфильма. Несмотря на некоторую тучность, ловко сновал между столиками, даже в напряженное обеденное время. Сейчас, впрочем, ресторан был пуст или почти пуст...

Заметив знак посетителя, он подхватился и, на ходу вынимая из нагрудного кармана блокнот с карандашом, поспешил к клиенту:

— Буона сэра, синьор!

Акккордеонист сделал заказ: графинчик «вино ди каса», свежепосоленные анчоусы и «мисто грильято» из рыбы сегодняшнего улова. Улов они обсудили отдельно.

— Си, синьор, — кивнул официант, записывая заказ. — Что-нибудь еще?

— Мне кажется, я видел Кенаря, — негромко обронил аккордеонист, не поднимая головы. — С ним девушка.

Официант помедлил, вложил в карман блокнот, передвинул прибор с солонкой и перечницей поближе к клиенту.

— Прямо-таки видел и уверен, что это он?

— Не на все сто, — отозвался тот. Вытянул палочку «гриссини» из плетеной корзинки, переломил пополам и задумчиво сунул в рот. — Я не мог пялиться. Но паричок знакомый. Любимый его — старушечий. И грим любимый — ну, все это мы проходили в Праге, не так ли? Надо бы его тормознуть.

— Кенаря-то? — усмехнулся официант и ушел выполнять заказ.

Вскоре вернулся с подносом, на котором стоял графинчик с белым вином и тарелки с хлебом и анчоусами.

— Прего, синьор... — и склонился чуть ниже, смахивая ладонью со скатерти невидимую крошку. — Кенарь... ведь он чего захочет, то и споет.

— А вот это дудки, — сдержанно заметил музыкант. — Предупреди «Дуби Рувку»... Еще не хватало, чтобы *этот* выкамаривал тут в самый острый момент, с него станется.

— Ладно, — сказал официант и ушел.

Следующий обмен репликами состоялся при появлении «мисто грильято».

— Все равно он не может знать, когда Перс отчалит, — заметил официант. — И не станет обыскивать всю акваторию в поисках корыта Физика. Он же не ясновидящий.

— Не ясновидящий... — Музыкант двумя пальцами взял с края тарелки дольку лимона и с силой выжал его на рыбу. — Но чертовски мозговитый.

— Наше дело простое: удостовериться, что корыто с дерьмом уплыло по адресу. — При виде двух пожилых дам, входящих в ресторан, официант расцвел улыбкой дружелюбной жабы, — *уан миныт, мизз!* — И вновь повернулся к клиенту: — А разбираться с Персом и его товаром будут не здесь. Надеюсь, Кенарь еще не спятил: заваривать кашу под носом у макаронников. У нас с ними и так в прошлом месяце были осложнения.

— Ну-ну, — буркнул музыкант, и желваки его задвигались энергичнее: то ли рыбу жевал, то ли злился.

— Си, синьор! Как насчет кофе?

— Да, позже. Что там мой Кикко?

— Сидит.

— Цены ему нет...

Неторопливо смакуя кофе, аккордеонист попросил счет, по-прежнему предпочитая даже в кафе сидеть, опустив голову, скрывая лицо под длинным черным козырьком кепи. Впрочем, время от времени он мельком окидывал взглядом ту часть пьяццы и причала, которая видна была из дальнего угла длинного и узкого зала. В открытом окне квартиры последнего этажа дома напротив — где в распахнутых окнах еще плескалось усталое солнце — на подоконнике сидела черноволосая девушка. Вернее, она полулежала на тяжелом своем правом бедре, опасно склоняясь, и весело переругивалась с дружком, который в зеркальной позе полулежал внизу, на палубе пришвартованного катера. Темой спора был завтрашний праздник; кажется, девушка приглашала парня полюбоваться на костер сверху, из этого самого ее окна. Одно из ее колен, согнутое голубоватым обнаженным снарядом, обещало куда более горячий костер, чем какое-то там бревно...

Аккордеонист неохотно отвел взгляд от этого колена. Он и сам был не прочь полюбоваться завтрашним костром из окна этой девицы. Но для него, к сожалению, был приготовлен совсем другой наблюдательный пункт.

Честно говоря, он не верил, что Кенарь — если то, конечно, был он — зачем-то полезет в самое пекло, спутав ребятам все карты. С другой стороны, однажды ему лично пришлось наблюдать, как это случилось в Праге: *объект* вдруг изменил планы, с утра рассчитавшись в отеле, и стало ясно, что операция отменяется. Тогда стремительно, в считаные секунды и во весь опор из слаженной волчьей стаи, несущейся за антилопой под водительством вожака, вдруг выхлестнулось поджарое тело отнюдь не самого крупного молодого самца, взметнулось дугой, перелетев через головы, и приземлилось прямо на спину убегающей жертве.

Ну еще бы, мрачно подумал он, *эти магнитные яблочки были его специализацией*... Когда-то ужас «черного мотоциклиста» заставлял отсиживаться в бетонных щелях самых отпетых головорезов «Хизбаллы» и прочей швали Южного Ливана... Но в Праге Кенарь все-таки был *внутри* операции, и с ним считались, ибо против Натана Калдмана вряд ли кто смел подняться. Сейчас же — другое дело! Натан сам уверял, что Кенарь, хотя и добыл драгоценные сведения о «Казахе», за что ему очередное спасибо, ныне изолирован, отлучен, *выведен из темы*. Вроде какой-то у него пиковый интерес в этом деле, что смертельно опасно для любой операции... Скажем, эта девушка — почему она так тревожит *наших?* К тому же, поговаривают, сам Калдман досиживает на своем месте последние дни: и здоровье шалит, и откровенно он постарел и отяжелел.

А подобный балласт наши *кормчие* живо сбрасывают с 257 лодки.

Аккордеонист отсчитал монеты, дождался сдачи, ссыпал мелочь в карман.

Так же аккуратно он сложил листок счета и вложил в портмоне, в особый кармашек на молнии, который про себя называл «конторским». Между прочим, сегодня они с Кикко недурно заработали. Пса он одалживал у одного из надежных местных агентов: тот лет пятнадцать работал экскурсоводом на прогулочных катерах и потому имел широкий доступ к самым разным событиям и *персоналиям*.

Но то, что ресторанные чаевые бухгалтерия не возвращает, это несправедливо, надо как-то эту тему поднять.

Что поделать: он тоже отчитывался перед Гуровицем в командировочных расходах.

6

Да что ж это за новое несчастье такое!

Она стала отключаться в самый неподходящий момент. Для начала — утром не пожелала проснуться. А между тем надо было выезжать из отеля: накануне Леон разыскал в Интернете и снял комнату в скромном *bed and breakfast* в самом Портофино: пришло время перегруппироваться к месту действия. В том, что все должно решиться в отблесках грандиозного костра Святого Георгия, у Леона уже не было сомнений.

С утра тугой холодный ветер натянул в небе войлочное полотнище, по которому неслись темные дымки.

258 Временами серое полотно проседало, выплескивая колкую россыпь нетерпеливого дождика. И чувствовалось, что на смену этому грядет другой дождь — терпеливый и настойчивый.

Минут двадцать Леон честно пытался разбудить Айю вполне гуманными способами:

— Ах, ты еще и спящая царевна... Ну все, алё! Мы же ничего не успеем! Эй, Супец... мы так не договаривались! Ну, что это за номера? Ты же не устроишь мне такую подлянку, а, Супец? — ничего еще не понимая, еще не веря, что *так может быть*, что *она это не нарочно*... что она не шутит, не придуривается, не издевается...

В конце концов вспылил, подхватил ее под мышки, стащил с кровати и приволок в душевую кабину, где, прислонив к стене, с ужасом наблюдал, как она сползает на пол, безвольно вытянув руки и поникнув головой. Тут он встревожился не на шутку.

Пульс у нее был замедлен, но прощупывался ясно. Бледность — не болезненная, просто утренняя, сонная. Ни температуры, ни других симптомов гриппа. Что за хрень?

Чередуя горячую и холодную воду, он минут пять поливал Айю, осевшую на пол душевой кабины, самым сильным массирующим напором, пока наконец она не открыла глаза, с туповатым удивлением обнаружив Леона, изрядно взбешенного, растерянного и мокрого.

Он поднял ее, вынес в комнату, энергично растер, натянул какую-то одежду и только тут заметил, что она трясется, как заяц.

— Что с тобой? — Он встряхнул ее. — Тебе плохо? Что болит?

— Да нет... так... поспать минутку, — и норовила повиснуть на нем, распластаться, стечь на пол.

Пока он метался по комнате, собирая вещи, пока гримировался, вызывал такси, она по-старушечьи сидела на балконе с пустым безучастным лицом.

Словом, бабка с внучкой покидали отель, поменявшись ролями. Леон, обнимая за талию, буквально тащил Айю на себе. Она была тяжелой — совсем не такой, как в замке Госсенсов, когда он с легкостью, словно птичку, нес ее на плече. Еле выползли...

Хорошо хоть дежурил сегодня не тот молодой человек, перед которым позавчера разыгрывали немощь полупарализованной старухи, а какая-то девушка, к тому же занятая приемом и размещением пожилой японской четы.

Оставив на стойке ключи и чаевые, Леон погрузил Айю в такси, забросил в багажник чемодан и инвалидное кресло, и всю дорогу до Портофино — благо ехать недолго — бабка на заднем сиденье молчаливыми тычками корректировала внучкину выправку.

Мутный день слизал, как масло с бутерброда, синеву моря и неба, задул все краски рыбачьей деревни, будто заботился о том, чтобы с ночным костром во славу Святого Георгия ничто не могло соперничать.

Их *bed and breakfast* оказался очень мил — даже милее, чем на картинках в Интернете: в сущности, это был просто дом на одной из кудрявых улочек, где за кружевными чугунными воротами открывался двор, затейливо мощенный местной голубой галькой и сплошь заставленный псевдоантичными скульптурами. Все они истекали струями разной толщины и напора. То ли хозяева были восторженными адептами системы фэн-шуй, то ли просто любили фонтаны, лейки, прыскалки и прочие струйные затеи, но к входной двери пансиона постояльцы пробирались, обивая чемоданы о посейдонов, русалок и веселых водяных с задорными гениталиями.

В уютном холле, выдержанном в зеленых тонах (зеленый креп на стенах, зеленая обивка дивана и кресел, зеленый ковер, зеленые гардины), по периметру стен были вмонтированы заросшие водорослями аквариумы, а самый большой аквариум, с крупными золотыми рыбинами — язык просто не поворачивался назвать их «рыбками», — занимал половину огромного окна на залив. Леон бы не удивился, узнав, что сервис данного заведения включает и рыбную ловлю.

Все это настолько уже мокро, что хочется оказаться в каменистой пустыне и умереть от жажды...

Три ступени вели из холла в коридор с двумя двухместными и двумя одноместными комнатами. Не Альгамбра, сказал бы Кнопка Лю. Но в деревянной раме окна распахивалась такая бирюза залива, а завтракать можно было на каменной террасе под зеленым, конечно же, тентом, с таким видом на бухту и цветную гармонику домов, что это полностью искупало все издержки рыбного хозяйства. Впрочем, сейчас Леону — с чемоданом, инвалидным креслом и Айей на прицепе — было не до пейзажей.

Он приволок ее в комнату, где просто сгрузил на кровать. И заскулив от облегчения, она обняла подушку и вытянулась, ни на что больше не реагируя.

Леон стоял над ней, мучительно всматриваясь в обморочное лицо, бледное даже на фоне белого покрывала.

Так вот оно, значит... вот как это к ней приходит и наваливается. Как же все эти годы она среди чужих — бесчувственная, беспомощная? И в какую нору заползала, предчувствуя наступление очередного беспамятства?

А отцу каково знать это с самого ее детства, и жить, и надеяться — издалека, — что рядом с ней в кромешные дни окажется какая-нибудь сердобольная душа или, по крайней мере, не враждебная...

Теперь-то ясно, как легко было вытащить у нее все деньги, украсть камеру, да просто удавить ее за ненадобностью, выбросив в ближайшую канаву.

Получи еще одного проблемного ребенка, мрачно сказал он себе: медвежонка в зимней спячке...

Опустился рядом на кровать, медленно, нежно провел ладонью по упругим кольцам каштановых кудрей, почти черных на фоне бледной щеки; приложил ладонь к шее: пульс бился медленно и ровно — организм, черт подери, погружался в анабиоз...

В замешательстве Леон прокручивал возможные действия.

Рассыпа́лся намеченный план: бежать из Портофино ночью сразу *после сделанного*: пешком по *мулаттье- ре* — нагруженными мулами — до бухты Сан-Фруттуозо, по пути избавясь от инвалидного инвентаря. Оттуда на первом же рейсовом катере до Санта-Маргариты, а там на поезде до Генуи, и вылететь куда получится ближайшим рейсом. А хоть и в Бангкок, а хоть и в Краби; снова снять пенишет и махнуть вдвоем на остров Джум на неделю-другую, пока не проветрится воздух, пока не выветрится из него вонючая труха и гниль последней смерти в их жизни.

Но сейчас... Как сейчас-то быть?

Ладно, не паникуй, приказал себе. Надо дать ей полный покой, а там будет видно. До ночи время есть.

Он раздел ее, с трудом ворочая странно безличный куль тела, — не верилось, каким порывисто-гибким, каким чутко-ритмичным оно бывает в иное время, —

укрыл одеялом, поставил на прикроватную тумбочку чашку с водой — если вдруг очнется и захочет пить. Постоял в раздумьи...

Делать нечего: старухе Ариадне Арнольдовне придется чуток помолодеть. И первым делом — к черту ортопедический ботинок! Это будет *пражский вариант*: старая дама не так уж стара, она еще ого-го, чуть-чуть кокетка и держится молодцом... К тому же, надо надеяться, сегодня вечером затеряться в толпе огнепоклонников будет несложно.

Но до наступления вечера предстояло еще кое-что подготовить.

В любимый и полезный дамский рюкзачок Леон уложил бинокль и — никогда не знаешь, что может пригодиться, — связку ключей якобы от дома, среди которых было несколько отмычек, а также неприметный ключ со спрятанным в нем умелым лезвием, в свое время оказавшим Леону не одну услугу самого разного свойства. Облачился в приталенный бежевый плащ с большими накладными карманами — старая привязанность, милый амулет — и вышел, аккуратно захлопнув дверь, повесив на нее картонку «Non disturbare».

Пансион держала симпатичная пожилая пара из тех, кто, прожив вместе лет сорок, становятся так друг на друга похожи — в жестах, внешности, манере говорить, — что уже неважно, к кому из них обращаться. У этих двоих были одинаковые челки цвета одуванчика. К сожалению, кто-то из них постоянно околачивался в холле, где и стойки никакой не было — просто крепкий деревянный стол, на котором пузатился компьютер сильно устаревшей модели. Сейчас здесь присутствовала синьора — прохаживалась с лейкой вдоль горшков с целым панно каменных роз, от голубого до нежно-лимонного цвета.

Леон попросил карту Портофино, дотошно выспросив у добрейшей тетки дорогу до Кастелло Браун. Он ведь открыт?

— Открыт, открыт. — Приветливые зеленые глаза из-под челки. — Советую вам, синьора, обратить внимание на тамошнюю лестницу, вернее, на майоликовую плитку, для Лигурии нетипичную.

— Такая жалость, — вздохнула Ариадна Арнольдовна, соорудив из морщинистых губ скорбную подковку. — Мы с внучкой мечтали об этой поездке полгода, и надо же, она у меня совсем раскисла: температура, и горло болит... Я, пожалуй, пройдусь, пока она спит, а вы уж ее не беспокойте.

— О, бедняжка. — Струя воды из лейки кланялась каждому цветочному горшку. Может, эти две добродушные челки — просто водяной и наяда на пенсии? — Конечно, пусть девочка отдыхает...

* * *

Майоликовой плиткой лестницы в Кастелло Браун пришлось-таки полюбоваться и даже обсудить ее с симпатичным парнем — то ли смотрителем, то ли заезжим сотрудником министерства культуры: действительно, непривычное для Италии сочетание цветов, слишком яркая сине-бирюзовая керамика. Скорее, андалузская, не правда ли? И удивляться не стоит: морские добычи Генуэзской республики, ее участие в крестовых походах...

А вот чему удивляться стоило: из окна замка отчетливо — даже и бинокль не требовался — видна была сине-белая яхта Крушевича в заливе, точнехонько против мыса Портофино. Леон предполагал, что из Сан-Фруттуозо ее пригонят сюда загодя, но... чуть свет, и уже здесь? Не затеют ли они погрузку среди бела дня? Неужто его подвело чутье, заточенное на полет мухи, на еле слышное пианиссимо, замирающее под куполом храма? Неужто вся затея окажется бредом, пустышкой, провалом самонадеянного наглеца?..

Он не стал спускаться к набережной — нечего там раньше времени глаза мозолить, — зато не меньше часа провел в наблюдении за поместьем «Казаха».

Там было поразительно тихо. Кроме двух незнакомых бугаев с выбритыми колотушками чугунных затылков (очевидно, охрана: время от времени они пересекали двор из большого дома в пристройку при воротах и обратно), никто не появлялся ни на балюстраде башни, ни на балконах, ни во дворе... Лишь за кремовыми шторами в открытой балконной двери второго этажа кто-то разок прошелся, чуть поддернув их на ходу.

Леон полагал, что к делу приступят с наступлением темноты, а главное, с наступлением праздника — когда внизу, на пьяцце, запалит свой огонек Святой Георгий, покровитель разбойников, победитель драконов, и этот огонь, это бушующее пламя как занавесом отделит море от суши, погрузив во тьму всю окрестную акваторию.

На сей раз он решил хорошенько исследовать зады поместья — точнее, фасад, выходящий на море. По едва заметной козьей тропке спустился чуть ниже и с полчаса сидел, как ворона, на опасном козырьке скалы, под которым внизу с тяжелым ритмичным грохотом разбивались, взлетая веерными взрывами, мутно-зеленые волны. Спасибо тучам — сегодня его не слепило солнце, так что он сразу был вознагражден: высмотрел крошечную заводь, к которой прямо из скалы спускались грубо стесанные ступени; две последние, опасно скользкие, вылизывала волна. Там к железной свае был пришвартован темно-синий катер. В темноте он будет совсем не виден, и это проблема. А следить отсюда, как этот катер выйдет, — в той же темноте и с такой высоты — можно будет только по звуку. Да и не успеть оказаться вовремя там и тут... Нет, придется поджидать их на море...

И вот тут ангел-страстотерпец, добросовестно хранивший его на разных виражах судьбы, вновь поощрительно похлопал по плечу: обрати, мол, внимание. Внизу на ступенях возник, на миг пригнувшись (будто из стены вынырнул), один из тех бугаев, что околачивались во дворе. Видимо, из дома к морю шел-таки ход в скале — карстовые пустоты, приятный сюрприз природы. Поистине, удобнейшее расположение дома, пригодное для любой затеи: для интрижки, для контрабанды, для сложной операции по переправке плутония в Ливан. Для избавления от назойливого мертвеца, наконец.

Бугай прыгнул на палубу катера и минут десять возился там, переставляя какие-то ящики. Место освобождает, понял Леон... Не стал дожидаться, пока на ступенях покажется второй, пока они примутся вдвоем затаскивать ящики внутрь туннеля. Все их действия можно было легко просчитать, все у них шло по плану.

Все шло по плану и у него, у Леона.

Если не считать внеплановой комы его возлюбленной...

* * *

На причале он снял у *прокатного морячка* лодку, предварительно переодевшись в общественном туалете на набережной.

266   *Перелицевать старушку в суховатого пожилого го-*
сподина спортивной жилки было легко — стоило лишь
стянуть с мочек ушей позолоченные, с крупными зеле-
ными стекляшками, клипсы и сбросить плащ, под кото-
рым черный свитерок-унисекс и черные джинсы вообще
не останавливали на себе ничьего взгляда. Он знал толк в
преображениях, особенно в тех операх, где исполнял сразу
две партии и за пять минут должен был перевоплотить-
ся из мужчины в женщину, а затем наоборот.

Сел на весла и отчалил, кропотливо пробираясь
меж лодками и катерами, а когда вышел из марины на
открытую воду, минут за десять-пятнадцать догреб до
яхты — вблизи она оказалась еще прекраснее.

Николь описала ее довольно точно, и Леон на таких бывал: наверху, на сандеке, в кормовой части у них
имеется круглый спа-бассейн для любителей позаго-
рать, в носовой части — смотровая площадка, с которой
сегодня ближе к ночи команда непременно будет любоваться зрелищем костра и фейерверка (и это, кстати,
означает, что подходить следует с другой стороны, от
мыса Кастелло Браун, ибо отсюда берег и бухта видны
будут как на ладони. Скорее всего, чтобы насладиться
зрелищем, они оставят освещенными только верхнюю
палубу и корму, плюс обычные стояночные огни).

Что там еще? Тендеры, кран с электрической лебедкой находятся в кормовой части мостиковой палубы.
Трап на таких яхтах тоже обычно электрический, за-
креплен на корме, другим концом опускается на подо-
шедший катер. Но если качает, как сейчас, проще пришвартоваться и, пока идет погрузка, одерживать катер,
цепляясь за кормовой релинг. Интересно, сколько же
человек будет на катере?

План его был прост и даже в чем-то изящен. Он не
сомневался, что Винай (Леон даже мысленно продол-

жал называть его Винаем) намерен сопровождать груз до пункта назначения. Непременно будет сопровождать, от погрузки на катер в домашней заводи «Казаха» до выгрузки в порту Бейрута — слишком многое тут поставлено на карту, слишком многое укрывают в себе пленительные узоры драгоценных персидских ковров.

Да только не видать ему берегов Ливана — в этом Леон как-то странно, как-то неумолимо был уверен.

На яхте, похоже, отсыпались, как и в доме Фридриха: затишье перед делом. Только на корме возился кто-то из матросов — может, проверял готовность лебедок.

Разглядел Леон и принайтовленный катер — родной, яхтенный. Выходит, начинку для будущей «грязнули» доставит сюда ночью тот катер, который чистили сегодня в уютной заводи под прекрасным палаццо. И два бритых бугая-на-все-руки погрузят ковры на лебедки, помашут ручкой Винаю (*из Портофино в Бейрут — с любовью*) и вернутся восвояси *на дачу...*

Что мы имеем в таком случае? Несколько драгоценных минут погрузки: вот ковры застропили, подняли лебедкой, переместили на палубу... и пока снимают обвязку, пока на палубе все внимание — *на товар...*

Можно было попытаться в суматохе погрузки проникнуть на яхту с кормы. Однако численность команды и невозможность остаться незамеченным сразу отметали этот план, а отсутствие оружия еще более усложняло *казнь*. Было лишь одно место, где они могли остаться с Винаем наедине: море. Правда, жидкая среда начисто лишала Леона преимуществ удара — того, чему он был обучен: летящая рука или нога в молниеносном выпаде. Но вода... она с юности была для него дружественной стихией, во всяком случае, дружественнее, чем для остальных участников грядущего спектакля — разумеется, если среди них нет такого же любителя фридайвинга, как он сам.

Выходит, попытать удачу он мог лишь в крошечном промежутке времени — считаные минуты! — когда катер приблизится к яхте и начнется выгрузка ковров и перенос их на борт. И вот тогда незаметно взобраться на катер, напасть и утащить *князя* в воду.

Мысленно он называл операцию «Русалка».

Леон поднялся на ноги в своей прогулочной лодке, покрутил над головой снятым свитерком, приветливо окликнул матроса:

— Хэ-э-эй! — *(старый мудак-турист на скорлупке интересуется за шикарную жизнь).* Ему хотелось услышать акцент — опознать язык, на котором говорит команда яхты.

Не будет ли стоять тут этот плавучий дворец еще денек? Он бы внучку привез, она еще никогда таких яхт не видала. Устраивают ли они экскурсии? Он готов заплатить, чтобы попасть на судно.

Ему ответили сквозь зубы, посоветовав не крутиться тут и проваливать. И никаких внучек, и никаких экскурсий, что за наглость! Им сегодня не до гостей, и вообще, в двенадцать ночи их тут уже не будет... Выговор гортанный, родной язык — арабский. Во всяком случае, у этого моряка. Но команда может быть и смешанной.

* * *

Когда он вернулся, Айя еще спала — в той же позе, с тем же выражением на лице беспробудной, ангельской, мать твою, отрешенности. Он постоял, раздумывая, не предпринять ли еще какие-то *бодрящие* действия — влить в нее, что ли, глоток горячего кофе... Но сразу же отверг эту идею: глядя на Айю, неподвижной позой и каким-то застылым изнеможением напоминавшую надгробие саркофага богатой этрусской госпожи, он чувствовал всю невозможность вторжения в капсулу ее островной отдаленности, отделенности — от него, от мира, да и от самой себя.

Где там она плыла, что видела, что чуяла в своем безмолвном парении?

Почему, в бессильной ярости спросил он себя, почему ты не выяснил, сколько это у нее длится, почему не выспросил, как она выкарабкивается из темной утробы забвения? Да что там, поздно спохватился!

Еще есть время, беззвучно повторил он себе, не слишком уже веря в эту сомнительную мантру, — есть еще время...

И прилег рядом, приказав себе поспать (не спал всю ночь, мысленно отрабатывая каждую минуту *операции*). Понимал бесполезность этого намерения: никогда не мог отключиться по внутреннему приказу *(шеф говорил — хлипкая нервная организация)*... Задумчиво и медленно скользил взглядом по лицу, волосам и плечам спящей рядом с ним совершенно беззащитной женщины — в сущности, мало ему знакомой... Протянул руку и легонько, указательным пальцем очертил брови, скользнул по переносице, обвел рисунок губ... Нет, не беззащитной, вдруг понял он. Она излучала властную магию отрешенного покоя, будто в глубине естества была уверена: пока она под охраной *такого* глубокого сна, с ней ничего не случится. Это из детства, подумал он: спрячусь в сон, чтобы меня не увидели.

Он обнял ее, умиротворенную запредельным покоем, и минут через пять вдруг и сам уснул — будто, уцепившись за волшебный плотик, вплыл в озеро столь необходимого ему забытья, большим ковшом черпнув глубоководной тишины...

* * *

Часа через три открыл глаза, все еще продолжая плыть вместе с ней в медленном потоке, что с каждой минутой вихрился и бурлил, растаскивая их в разные стороны, отталкивая друг от друга, выталкивая Леона прочь, вовне.

Пока он спал, прошел сильный дождь, и сейчас в открытое окно вливалась сладко пахнущая мокрой землей и зеленью, промытая дождем весенняя ночь. Там, внизу, уже бурлила деревушка, освещенная мелкими, как просо, пригоршнями цветных огоньков, оттуда слабо доносилась музыка: праздник был в разгаре, но костер еще не запалили. Ничего, скоро уже, подумал Леон...

Он знал, что в запасе у него есть час, *хороший час*, как говорил Иммануэль, путая в русском слова «добрый» и «хороший», — а ведь это два разных слова, порой противоположных по смыслу.

Как полагается в таких случаях, он оделся во все черное. В рюкзаке — плотно скатанный гидрокостюм: бог знает сколько лет ему, но хранит, и греет, и *прячет тело* — оно не отсвечивает. Никаких молний на запястьях, на лодыжках (это ценишь, когда нужна решительная свобода рук и ног), без шлема (даже в воде Леон предпочитал использовать свой слух максимально). А главное достоинство сих рыцарских лат — нет желтых дайверских вставок; вот уж чего нам не нужно — легкости опознавания. Ни в воде, ни на суше...

Жаль, что нельзя использовать ласты, — ему могут понадобиться ноги, сила железной икры, смертельный удар стопы.

Теперь надо как-то выскользнуть из пансиона, не привлекая к себе внимания хозяев. *(Вот уж разгулялась бабулька! А не пригласить ли доктора к вашей девочке, синьора? Что там у нее с температурой?)*

Он уже смирился с тем, что Айя лежала в прежней позе, неслышно и спокойно дыша, никак не реагируя ни на слова, ни на прикосновения. А ведь она должна была ждать его с вещами на повороте к тропе на Сан-Фруттуозо!

Сейчас надо мучительно соображать, как незаметно вернуться в пансион, когда все будет завершено, — ведь вода непременно смоет грим. Окно их комнаты — высокий бельэтаж — выходило на склон, поросший кустами олеандров и горбатыми, грубо слепленными кактусами. Удачно для спуска, не слишком удачно для возвращения. Правда, окно соседней комнаты выходит на каменную террасу, где у стены стоит огромная декоративная винная бочка. Вот с нее, подтянувшись, можно уцепиться за подоконник и перемахнуть сюда, в открытое окно. Не смертельно, не цирк. Но можно ли быть уверенным, что часа через два, когда он вернется, хозяева и постояльцы будут спать, а не сидеть и разгуливать по террасе с бокалами вина — как сейчас, например, — любуясь расцветом, а затем и умиранием костра?

В том, что вернется, Леон был абсолютно уверен. И все же...

...все же, перед тем как выйти, извлек из рюкзака Айи ноутбук, включил его, набрав пароль (*Ko Jum*, разумеется), создал прямо на рабочем столе два новых файла. Одно из писем обдумывал гораздо дольше, чем второе, предназначенное лично ей, Айе. Дописав, еще раз внимательно проверил первое послание, отключил ноутбук, но не стал его прятать, оставил на столе. Чепуха, конечно, сказал себе. Это так, на всякий случай. Возможно, придется отсидеться где-нибудь пару дней... А она умница, с его инструкциями она доберется куда следует. Если и когда очнется, мягко поправил он себя, и сердце ухнуло в гулкий погреб. Ерунда, бодро возразил он себе же, с чего б ей валяться долго? Конечно, очнется — завтра утром. Продрыхнет сутки и придет в себя, как наверняка это бывало и раньше. Еще и покоя тебе не даст, этак-то отдохнувши. И очень даже неплохо, что в этом нешикарном заведении комнаты убирают раз в три дня...

Накинув все тот же старомодный плащик, нацепив «золотые» клипсы, он вышел из номера и бесшумными шажками *(роль Маркизы-Розалинды-Линды-Инды... прочь!)* спустился по трем ступеням в холл. Тут все было тихо и все славно: хозяева наверняка торчали на террасе, а четверо других постояльцев, молодая норвежская пара и две пожилые лесбы из Милана, *отжигали* в веселой толпе на пьяцце. Да, все очень удачно... кроме того, что Айя по-прежнему лежала там, за его спиной, — недвижная, как труп на анатомическом столе...

Он пересек уютный зеленый холл, мягко отворил дверь в крапчатый дождик и вышел в оливковую от жирного света фонаря у ворот, вздыхающую влагой, журчащую фонтанами ночь.

* * *

С наступлением темноты весь Портофино замерцал огненными стежками — будто вселенская портниха приметала великолепное полотно волшебной деревушки и осталось лишь прострочить его на машинке

«Зингер». Силуэты домов и колокольня церкви Сан-Мартино вышиты мелким бисером цветных лампочек.

Толпы туристов уже вовсю колобродили на пьяцце. Столики из окрестных ресторанов (партер будущего театра) вынесли из помещений и расставили в опасной близости к костру — а все уже было к нему готово. На колокольне Святого Георгия по-прежнему развевался в черном небе подсвеченный праздничный флаг — красный на белом крест.

Леон пробрался через толпу к окраине набережной, где по договоренности, стоившей ему немалых денег, все тот же моряк оставил ему лодку с веслами, спрятанными под брезент, — обычно здешние рыбаки на ночь уносили весла домой. И пока шел, за его спиной уже разжигали костер под восторженные вопли, упоительный бабий визг и аплодисменты...

Перед тем как ступить в лодку, Леон оглянулся.

Деревушка для богатых амфитеатром спускалась к каменной площади, на дне которой уже ворочалось, дышало и пульсировало огненное сердце праздника. Из него прорастали и опадали стебли молодого пламени. Кроткий дождик никак не мог стать помехой этим буйным всплескам. Ветер, к ночи окрепший, тащил в разные стороны охапки огненных брызг в густой волне дыма, и они вспыхивали бурей золотых жучков, расплескивались, взмывали высокой волной фейерверка. Вот пламя взметнулось, взбегая вверх по пенолле. Веселый, пышный и все же поднадзорный огонь (пожарная машина стояла чуть поодаль, и резиновые удавы змеились по камням в полной готовности к удушению злого веселья) казал всем бешеные языки, пытаясь дотянуться до визжащей публики за столами... Вдруг грохнуло и рассыпалось небо: высоко-высоко взметнулся и пролетел-проскакал ало-золотой конь первого фейерверка. И впрямь — роскошное зрелище, подумал

Леон, отворачиваясь чуть ли не с сожалением: это было его родное, любимое; это был — театр.

Сначала — под шум, под музыку — Леон запустил мотор и шел минут пять в сторону мыса, удаляясь от сверкающей буйной пьяццы, держа в виду притихшую и озаренную одними только стояночными огнями яхту в заливе. Потом заглушил мотор и, не приближаясь, остался ждать в полной тьме...

Черная толща воды вздымала и резко бросала его лодку вниз: не шторм пока, но и не прогулочная гладь. В плотных тучах неслась бешеная дымно-серебряная луна, давно не чищенный «белый червонец», и в те мгновения, когда черный флер облаков расступался, являя бледную монету, серебро волн казалось зловещей, истекающей маслом шкурой волшебного буйвола, уносящего лодку на могучем хребте...

То и дело, будто спохватываясь, ветер постреливал сверху и с боков шрапнелью колючего дождя. Раза два погромыхивало, но не здесь, — где-то там, над Генуей... Впрочем, кто сейчас разберет, что там гремит — гроза или фейерверк. А салют над Портофино только набирал силу. Черное небо то и дело вздрагивало от серии ударов, и в нем расцветали такие гобелены, такие узоры (Айя сказала бы: такие рассказы!), отражаясь в воде и в ней же угасая, что за команду яхты Леон мог быть спокоен: каждый хоть краем глаза таращился туда — на берег, стараясь ухватить хотя бы клочок от веселья богатых, от роскоши праздничной жизни, от ликования Святого Георгия.

Тихий дракон на скромной яхте свернул свой грозный хребет, готовя новые жертвы, — возможно, и среди тех, кто сейчас восторженно визжал на разукрашенной и озаренной костром пьяцце.

И опять сыпал дождь, и морская соль просачивалась сквозь кожу, пробирая сыростью до костей... В считаные минуты над бесконечно движущимися рядами пологих валов стал собираться туман, вернее, пока туманец; он поднимался от воды — связующая дырявая ткань меж двумя стихиями... Отсюда костер на пьяцце казался тугим огненным ядром, внутри которого желтым, красным, оранжевым переливались сполохи, и вверх выпархивали пышные облака дыма, и доносилась музыка, в которой Леон различил мелодию старой песенки «Love in Portofino», приведшей его сюда, как дудочка крысолова:

> So-cchiu-do gli o-o-o-cchi
> E a me vicino
> A Po-orto-fino-o
> Ri-ve-do te-e-e-e...

Он был полностью готов: одежда и седой паричок лежали свернутыми на дне лодки — дай-то бог, пригодятся, когда, *сделав дело*, он вернется на берег, где наверняка уже умрет костер, придушенный водой и туманом.

Гидрокостюм натянут. Нелишняя одежка при такой погоде — и наверняка при такой неласковой воде. В других обстоятельствах на нем можно было закрепить фонарик, нож, даже пистолет... если б все это не противоречило сценическому замыслу: никаких ножей и пуль, ведь сегодня играем «Русалку»: «Давно желанный час настал!» — величественная и грозная ария Наташи...

Полиция не должна заинтересоваться этим трупом: мало ли кто в пьяном виде упал за борт яхты — вряд ли кому из команды и тем более владельцу нашего летучего голландца придет в голову привлекать внимание «гуардиа костьера» к маленьким интимным прогулкам на столь длинные расстояния... Нет-нет: ни стреляных, ни резаных, ни колотых ран. Просто легкие, полные воды. Просто долгое и страстное объятие русалки в таинственной глубине вод — *давно желанный час настал...*

Ты слышишь, Адиль? Эй, ребята мои истерзанные, слышите меня? Упьется он сегодня водичкой, ваш убийца...

Распластавшись на дне лодки, Леон прислушивался: фейерверк на берегу закончился, и к мерному угрюмому гулу бесконечно катящихся волн примешивались слабые звуки музыки, доносящиеся с берега... Его глаза внимательно следили за линией оконечности мыса Портофино: по его расчетам, с минуты на минуту должен был показаться катер. Время от времени приходилось садиться на весла и подгребать ближе к яхте, но крайне осторожно, чтобы оттуда не заметили лодку... Как кстати это волнение на море: взрыхленные ветром борозды ежеминутно изменчивой морской пашни скрывали лодку в грядах волн гораздо лучше, чем любое укрытие.

* * *

И вот его слух различил рокот мотора, а минут через пять этот звук был услышан на яхте, и — будто эхом там все откликнулось — озарилась и оживилась нижняя палуба: кто-то из команды расчехлял лебедки, громко переговариваясь на английском, — готовились принимать товар с сопровождающим.

Леон дождался, когда катер окажется в поле видимости, отвел лодку подальше от круга света, падающего с яхты, выждал еще пару мгновений и (он никогда не молился, никогда ни о чем не просил, даже мысленно, не потому, что был так уверен в личной удаче, — просто в подобные минуты забывал о себе) — и тихо скользнул в воду...

Она ожгла ледяным огнем, так что сердце занялось. Железная лапа сжала горло до потери дыхания, и невольно Леон хлебнул изрядную порцию горько-соленого пойла. На секунду показалось, что не выдержит он, выскочит из воды и погребет к берегу, и гори все огнем! — но вскоре чуток отпустило, дыхание выровнялось. Оказалось, можно терпеть. Вода, даже такая холодная, по-прежнему оставалась его стихией. Он поплыл к корме яхты, давая волне вздымать его и погружать в лощины падающих валов, стараясь уворачиваться от хлестких оплеух, попутно одарявших его новыми порциями соленых глотков, — пока на гребне одного из валов не обнаружил, что слишком близко подобрался к катеру. Там уже заглушили мотор и швартовались.

Леон нырнул (уши рубануло топором боли) и, оставаясь под водой, приблизился еще, вынырнул у самой кормы.

На катере, как он и предполагал, суетились трое — те двое, которых он видел в бинокль, когда сидел на козырьке скалы и рассматривал домашнюю заводь «Казаха», и Винай, Гюнтер Бонке. Вот теперь, с удовлетворением отметил Леон, видно то, чего он не заметил, когда, укрытого одеялом, Виная сносили на носилках по лестнице: он погрузнел и явно потерял спортивную форму, чего не скажешь о двух бугаях из охраны.

Сейчас все зависело от того, насколько близко удастся подобраться к Винаю, от внезапности нападения, от его, Леона, реакции... Он чувствовал себя прекрасно: так же, как за минуту до выхода на сцену, разве что тихонько не пропевал первые такты партии.

Между тем трое на катере занялись делом: на нижней палубе яхты все было готово к подъему груза, плавно завертелись лебедки, опускаясь к самому борту катера. Оба охранника (Леон мысленно называл их «амбалами», как Барышня всегда называла грузчиков) приготовились стропить, вдвоем поднимая первый из длинных и тяжелых рулонов, запаянных в плотный целлофан.

Вот он — миг, которого ждал Леон: затих последний аккорд увертюры. Он мягко подтянулся, ухватился за борт и взметнулся на корму. Винай стоял спиной к нему, очень близко, так сладостно, так благодарно близко, словно хотел услужить напоследок. Тело Леона сгруппировалось перед броском, и...

...в следующее мгновение с яхты донесся предостерегающий крик, Винай резко обернулся, будто его дернули, и встретился глазами с Леоном. Он дико всхрапнул, шарахнулся к носу катера, и в тот же миг один из амбалов, бросив на палубу свой конец рулона, ринулся на корму...

Это были обученные люди. Леон подпустил бугая поближе, выкинул правую руку с растопыренными пальцами и, прикрывая бок левой, перехватил его запястье, рванул на себя, одновременно уклоняясь от удара, и ребром левой ладони, прямой и твердой, как доска, нанес два страшных удара — справа и слева — у основания шеи. Амбал обмяк, стал валиться на Леона, тут сразу подоспел второй, на которого времени осталось чуть, и, толкнув на него тушу первого, сбив с ног, Леон прыгнул за борт и сильной дугой ушел в глубину...

Неудача... Ах, твою ж мать, какая неудача!

Нужно было уходить, просто плыть к берегу, и черт с ней, с лодкой... Однако все его естество, его сердце, клокочущая ярость его памяти не допускали этой мысли. Сбежать?! Когда наверху, так близко — враг, заслуживающий смерти от его руки?! Но — Винай! Как мгновенно тот опознал Леона — с первой же секунды, несмотря на полусмытый грим, а может, и не узнал, может, просто почуял смерть?

Скрываясь под водой, Леон подсчитывал доходы и убытки: один выведен из строя, трап с яхты еще не спущен, значит, вряд ли в катере быстро может очутиться кто-то из команды, и вряд ли среди них есть профессиональные бойцы. А грузить ковры им надо, и уходить им надо, так что в катере сейчас — Винай с единственным защитником. Леон всплыл туда, где в кругу электрического света над головой темнело днище катера. Сейчас он уже слышал глухие отрывистые голоса.

— Ищи, ищи! — приглушенно крикнул Винай на английском. — Выше фонарь! Он всплывет!

— Да уж сколько минут прошло... — неохотно ответили по-русски. — Наверняка утоп... Прибьет его где-нибудь в Санта-Маргарите.

— Нет! Нет! — вновь ожесточенный фальцет: Винай. — Он долго под водой может, сам видал! Надо искать! Крикни, пусть сверху дадут прожектор. — Его голос, странно высокий, поднялся до истерики: — Не стрелять! Не стрелять! — Это он наверх, понял Леон, это яхтенным. — Только живой! Он мне нужен! Он — разменная монета!

И Леон поплыл на этот голос — зазывный, как голос сирены, самый для Леона вожделенный. Сквозь тонкий слой воды видел, как с фонарем в руке, чудесно освещенный, Винай склоняется над бортом, жадно и опасливо вглядываясь, надеясь увидеть всплывающее тело...

И тогда, собрав мышцы в единый ком, Леон торпедой вылетел из воды, мощным замко́м обхватил голову Виная, резко рванул, будто срывал ее с плеч, и ринулся обратно, в глубину, всем телом сплетясь в смертельный клубок со своей добычей...

Всё решили первые секунды: ошеломление жертвы, ледяная вода... Когда, инстинктивно вцепившись в Леона, Винай попытался освободиться, было поздно: Леон уже оседлал его и, стиснув железными коленями плечевой пояс, не давал освободиться, не пускал подняться вверх.

Но столь внезапно вынырнув перед лодкой, он и сам не успел глотнуть воздуха, и сейчас в его легких оставался совсем маленький запас кислорода. Уже мутилось в голове, уже, легко покачиваясь, проплыла кругами странно яркая в мутной воде обнаженная Айя — спокойное лицо, закрытые глаза; Стеша сказала: «Вот сюда», — приподняв руку, за которой тянулся шнур капельницы, показала на горло, трепещущее от нехватки воздуха... Костер горел не на пьяцце, а где-то рядом, он просто полыхал в мозгу, пожирая кислород... Леон все скакал на своем коне, обеими пятками сжимая его бока, держась до последнего мгновения, зная, как опасна эта эйфория недостатка кислорода, так гибли многие: еще секунда-две-три — и ему просто не захочется возвращаться...

Воздух в легких почти иссяк, но Леон не отпускал Виная, пока не ощутил последнего спазма в его обмякшем горле, последней судороги мертвого тела...

И тогда в полной тьме, на тающей грани сознания, отпустил, оттолкнул ногами в бездну ненавистный груз и, уже не разбирая направления, взмыл к поверхности воды...

Когда он вынырнул под завертевшийся штопор «белого червонца» луны, прямо в бьющие брызги волн, в колючий благостный дождь, перед глазами, как во сне, вспыхнула бисерная сыпь зубчатой стены домов Портофино и закачался, мерцая на волнах, далекий язычок костра Святого Георгия. В тумане ядрышко огня пульсировало, как сердце плода в материнском чреве. Он и сам сейчас чувствовал себя слепым эмбрионом в грозных морских валах, ядрышком огня в черной воде залива.

Было много воздуха: много льющегося в отверстые легкие влажного морского воздуха, много свободы и оглушительного счастья...

Затем — удар по голове, раскат фейерверка и гулкие, затухающие всплески огромной темной воды...

7

Вначале, как обычно, в сознание прокрались и расцвели запахи: кофе, свежая выпечка, зеленый хаос листвы...

Одновременно, чувствуя страшное давление в мочевом пузыре, Айя качнула пудовой головой. Правую щеку лизнуло прохладой. Душисто... Чистота... Там окно? Хорошо, приятно... Рука, занемевшая под животом, ожила и поползла по материи, холодной и гладкой. Еще не понимая, где она, уже порадовалась, что опять обошлось...

Главная задача сейчас — разлепить глаза и доползти до унитаза. Где он, кстати?.. Но прошло еще минут двадцать, пока она пошевелилась, медленно ощупала вокруг себя тонкую ткань пододеяльника и край кровати — куда можно спустить ноги... Приподнявшись, спустила их, тихо покачиваясь и чувствуя сквозь веки свет и чудесные запахи из окна. Утро, сказала себе. Утро и — возвращение...

В туалете, куда она счастливо добралась и где с невыразимым наслаждением изливала из себя водопады, озера накопленной жидкости, чуть покачиваясь и прислоняясь виском к кафельной стене, и потом еще долго сидела, просто медленно обретая тело, мысли, зрение и память, — в туалете она вспомнила, что: *Леон. Тревожился. Кричал... Ворочал ее заполошными руками...* потому что именно сегодня...

— Ничего-ничего, — сказала она себе. — Сейчас в душ, а когда он вернется, я тут как огурчик.

С полчаса она стояла под душем, жадно хлебая воду прямо из пригоршни, довольно быстро на сей раз обретая мышцы живота и спины, чувствуя, как возвращается упругость ног и рук, а желудок просит — нет, умоляет, вопит! — о куске хлеба, а лучше, о помидоре. О красном сочном помидоре. Жрать! — весело приказала себе. Жрать, жрать поскорее!

Она крепко растерлась полотенцем, готовая тотчас идти с Леоном куда скажет. Вернулась в комнату и, как обычно, прилегла еще на чуток, о, совсем на минуточку! — проспала около часа здоровым, прозрачным *человеческим* сном, в котором они с Леоном ехали по длинной подъездной аллее к замку, о чем-то споря, а потом еще куда-то почему-то бежали, и Леон говорил, что за музыкой всегда так быстро бегут, что он научит ее, Айю, бегать за музыкой, и тогда она все *услышит*... Потому что это не вопрос слуха или врожденной глухоты, говорил он, а вопрос *скорости звука*... И этот сон выметал последние остатки дурноты и шел только на пользу. На пользу и душевный покой.

Проснулась абсолютно здоровая.

Сразу все вспомнила и с ледяной ясностью поняла: **283** Леона нет, и нет уже давно.

Волна паники накатила и сразу отхлынула: да он сейчас придет; с ним ничего не может случиться. Ведь утро? А какое сегодня число?

Кинулась к рюкзаку за ноутбуком, не нашла его и только тогда заметалась и обнаружила свой ноутбук на столе: лежал на самом видном месте, вот дурында! Открыла, набрала пароль — и увидела два этих письма. Почему-то сначала принялась за то, *другое*, названное «Shauli», — странный набор английских букв, ни черта не значащий, какие-то обрубки лего в явно установленном порядке. Попыталась поменять расширение, потянулась стереть, но удержалась. И только тут увидела, что другой файл назван «Supez».

И торопливо его открыла.

«Супец, ну и здорова же ты дрыхнуть, — кому только рассказать. Ну-ка просыпайся скорее! Если читаешь это письмо, значит, я еще не вернулся. И ты вот что сделай: немедленно закажи такси и сматывайся из Портофино. Хозяйке скажи, что сейчас тебе сообщили: мол, с бабушкой приключился обморок на берегу и ее уволокли в госпиталь в Рапалло, так что ты едешь к ней. Весь инвалидный инвентарь оставь в женском туалете в аэропорту, пусть персонал думает, что старуха два дня не может просраться.

Денег в портмоне тебе пока хватит. Если не хватит, сними по карточке. Код простой: первые две цифры — дата твоего появления в Париже, две вторых — день твоего рождения. Задача нетрудная. За пансион тоже плати карточкой. Главное, ничего не бойся, но: в Париж пока не суйся. Ни с кем не встречайся. *Веди себя как прежде — ты у нас толковая. А лучше всего, поезжай к отцу, я найду тебя там непременно.*

Леон.

Письмо (Shauli) сразу же пульни по адресу... (следовал дикий, как само письмо, набор цифр вперемешку с буквами, с французским доменом).

И помни: в Лондоне нас ждет целая бутыль собственного соджу, на которую никто, кроме нас, покуситься не смеет!»

Вот когда ее обуял ужас. Она заглянула в новостную программу, узнала сегодняшнее число, и ее тут же вырвало — еле успела добежать до раковины. Монотонно бормоча: «Ничего-ничего-ничего, он сказал, чтобы не боялась...» — она кое-как оделась, дрожащими руками натянув что под руку подвернулось: его, Леона, джинсы и его же синий свитерок... Наткнулась взглядом на идиотский патлатый парик, нахлобучила его на голову и, вместо того чтобы поступить, как велел Леон, ринулась на поиски...

— О-о, доброе утро! — приветствовала ее матрона в холле (кто такая?!). Над правым ее плечом стояла пугающе крупная золотая рыба. Галлюцинация?! Да нет, аквариум же, господи... — Как вы себя чувствуете, синьорина?

— Отлично, — устремляясь к двери.

— Ваша бабушка так беспокоилась. Но сейчас все в порядке? Почему вы обе не приходите на завтрак? У нас самая свежая выпечка — мне каждый день привозят из «Панеттерии Микеле»... А где же синьора?

— Синь-ора?.. — с трудом припомнила Айя, уже на пороге. — Она... она нездорова.

— О-о! Неужто заразилась? Как вам не везет с отпуском! А может быть...

Айя уже не смотрела на нее, просто толкнула дверь и вышла наружу, в утренний рай миниатюрного дворика.

Здесь все текло — при каждой скульптуре была какая-нибудь чаша, какой-нибудь изрыгающий струю миниатюрный левиафан. Два младенца мужескаго пола (копии знаменитого мальчика) приткнулись в уголке сада, скрестив свои струи, и казалось, что они писают наперегонки или на спор.

Все текло, бежало, струилось сквозь несметное количество цветочных горшков и ваз с невероятным разнообразием одного лишь растения: каменной розы...

Айя шмыгнула в открытую калитку и побежала.

Она бежала между каменными оградами по деревенской улице, и, несмотря на тревогу, каждая мышца и сухожилие ее тела, позвоночник, мельчайшие косточки и даже язык, подрагивающий во рту от бега, праздновали *возвращение*: она опять здорова, она сейчас найдет Леона — уже другого, очищенного от темной ржави, которая разъедала их жизнь. Что-то должно было миновать навсегда, какая-то страшная цель, которую они — вчера? позавчера? она даже толком не знала сго планы, он такой скрытник!.. — которую они преследовали, одновременно прячась.

Мимо полосатой, как тельняшка, церкви Святого Мартина, где сколько-то дней назад они видели аккордеониста с милым дружелюбным псом, она выбежала на пьяццу.

Солнце уже раскатало цветные тенты над входами в ресторан «Ла Гритта», таверну «Дель Маринайо» и бар «Эксельсиор». Высоко над бухтой вспыхивали в полете бело-льдистые тела крупных чаек. Тесные стада лодок и катеров, затянутые синим и зеленым брезентом, покачивались по всему периметру марины, и удивительно смирный морской бриз пошевеливал маленькие треугольные флажки над пьяццей и легкие частные яхты.

Сейчас здесь было так же солнечно и пустынно, как в тот день, когда они приехали сюда впервые. Значит, праздник Святого Георгия миновал, прошел без нее. Значит, проклятое беспамятство на сей раз *схавало* и костер, и фейерверк, и бисерное освещение праздничной деревушки. Кажется, оно сожрало и самого Леона.

Где теперь его искать?

Минут двадцать Айя бродила меж столиками, вынесенными на набережную, еще мало заселенными. Не все туристы выходят на пьяццу завтракать — многие завтракают в отелях и пансионах. К тому же после праздника многие разъехались. Интересно, если выйти в центр пьяццы и заорать: «Ле-о-о-он!!!» — и ждать, чтобы он ответил, — подумают, что она сошла с ума? Господи, разве ей не плевать — что о ней подумают?

Она вернулась к церкви, прочесала все улицы вокруг, поднялась к остановке автобуса, обошла театрик, заглянула в *адзьенда туристико*...

И опомнилась: поплавок в водовороте собственного броуновского движения.

Вновь спустилась на пьяццу, где кое-кто из проснувшейся публики уже занимал там и тут столики под тентами.

Она принялась заглядывать в каждое кафе, в каждый ресторан...

Ведь ты ничего не знаешь, напомнила себе она, не знаешь главного: что он затевал, а потому и не имеешь понятия, где его искать.

Она забыла, что с утра зверски хотела есть, забыла, что двое суток вообще не ела. Околачивалась среди жующих людей, и сама мысль о том, чтобы проглотить кусочек хлеба, вызывала у нее тошноту. Время от времени вспоминала, что в письме Леон велел немедленно уехать, ведь у нее теперь есть первоклассный паспорт, о котором ее преследователи не имеют понятия... И, осадив себя: да куда мне ехать — без него?! И где же, где же Леон?

Она помнила: что-то было связано с морем. Ведь зачем-то он высматривал в бинокль яхту Крушевича, будто собирался взять ее на абордаж. Все-таки дико, что за тем коротким и сильным разговором о мести в придорожном кафе-стекляшке он так и не удосужился посвятить ее в свой план, тупо затвердив это свое «нельзя спрашивать». А когда же, когда будет «можно»? И спохватилась: а вдруг Леон и собирался сделать это накануне, а она подвела, испарилась, скрылась в свое беспамятство, *предала его!* Может, будь она рядом, все не сложилось бы так... А как? Вот теперь гадай — *как* все сложилось? Откуда ей сейчас знать, почему он был так жесток (или так милосерден?), что скрывал от нее свои истинные планы...

Вдруг она обнаружила, что стоит под зеленым тентом того самого кафе, где они обедали в первый день: белые крахмальные скатерти, белые салфетки в нежно-салатовой тени. Вспомнила симпатичного пожилого официанта, который так мило с ними шутил. Может быть, он видел Леона, что-то знает? И приказала себе: терпение, уйми руки, уйми свое лицо... Успокойся. Сосредоточься: кажется, у него был слабенький английский, а тебе сейчас надо понять все до единого слова.

Она села за столик в двух шагах от кромки причала. Почему-то никак не могла отступиться от моря, почему-то связывала Леона с этой массой воды в бухте и в заливе — словно он мог вдруг выйти на берег, *как тридцать витязей прекрасных: макушка, плечи, торс... вся тонкая напряженная фигура, с которой льются потоки воды... и вот он идет, вырастая до гигантских размеров, раздвигая коленями корпуса катеров и яхт...*

Бред! Ну что за бред?!

Но села за столик так, чтобы смотреть на море, отмечая, как наливается жаркой синькой горизонт, исчирканный спицами голых рей, как прыгают на мелкой волне оранжевые шары буйков, как постепенно там и тут распахиваются зеленые деревянные ставни в окнах желто-лиловых домов на другой стороне, над Калата Маркони.

Кроме нее, через два столика завтракали двое: молодая полноватая, но элегантная женщина со стильной прической цвета спелой ржи и, вероятно, какой-то ее родственник: для отца слишком моложав, для мужа — староват. Впрочем, мало ли что сводит пары... Оба почему-то были мрачны, неохотно переговариваясь по-итальянски (да хоть бы и по-английски: у Айи сейчас не было ни сил, ни охоты *прислушиваться)...*

Она ждала того самого пожилого симпатягу-официанта, словно при его появлении и Леон мог вдруг возникнуть на стуле напротив. Вспомнила, как увлекательно и говорливо тот объяснял, почему песто у них ярко-зеленого цвета: это ведь базилик из Пра, говорил он, из такого местечка под Генуей, там базилик самый пахучий и нежный; оливковое масло из Таджи и сыр — не пармезан, как думают некоторые, нет, а пекорино из Сардинии, поскольку лигурийцам, синьорина, ближе была Сардиния, чем Пармские области, — они шмыгали туда на кораблях, а не тащились через Апеннинский перевал...

И вино по его совету они заказали местное, с виноградников Портофино. Оно называлось... называлось... «Гольфо дель Тигулио», вот как!

Официант вскоре вышел, но Айю сначала не узнал, хотя в прошлый раз делал такие пылкие, совершенно итальянские комплименты.

Потом припомнил:

— Ах да, у вас очаровательная бабушка, с таким хорошим аппетитом... Где же она?

— Она... н-нездорова...

— Очень жаль. Сейчас все болеют гриппом, знаете, — весна... Что вам принести, синьорина?

В этот момент в бухту вошел бело-красный полицейский катер. Айя почему-то сразу напряглась: у него на борту было написано «Guardia costiera», и эти антенны на крыше... Катер причалил, и оттуда высыпала целая компания карабинеров, а сверху, со стороны полицейского участка, через пьяццу к ним направлялись еще двое, почему-то на велосипедах. Вся полицейская компания сгрудилась недалеко от причала, что-то, судя по бурной жестикуляции, обсуждая.

— Как много полиции... — пробормотала Айя.

— О да, — заметил официант. — Это все насчет того утопленника...

— Какого утопленника?! — вскрикнула она, вздрогнув так, что официант сразу раскаялся: вот, огорчил впечатлительную душу.

— *Mia cara*[1], — мягко проговорил он, — здесь каждый год кто-то тонет, что поделаешь — море... Просто рановато для открытия сезона. Его вчера прибило вон там — к моло Умберто Примо... Малоприятное зрелище для туристов. Хорошо хоть, сейчас никто еще не купается...

1 Дорогая моя *(ит.)*.

Она уже не смотрела в его лицо, уже ничего не видела. Перебирая обеими руками по скатерти, медленно поднялась, ощупывая вокруг себя плотную и влажную ткань воздуха... И двинулась к причалу, к моло Умберто Примо, не оборачиваясь на официанта, который вслед ей что-то говорил, обескураженно качая головой... Некоторое время она стояла там, вглядываясь в воду, что плескалась у нее под ногами, вспухая радужными иглами меж бортами лодок и катеров, будто могла увидеть что-то важное. Минут через пять к ней подошел все тот же официант, осторожно взял под руку, пытался что-то озадаченно выспросить... успокоить... Никак не мог взять в толк, что стряслось с такой приятной синьориной.

Она вежливо высвободила руку и пошла прочь — по улочке, взбиравшейся в гору.

За ее передвижениями внимательно следила молодая женщина, сидевшая неподалеку со своим пожилым родственником.

— Что, — спросил он, — знакомая?

— Да нет... — неуверенно отозвалась Николь. — Просто странная девушка.

Она действительно ни в чем не была уверена. Да и связанная словом, данным Леону (а в традициях ее старинной семьи банкиров понятие «данное слово» было возведено в культ), она никогда не показала бы, что кого-то узнала. Вместе с тем никак не могла избавиться от наваждения: ужасные события последних суток у нее почему-то связывались с Леоном, с тем тревожным и, признаться, неприятно поразившим ее последним разговором в парижской забегаловке, так что, кроме растерянности и печали, она чувствовала беспокойство и необъяснимую свою вину.

— Разумеется, мы поможем с похоронами, — продолжал Гвидо. — Не потому, что они были нашими клиентами. Просто по-соседски. Ведь там не осталось родственников? Ужасная история! Фридриха нельзя было пускать за руль... Разве можно вести автомобиль в состоянии шока? И его недавняя операция... Хелен вообще-то не позволяла ему водить и, конечно, была права... Но он, когда их вызвали на опознание тела, выбежал из дому, сам сел за руль, и... вот так оно и вышло.

— В полиции считают, что у него отказало сердце? Или он потерял управление?

— И то, и другое. Потерял управление, потому что отказало сердце... Если б он еще не выбрал ту дорогу над заливом, оставался бы шанс... Представь эти последние мгновения в воздухе, пока машина переворачивается и падает, падает, падает... — Гвидо плавно взмахнул руками, как дирижер, показывающий оркестру *pianissimo*. Спохватился и смущенно умолк.

— Их так долго искали... — Николь поежилась, представив машину, погребенную под скалой на дне залива: только рыбы вплывают и выплывают в разбитое лобовое стекло.

— Вовсе не долго, — возразил Гвидо, — часа три. Просто их отнесло течением. Интересно, что у него в завещании? — задумчиво пробормотал он. — И кому теперь все достанется? Странно погиб этот его нелюдимый сын. Ты его видала когда-нибудь? Я — нет. — Он пожал плечами и вздохнул: — Якобы любовался костром со стороны залива, немного перепил, перегнулся через борт катера и свалился в воду. Версия охранников, одного из. Второй, кстати, и сам имеет довольно побитый вид: нырнул, искал, не нашел, и так далее... И странно, что этот их приятель на яхте — помнишь, мы однажды у него завтракали? — поторопился смыться. Оба охранника уверяют, что никакой яхты в помине не было, но я-то сам видел ее утром, я же не псих! Что там произошло на самом деле... темная история. Знаешь, все-таки эти русские пузыри, вспухшие за три последних десятилетия, — от них стоит держаться подальше, несмотря на всю гигантскую прибыль.

— Папа считает иначе, — заметила Николь и бодро добавила: — Надо надеяться, полиция во всем разберется.

И затуманилась, со всей ясностью представив, что соседей и знакомых тоже будут допрашивать. И даже непременно будут! Но как же тогда совместить верность данному слову с верностью закону?!

Самым правильным сейчас было бы позвонить Леону, подумала она, *предупредить* (о чем?! Ведь она ничего не знает о его планах и понятия не имеет, что за дело было у него к несчастным жертвам). Ну, хотя бы оставить пару слов на автоответчике... Вспомнила, что автоответчика у него не было сроду, что номера сотовых у него бесконечно менялись, не уследить, словно он был одержим манией преследования.

И единственное, что она могла бы сделать, — это нагрянуть к нему на рю Обрио...

Но на завтра у нее был билет в Лозанну: срочные дела, новый увлекательный бизнес. Отец говорил: «Твои игрушки», — а дядя Гвидо очень ее поддерживал и был искренне рад, что Николь наконец-то бросила заниматься всякой ерундой и, *потренировавшись*, лет через пять готова будет войти в совет директоров семейного банка.

В ближайшие месяцы она не планировала оказаться в Париже.

* * *

Войдя в номер, Айя заперла дверь, опустилась на кровать и долго тупо раскачивалась, собираясь с силами. Мыслей у нее не было никаких. Любой предмет, попавшись на глаза, приобретал скрытый смысл и огромную выпуклую важность, что-то пытаясь ей рассказать, растолковать, имея колоссальное значение... Только ее жизнь не имела ни значения, ни смысла, ни будущего.

В какую-то минуту она обнаружила, что испорченной шарманкой нудит и нудит, без передыху, в такт своим раскачиваниям:

— *Леон чтоб ты сдох со своими бандитскими делами Леон видишь что ты наделал куда мне теперь гад ублюдок предатель!!!.. Леон... Леон... Умоляю тебя подонок сука мерзавец не бросай меня Леон!!! Вернись сволочь посмотри что ты наделал!!!..*

Она поднялась, открыла чемодан и как заведенная стала собираться, особенно аккуратно складывая вещи Леона.

Затем позвонила на стойку и попросила вызвать такси. Но когда машина приехала, Айя не сразу смогла выйти: ее опять рвало, бедный желудок просто сводило штопором — пустотой рвало, одной лишь горечью, одним только горем...

В зеркале ванной парили ее черные брови на белом лице с перепачканным ртом. А сама она была воздушным шариком, готовым взлететь и упереться в потолок, и навеки распластаться где-то рядом с алебастровой розеткой, окруженной выпуклыми виноградными гроздьями...

— *All' Aeroporto di Genova, per favore...*[1]

И закрыла глаза, и зубы сцепила, твердо намереваясь не заблевать машину.

[1] В Генуэзский аэропорт, будьте любезны... *(ит.)*

Она уже знала, что Леона нет. Знала, что опять должна бежать и прятаться. Не знала только, что беременна и что ей больше нечего бояться — ибо к берегу течением прибило вовсе не Леона, а человека, который так долго держал ее в страхе. Которого сейчас и хоронить-то было некому.

Возвращение

1

Первым лапу приложил Юргис, помощник капитана. Вернее, не лапу — просто двинул в челюсть ботинком, не утруждая рук: Леон валялся связанный на нижней палубе.

Жилистый, верткий, низколобый тип с неожиданно кокетливой родинкой в ямке подбородка, закоренелый садист и наверняка закоренелый уголовник — Леон понял это по распевному говорку, пересыпанному ласково-убедительным матом. Именно он выбил Леону первый зуб — впрочем, неизвестно, что делали с ним в той первой неудержимой ярости, первой ликующей злобе, когда, огрев по голове тяжелым фонарем, вытащили бессознательного из воды.

...Поначалу его медленно раскачивало между тьмой и тьмой. Едва он выкарабкивался на гребень — не света, нет, на гребень боли, а значит, осознания себя, — как та же боль обрушивала его в новый провал небытия.

Он не знал, хочется ли ему остаться на точке болевого равновесия, при которой можно думать. Очнувшись, первым делом пытался мысленно прощупать тело, и по тому, как не смог разлепить век в корке натекшей крови, по огненной пульсации в висках и затылке сам поставил диагноз: сотрясение. С той минуты больше сознания не терял, но лежал очень тихо.

Он уже понял, что связан по рукам и ногам широкой липкой лентой, какой были перевиты ковры. Он и лежал среди ковров, правый локоть чувствовал холодное прикосновение пластиковой пленки (значит, с него содрали гидрокостюм, еще бы: тот хоть немного защищал от ударов). По механическим шумам, иным, чем шумовой прибой в голове, Леон определил, что находится внизу, где-то над машинным отделением.

Время от времени вверху возникали и приближались неровные шаги (винтовой трап); к нему подходили, внимательно его рассматривали; тогда он замирал, замедлял дыхание и пульс, а о мышцах лица можно было не беспокоиться: из-за корки засохшей крови лицо наверняка выглядело устрашающей индейской маской. Его тормошили, проверяя по-разному: один легкими руками осторожно тряс за плечо, другой с небрежной ленцой попинывал ногами, и надо было сдерживать стоны. Затем шаги уносились в винтовом движении вверх.

Достала уже эта лестница ангелов...

Но однажды (он всплыл из очередного зыбкого провала и тихо радовался нахлынувшей боли: все еще жив) явились двое. Спустившись, остановились рядом, носок туфли поддел локоть Леона, сбросил на пол, и недовольный пожилой голос произнес по-русски:

— Не лучше ли решить эту проблему прямо сейчас? Он ведь мог и не всплыть. Мне не нужны приключения на борту, Юргис. И хозяин не простит мне этого триллера, он любитель других жанров. Учтите, что в любой момент...

— Но Гюнтер кричал, что *этот* — «разменная монета», — вкрадчиво перебил другой голос (*мистер Хайд, почему-то отметил Леон: голос сочный, с подливкой*). — Выходит, Гюнтер его знал? На кого-то собирался менять? Знаете, кэп, пусть там разберутся, пощупают падлу. Там люди бывалые, вмиг все прояснят... — И жестче уже добавил: — Да и момент упущен. Сразу надо было — того... А сейчас, если кто из команды проговорится...

С минуту оба молчали, затем пожилой голос брезгливо сказал:

— Но сделайте же что-нибудь, чтобы он не подох, если считаете, что непременно должны довезти его живым. Промойте рану, я не знаю, вколите что-то обеззараживающее! Что он валяется тут, как... падаль! Приведите, черт побери, его в чувство, Юргис, если вы так заинтересованы в том, чтобы его доставить.

Оба направились к трапу и, пока поднимались (капитан немолод, вновь отметил Леон уже по звуку шагов), продолжали негромко обсуждать ситуацию.

— Да, и позаботьтесь связаться с партнерами, — говорил капитан. — Боюсь, место встречи придется изменить, вопреки названию известного фильма. Передайте, что мы предпочитаем греческие воды. Греки — лентяи, патрульных катеров там практически нет, чего не скажешь про итальянцев, особенно в районе широты Мальты. Карабинеры там рыщут — дай боже...

— Ну дак африканов отлавливают...

Голоса удалились и стихли.

Но минут через десять спустился кто-то еще (шаги другие, моложе — *простодушнее*), и что-то полилось в миску или в тазик, затем на лицо Леона положили мокрую горячую тряпку — он чуть не задохнулся. Деловитые руки принялись смывать корку сохлой крови со лба и глаз, выжимать тряпку и вновь опрокидывать ее на лицо; горячие струйки затекали на шею и на грудь, хотелось ловить их губами. Кто-то, насвистывая, драил его, как палубу. Что именно насвистывали, Леон не определил (от этого зависело, на каком языке обратиться).

Он и лежал пока, не открывая глаз и не двигаясь. Затем в руку ему довольно топорно всадили иглу, и молодой голос шепотом отметил по-русски:

— Порядочек!

Леон качнул головой (загудело, как ветер в проводах) и приоткрыл глаза.

Справа, в проеме отворенной двери винтом взбегал трап. Значит, все верно: он в дальнем закуте нижней палубы, в той запасной, крайне неудобной каюте, которую обычно используют вместо кладовки. Сейчас здесь были составлены вдоль стенки и свалены рулоны ковров, среди которых он на полу и валялся. Боком к нему стоял, насвистывая и складывая шприц в коробку, матрос — судя по фигуре, совсем молодой парень.

Леон сказал:

— Братишка... — и не узнал своего голоса, иссохшего, ржавого.

Матрос обернулся и уставился на Леона: жадное любопытство в совсем еще детских — как у Владки — *круглозеленых* глазах.

— Мне бы... отлить... — выговорил Леон, еле ворочая языком.

Тот молча бросился к двери, взвинтился по трапу и пропал. Но через минуту спустился с тем омерзительным типом, при виде которого Леон понял, кто его отделал, кто затем ножки об него тренировал, проверяя реакцию. И голос узнал — сочный, с ядовитой подливкой: *мистер Хайд*.

— Шо, сука... не сдох?

— Ноги развяжи, — прошелестел Леон. — И... в гальюн. Я тут все обоссу.

— Я те щас хуй оторву, и ссать не понадобится.

— Как хочешь, — равнодушно выдохнул Леон. —
Но запах же... такая яхта... шикарная.

И вот тогда над ним взметнулась нога, и ботинок са-
данул по лицу так, что череп взорвался фонтаном огня,
а рот мгновенно заполнился фонтаном крови.

— О так будем, — удовлетворенно произнес над
ним Юргис. — Так будем культурно беседовать.

Леон помедлил, выплюнул соленую жижу вместе с
зубом, заметив, как мгновенно схлынула кровь с лица
молодого матроса, как еще больше зазеленели и окру-
глились его глаза. Подумал: паренек не в курсе; может,
нанят на разовую ходку.

— Банку принеси, — велел Юргис матросу. — Пусть
в банку ссыт, а там посмотрим.

...Через час его допрашивал капитан — тот, кто на-
стоятельно требовал выкинуть его за борт. На войне
как на войне. Сейчас Леону требовалось хоть приблизительно узнать, куда его везут и в чьи руки он будет
передан. В разных группировках по-разному извлека-
ли из пленных сведения, по-разному пытали. Сирийские исламисты из «Джабхат-ан-Нусра» или ребята
из лагеря «Нахр аль-Барид» любили горячие методы
допроса, что попроще: паяльник, кожу на лоскуты, и
совсем уже просто: голодные крысы или подземный
зиндан по пояс в нечистотах. В арсенале интеллекту-
алов «Хизбаллы» водились такие наркотики, от которых язык развязывался даже у трехдневного покойника. Но и те, и другие, и двадцать пятые обходились без
полиграфа — к чему он? Старая добрая пытка всегда
надежнее, чем эта правозащитная дребедень.

В перерывах между провалами тьмы он обдумал и наметил версию, наиболее приближенную к правде.

— Так кто же ты, любезный? Кто тебя послал?

Склонился и в ухо кричит — на всякий случай. Это правильно: надо усилить впечатление, что мозги у клиента выбиты вместе с барабанными перепонками.

Леон разлепил глаза с залитыми кровью белками: красиво поплыли вкось розовые удавы свернутых ковров, розовая койка, розовый иллюминатор...

Над ним сидел на корточках классический капитан яхты из английских детективов средней руки. На своих концертах и спектаклях Леон видывал множество подобных лиц: благородные залысины, пегая бородка тихо струит перхоть, брезгливые складки язвенника навеки застряли в углах вялого рта, выговор «интеллигентного человека»... Какой-нибудь отставник с морским образованием. Этого первым делом следует перевести на «вы», поменять тональность общения.

— Я артист парижской «Опера Бастий», — вежливо, даже покорно прошамкал он. — Моя фамилия Этингер.

Отлично: седоватые брови полезли под фуражку.

— Это в консерватории учат приемчикам, которые мы имели честь наблюдать?

— Увлечение юности, — скромно пояснил Леон. — Восточные единоборства.

— Так-так. А пребывание в воде без акваланга чуть не десять минут, в течение которых вы прикончили человека, это...

— ...дыхалка оперного певца... — Говорить приходилось медленно, язык болезненно цеплялся за осколок выбитого зуба, слова взрывались на кончике пораненного языка. — И многолетний фридайвинг... увлечение юности...

— Я смотрю, у вас была бурная юность! В каком из тренировочных лагерей она протекала?

— В Одессе... Летний лагерь «Юный подводник», с пятого по десятый класс. Там же и яхт-клуб... — Он попытался повернуть голову, чтобы взглянуть капитану в глаза, и хрипло застонал. — Погуглите «Леон Этингер», «Ютьюб» откройте... Сбережете время.

Тот поднялся и молча ушел.

Вернулся через полчаса крайне, крайне озадаченный. Можно сказать, ошеломленный.

Спросил:

— Сидеть можете?

— Попробую.

— Костик, освободи ему ноги и... надо бы его одеть: майка там, какие-то штаны... Надеюсь, вы не сиганете за борт со связанными руками? Боюсь, даже вашей оперной дыхалки до берега не хватит.

Леон усмехнулся: сейчас его заветная мечта ограничивалась самостоятельным ползком до гальюна. Значит, матроса звать Костик, значит, команда преимущественно русская, исключая того моряка-араба, с которым он перекинулся двумя словами, ну и, может, кого-то еще. *Самого* — в смысле, Крушевича — на яхте нет, иначе он бы уже появился.

Костик сбегал за ножницами, перерезал плотные слои липкой ленты, стал помогать Леону подняться — безуспешно: стены, потолок, пол, спираль трапа завертелись в вихре и обрушились на голову... Он застонал, повис на Костике — сильная боль в правом боку мешала вдохнуть. Значит, ребро сломано, а может, и два.

— Я... полежу, можно? У меня, видимо, сотрясение и... перелом ребер.

— Ну, лежите, лежите... Это Юргис над вами потрудился.

Капитан снял фуражку, вытер платком испарину на залысинах, вновь фуражку водрузил.

— Мда, — сухо обронил он, — полистал я вашу артистическую жизнь. Голос изумительный. Даже в «Википедии» пишут: редчайший. «Мистер Сопрано» из рук принца Эдинбургского, лауреат, и солист, и черт-те что... Бред какой-то! Я, признаться, в полном обалдении, маэстро: вы что натворили, а? Вы хоть понимаете, кого отправили на тот свет?

— Отлично понимаю, — проговорил Леон настолько твердо, насколько это позволяли разбитые губы, распухший язык и эхо в затылке от каждого вслух произнесенного слова. — Я избавил мир от последнего подонка. От растлителя и насильника невинных душ.

Наступила пауза, в которой только ровный рокот дизеля заполнял молчание.

— Что-что? — вежливо произнес капитан и даже головой помотал, будто воду из ушей вытряхивал. — Что за чепуха! Это что — «Риголетто»?

— Вы спросили, я ответил, — так же сухо отозвался Леон. — Да, я его преследовал. Я намеревался убить мерзавца Гюнтера Бонке и цели своей достиг. Больше ничего не скажу. Это — личное.

— Личное?! Вы понимаете, что с вами сделают буквально через несколько дней? Разминка Юргиса покажется детским утренником. Вас передадут в лапы настоящим профи, которые играют на всех инструментах: паяльник, иголки, вырезание ножичком по спине... вдувание в анус спецраствора, весьма неприятного... Вы, простите, идиот или кто?!

Леон отвернулся.

Эта пауза требовала большей длительности, но и переиграть было опасно.

Супец, прости за некоторые поправки к твоей био- **303**
графии.

Наконец он перевел набухший кровью взгляд пря-мо в глаза капитана.

— У вас есть дочь? — спросил он.

— А при чем тут?.. У меня сын... и внучка четырнад-цати лет.

— Прекрасно. Надеюсь, воображением вас бог не обидел? Тогда представьте, как вашей внучке зажимают лапой рот, затаскивают в комнату, дверь запирают, чтоб не вырвалась, и... ну, представили? — Он задыхался от боли в боку, обрывал себя, чтобы сглотнуть сгустки кро-вавой слюны. — Только представить надо лицо именно внучки: зареванное, драгоценное — для вас. Вы внучку... любите? Как ее зовут — Настя, Маша... Леночка?..

Этот монолог не стоил Леону ни малейших арти-стических или психологических усилий: он столько раз мысленно представлял себе и проживал куда более страшную картину нападения на Айю в Рио, что ника-кой сука-полиграф его бы не смутил.

— Что, как? Дорогой подросток: прыщик на лбу, грудки нулевого размера...

— Ну, хватит! — передернув плечами, оборвал капи-тан. Видимо, с воображением у него все было в поряд-ке. — Вы хотите сказать, что Гюнтер Бонке... Послу-шайте, я его знаю года три и... плохо себе представляю... э-э... картину. Он был человек серьезный и... занятой. И о ком идет речь, черт побери? Не хотите же вы ска-зать, что у вас есть дочь четырнадцати лет!

— Речь о моей невесте, — тихо, с трудом выговорил Леон. — Она же — племянница этого мерзавца.

— Ах вон оно как... — протянул капитан. — Ну да, понимаю, понимаю... Ваши мужские чувства пони-маю, но... Слушайте, вы не спутали оперу с жизнью? Вы же убили человека. Убили! Человека.

— Не человека, а преступника.

— Расскажете это суду: что он преступник, а вы — мститель на белом коне. Вернее... — Капитан опять достал платок и вытер лоб. — Вернее, к сожалению, не суду, а тем, кто не станет слушать ваше оперное либретто о погубленной девочке.

Он поднялся.

— Очень сожалею, Этингер. Вы, конечно, замечательный певец, но клинический идиот-ревнивец. Вот убитый вами Гюнтер Бонке был человеком недюжинного ума, пусть даже и побаловался в свое время вашей невестой. Не убил же он ее, черт вас возьми! Короче, боюсь, в скором времени ваши уникальные голосовые связки пригодятся для звуков, слух не ласкающих. Искренне желаю вам выползти живым из этого кошмара. А пока вон Костик — он у нас заведующий аптечкой — перевяжет вашу дурную голову и... ну, если там гальюн по нужде — дотащит. Костик, понял?

По крайней мере, Юргис больше не упражнялся на его ребрах — наверное, капитан призвал старпома к сдержанности. Звали капитана Алексей Романович, был он, безусловно, приличным человеком — если за скобками оставить участие в плутониевых бегах. Поплавал в своей жизни немало, и не на таких элегантных шлюпочках, а на больших сухогрузах. Вышел в отставку, получил выгодное предложение, которым дорожил, и любые эксцессы на судне искоренял при первом дуновении опасности. На хорошо сыгранную простодушную просьбу Леона «сообщить моему оперному агенту о моем положении» (в случае безумного согласия дал бы *городской* телефон Джерри) капитан отпрянул и перекрестился:

— Нет, ну вы, извините, совсем не от мира сего, оперный мститель! Наваляли дел, а теперь еще приглашаете Интерпол заглянуть на наше мирное частное судно?

Пожал плечами и ушел. И больше не показывался.

Надо думать, не он один пребывал в замешательстве. Неожиданная сценическая ипостась пойманного убийцы озадачивала, образ рассыпался: оперный хлюпик, *пидор писклявый*, на глазах яхтенного экипажа нейтрализовал двух охранников Гюнтера, а потом утащил в глубину и там прикончил его самого.

* * *

Двое суток Леон только воду пил, лежал на полу неподвижно, пытался заспать стреляющую в затылке боль и тягучее нытье в правом боку. На третьи сутки полегчало, зато усилилась волна, и навалилась мутная тошнота от постоянной качки в замкнутом пространстве. Ну что ж: «Кто в шторме не бывал, тот богу не молился...»

Мысленно он прикидывал маршрут, ибо уверен был, что везут его — вповалку с коврами — прямиком в Бейрут, к «Хизбалле».

Яхта шла на хорошей скорости узлов в пятнадцать. Если б самому пришлось идти на такой яхте, рассчитывая все параметры хода, оптимальным маршрутом был бы такой: от Портофино вдоль берега до Валетты по внутренним водам Италии — это примерно 760 миль, двое суток, — а дальше... Что там сказал капитан о месте какой-то «встречи» на... Мальте? Нет, он хотел перенести «встречу» куда-то в район греческих островов. Значит, от Валетты в Грецию пройти между Критом и материком, а потом Родос—Кипр—Ливан, примерно так...

В любом случае у него есть еще трое суток, не меньше, но и не больше: нет оснований думать, что, имея

306 на борту, помимо опасных *плутониевых ковров*, столь неудобный груз, как избитый и связанный артист Парижской оперы, экипаж захочет остановиться и полюбоваться закатом или там искупаться в морской воде, дожидаясь любопытствующих стражей порядка... Нет, наверняка они будут шпарить пятеро суток без остановки — навигационные приборы позволяют ходить даже ночью на автопилоте. Да и автопилот не потребуется: у них на яхте людей достаточно, вряд ли Крушевич экономит на команде.

Раза два Юргис спускался подискутировать, и хотя у него явно чесались руки *пошевелить говнюка*, он просто описывал, пересыпая посулы смачным матом, что с Леоном сделают *знающие в этом толк ребята*.

— И тогда ты споешь им серенаду...

— Я требую, чтобы меня передали официальным властям, — Леон с трудом ворочал деревянным языком, — и сообщили в посольство Франции о...

В ответ Юргис заходился рассыпчатым девичьим хохотком.

— А это и есть официальные власти, — уверял, отсмеявшись и отирая слезы удовольствия. — Самые что ни на есть официальные в той местности, с во-от такущими обрезами! Ты вышку получишь вполне официально. Но перед тем, обещаю, пидар: ты на полную катушку споешь им серенаду своего шопе-ена, поял?

— Шуберта, — поправил Леон, и за это в последний раз на данном этапе плавания был отправлен в нокаут.

Костик, в сущности, ничего не знал; Леон просчитал верно: тот был нанят на одну ходку. Три курса Херсонского медучилища, хороший мальчик, горячее желание помочь деньгами маме после скоропостижной смерти отца. Через брата хорошего знакомого нанялся куда-то сплавать недели на две и в Керчи, в портовой тошниловке, разговорился с приятелем Юргиса... Ну, а дальше все прекрасно сложилось: и денег тут предложили больше, и документы оформили без проблем. Заграницу опять же повидать охота: Италия, Лигурийское побережье — столько в мире красоты...

Капитана Алексея Романовича Костик побаивался и уважал; Юргиса боялся до смерти. Подкатываться к юноше с будущими деньгами было опасно: под давлением мальчик мог все и вывалить. Да он и не решился бы ни на что, Леон и не заикался — незачем губить пацана. Зато раза три добросердечный Костик шепотом ронял пару фраз — вообще, про обстановку. Как-то шепнул, что *из-за этого кипеша* поменялся маршрут: должны были идти на Мальту, а сейчас в Грецию идем, куда-то севернее Родоса. Там ковры перегрузят на другое судно.

— А что — ковры? — спросил Леон равнодушно. — Контрабанда, что ль? Такие ценные, чтоб следы заметать?

— Следы? — удивленно переспросил Костик, — заметать? Да ковры, я думаю, ни при чем. А если кого и заметать — только тебя.

И тут Леон вопреки здравому смыслу сделал опрометчивую попытку уговорить парня на *эсэмэску невесте*, но Костик даже отшатнулся и головой помотал; схлынула с лица краска, обнажив гречку веснушек на скулах.

— Ты что?! — крикнул шепотом. — Меня Юргис убьет. Дознается — и хана мне.

Потупился, проговорил, не поднимая глаз:

— Извини, у меня мать хворает, не стану я в эти игры затеваться. — И, подняв голову, укоризненно добавил: — Ну, и потом: ты ведь прикончил его, что, нет?

— Прикончил, — согласился Леон.

— Видишь, — вздохнув, сказал Костик. — Значит, все справедливо.

Тем еще он был эскулапом, но рану на голове промывал и дезинфицировал, наложил повязку и таскал на себе в гальюн — за что ему немеркнущее спасибо на все оставшиеся дни. Дольше *дней* Леон не рассчитывал продержаться — *учитывая ситуацию в нашем славном регионе...*

К сожалению, он знал — в ужасающих подробностях, — что его ждет на различных этапах «дознания». К сожалению, отлично представлял себе весь прейскурант их фирменных «методов давления» — лучше было не думать.

К сожалению, он знал, что заговорит — говорят все. Вопрос в том — что говорить, и как говорить, и сколько будет работать версия раскаленного жениха-мстителя, после которой нужно будет сменить, вернее, обновить, и не единожды, арию: он собирался потаскать своих мучителей, насколько выдюжит, по лабиринтам нескольких легенд — как волк до последнего судорожного вдоха таскает на своей шкуре висящих на ней псов.

Ох, воистину — блаженны несведущие...

На четвертый день ближе к ночи дизель сбросил обороты до малой скорости в один-два узла, и яхта вошла в бухту — Леон услышал лязг якорной цепи и подвывание электрической лебедки. Значит, берег дикий, пришвартоваться негде, стоянка якорная...

После нескольких дней постоянного гула дизелей наступила тишина, лишь мелкая волна плескалась о борта.

Явился Костик, сменил повязку на голове, обронил 309
сквозь зубы: островок-крохотулечка, Алимия — название, совсем пустынный: один колючий кустарник вокруг и развалины старых немецких казарм. Но бухта
удобная, закрыта с трех сторон. Вот и все... Ждем встречи, сказал.

И часа через три к нему спустились двое — Юргис
и матрос-араб, с которым Леон так приятно и полезно
общался с лодки. Вновь его *мумифицировали*: широкой
лентой запеленали ноги, руки прижали к бокам и за-
клеили рот («Давай, шопен, прочти мне напоследок
лекцию»). После чего, перекатывая по полу (в голове
от виска к виску металась шаровая молния), завернули
в ковер.

Задохнусь, обреченно понял он. Зачем? Неужели
эти идиоты ничего не хотят выколотить из пленного...
Но нет: оставили, трудяги, малый просвет меж лицом
и слоями ковра, так что воздух, и без того ароматизи-
рованный каким-то мерзким средством от ковровой
моли, скудно проникал в щель. Мука была мучени-
ческая: пыльное крошево забивало ноздри, в голове на-
растал мерный прибой, перед закрытыми глазами возник и поплыл оранжевый диск...

Пяти минут этих дыхательных упражнений хватило, чтобы Леон потерял сознание.

* * *

Когда его вновь ослепила синева полуденного неба,
он зажмурился от рези в глазах и жадными рывками,
как собака, стал втягивать ноздрями соленый морской
воздух. Потому не сразу увидел, кто над ним нависа-

ет, — что подарило еще несколько секунд пусть не надежды, но желания жить и дышать. Потом с его многодневной щетины и запекшихся губ с треском и болью отодрали клейкую ленту, он открыл глаза, и желание жить пропало: над ним, скалясь от ликующей ненависти, нависала физиономия восточного джинна с рассеченной бровью, так и сросшейся в изумлении. Жесткая, как надкрылья жука, черная челка придавала этому дикому лицу нелепо женское выражение.

Чедрик: телохранитель, прислуга, порученец, а отныне и черная вдова Гюнтера Бонке.

2

Самолет из Брюсселя опоздал минут на сорок, так что к выходу пассажиров Натан Калдман успел тютелька в тютельку. Завидев высокую круглоголовую фигуру в дверях багажного отделения, он молча махнул рукой и терпеливо ждал, пока Шаули проберется через объятую воздушными шарами толпу встречающих.

«Почему мы всегда так оголтело радуемся возвращению *своих* из-за границы? — подумал Натан, — будто из опасных экспедиций или, не дай бог, из плена возвращаются. — И спохватился: — А ты — что? Ты-то как раз и встретил *своего* — из опаснейшей экспедиции».

У Шаули с собой была только небольшая сумка через плечо, и Натан в который раз восхитился: как тому удается всегда быть налегке!

Еще минут пять ушло на то, чтобы отыскать на огромной крытой парковке старый Калдманов «BMW»... Наконец с территории аэропорта, похожей больше на апельсиновые плантации, они выехали в сторону Иерусалима.

— Ты голоден? — спросил Натан.

— Не настолько, чтобы сожрать твой пиджак, но перекусить непрочь.

— А я ужасно голоден, не помню, когда и ел по-человечески. Мечусь, как крыса, между *конторой*, мыльными мальчиками из МИДа, собственным сыном и обезумевшей Магдой... За последний месяц она похудела на восемь кило и превратилась в мощи. Не возражаешь, если заедем в Абу-Гош?

— А там по-прежнему хороши бараньи ребрышки?

— Не так, как раньше, но вполне съедобно.

Оба замолчали. Не стоит ему гнать так машину, подумал Шаули, с его-то сердцем. Но как это поделикатней сказать? В отличие от Кенаря, который лепил Натану все, что хотел, Шаули привык держать себя с Натаном довольно церемонно.

Им предстоял тяжелый разговор двух виноватых мужчин, и Натан чувствовал, как сопротивляется Шаули, как внутренне протестует против этой вины, как много бы отдал за то, чтобы живой-здоровый Леон распевался где-то там, в своем Париже, на своих подмостках — *не востребованный конторой и свободный*.

А больше всего мы хотим, чтобы все было кончено в ту или другую сторону, как это ни жестоко, подумал он. Ибо так всем будет легче. Всем... кроме Магды.

Свернув на Абу-Гош, большую арабскую деревню, широко и без всякого плана разбросанную по склонам холмов, они поехали главной асфальтированной улицей мимо теплиц, закусочных, лавок и гаражей.

Как и любая арабская деревня, эта была застроена домами в причудливом местном стиле, сочетавшем венецианские окна и флорентийские галереи вторых этажей с куполами турецких бань и бетонными столбами, на которых строения выглядели грандиозными курятниками. Припарковались у одного из таких.

Сейчас здесь было пустовато — будний день; но по субботам сюда наведывались гурманы даже из очень отдаленных мест. Ресторан этот лет тридцать держала одна семья, и посторонних тут не было даже на подхвате, даже на самой черной работе. Всем — и в кухне, и на террасе, и в трех залах — заправляли свои: старик с несметной ратью сыновей, племянников и внуков. Все поджарые, сноровистые, с узкими и смуглыми бровастыми лицами; все в белых рубашках и черных брюках. Потому что черкесы, Кавказ, мужчины... рассеянно отметил про себя Натан. Действительно, мусульманское население этой дружественной деревни, по преданию, имело черкесские корни, и потому здешние мужчины никогда не участвовали в боях против Израиля; наоборот, многие даже служили в армии и погибали за страну, и гордились боевыми заслугами и могилами сыновей на военных кладбищах.

За барной стойкой, облицованной иерусалимским камнем, посетителей встречал муж одной из младших дочерей старика-хозяина, видный черноусый мужчина с выправкой председателя адыгейского колхоза советских времен.

И Натан и Шаули тут бывали не раз, обоих хозяева знали в лицо, считая *какими-то шишками в МИДе*; так что, едва они поднялись по лестнице на второй этаж и показались в дверях застекленной террасы, из внутренних покоев дома был немедленно вызван глава клана, старый Али. Он поспешил к гостям с горделивой приветливой улыбкой и провел их в дальний, самый изукрашенный, сейчас совершенно свободный от гостей «свадебный» зал, где среди зеркал, хрусталя, позолоты, лепнины и прочего густого восточного *апофеоза красоты* стояли ряды простых деревянных столов без скатертей. Несмотря на раззолоченное великолепие обстановки, Али не терпел «всех этих американских глупостей». Стол должен быть чисто выскобленным — это раз. Второе: салфеток побольше, ибо местная кухня богата ароматным бараньим жиром — разве на него напасешься этих изысканных крахмальных тряпочек! Салфетки — самые простые, бумажные, в алюминиевых коробках с окошком — присутствовали в центре каждого стола: тяни, сколько потребуется.

Закуски тут не менялись со времен Войны за независимость и грешили некоторым избытком перца и уксуса, но хумус и бараньи ребрышки были просто божественны.

Когда парнишка, присланный их обслужить (хозяйский внук или внучатый племянник), был допрошен на предмет *что из мяса сегодня особенно удалось*, получил указания и испарился, Шаули еще с минуту досказывал, как его дядя мариновал баранину: в вине, с розмарином и кумином. После чего, без всякого перехода, навалившись грудью на стол, подался к Натану и негромко сказал:

— К сожалению, на сегодня мне хвастаться нечем. Хотя, поверь, я вывернулся наизнанку и вывернул всех своих людей. Знаю только, что он все еще жив. Не представляю, что он им скармливает и на чем держится. Разве что арии свои поет...

Он аккуратно вытянул из плетеной корзинки нож и вилку, передал их Натану.

— Возможно, его *прилечивают* — там же врачей достаточно — с целью обмена или выкупа в будущем.

— Его перевозят с места на место, — буркнул Натан, принимая прибор. — Одно убежище мы засекли по прослушке: соблазнительно близко, деревня Хиам, несколько километров от Метулы. И в моей воспаленной башке сразу взыграл некий молниеносный план... Но в ту же ночь его уволокли в другую бетонированную дыру, и далеко — куда-то в район Ан-Наби Отман, в Бекаа. Их же там сотни, этих дыр. Чуть не под каждым домом и непременно под каждой мечетью: чтобы Аллах слышал стоны неверных... Нам еще повезло с этим их сирийским бардаком: в другое время Кенарь в считаные дни был бы в Иране, а это конец. — Он развел руками: — На глазах у всех прикончить не кого-нибудь, а координатора по связям КСИРа с «Хизбаллой» — это, я тебе скажу... На допросы к нему наверняка уже наведались спецы из Тегерана. Скорей всего, унюхали наш след.

— Не думаю, — возразил Шаули. — По почерку-то — след вовсе не наш. Не взрыв, не пуля... Смотри, ведь что он надумал, затейник: топить котенка. Кустарь-одиночка, одержимый местью. Уверен, он держится именно этой версии: личная месть — пылко, романтично, идиотски наивно... Разве это *наш* почерк? И потом: о нем же все можно прочитать в Интернете: всё — блеск и позолота, всё — на сцене, на виду. Французский певец, публичная персона...

Натан помолчал и сухо произнес:

— Вот именно. Можно подумать, ты цитируешь Нахума Шифа. Он мне так и заявил: французский певец, говорит...

Шаули раздраженно пожал плечами:

— Нахума можно понять: все было размечено по минутам, на Мальте *этих ковровиков* поджидали надроченные итальянцы. Но ковровики поменяли маршрут, потому что на борту был Кенарь... Разве не так?

Натан ничем не отозвался на это справедливое замечание. Только с угрюмым ожесточением проговорил:

— Никогда не прощу себе, что втянул его в эту историю.

— Перестань! — мгновенно отозвался Шаули, будто
ожидал именно этой фразы.

Паренек с тяжелым подносом в руках локтем приоткрыл дверь и втиснулся боком. На подносе — сте-
клянный кувшин с лимонной водой (ветка мяты колы-
шется темно-зеленой водорослью), корзинка с питами
и десяток фаянсовых плошек — в каждой горстка какой-нибудь закуски. Выставив в центр стола питы и
тарелку с хумусом, парень симметрично расставил фа-
янсовые плошки, полюбовался морковно-свекольной
мозаикой закусок и исчез.

Вот что здесь было чертовски удобным: никто не
нырял тебе под руку — вытащить тарелку с недоеден-
ным куском, никто не встревал посреди разговора с
елейной улыбкой — *вкусно ли и все ли о'кей?* Деликат-
ность и достоинство Кавказа, вновь подумал Натан.
Слишком часто весьма занятые люди встречались здесь
за напряженной и трудной беседой.

Среди закусок две-три были вопиюще острыми, и
Натан, который за десятки лет так и не смог пристра-
ститься к местной пище, инстинктивно подвинул их
к Шаули: тот в еде был настоящим огнепоклонником.

А вот питы здесь пекли сами — поджаристые и легкие, прямо с лопаты, они еще дышали живым огнем,
и Натан, оторвав и отправив в рот кусок, обжегся, за-
дышал рывками, остужая во рту хлеб.

— Он у меня, знаешь, прямо перед глазами — в тот
день, в венском кафе, — сумрачно продолжал он. —
Такой элегантный, с ума сойти, в неброском дорогом
костюме, зубы — жемчуг. И эти руки артиста, глаз не
оторвать! Помню, подумал: мальчик в зените благопо-
лучия, стоит ли его тревожить. А как Магда кричала,
боже, когда я проговорился, что еду к нему на встречу!
«Вы оставите его в покое!» Чуяла, наверно...

— Перестань, — упрямо повторил Шаули, хотя губы его на мгновение сжались, а к горлу подкатила волна желчи. — Ты и отпустил его, когда...

— ...когда он добыл нам «Казаха», — кивнул Натан. — И не отпустил, а вышвырнул вон. Еще и пригрозил — из-за той глухой девочки. Где она, кстати?

— Понятия не имею. Как сквозь землю провалилась. Согласись, после неудачи в Портофино группе было не до возлюбленной Кенаря — особенно когда они поняли, что сам он — на этой проклятой яхте и невозможно ни ликвидировать ее, ни перехватить. Но вот что интересно...

Шаули вытянул из жестяной коробочки салфетку и стал протирать ею вилку и нож — давняя самолетно-железнодорожная привычка вечно странствующего человека, брезгливого по натуре. Если бы это увидел Али, он бы умер от оскорбления.

— ...Интересно вот что: то его электронное письмо, полученное по условленному адресу и так грамотно отправленное бог весть откуда, — подробное, с анализом ситуации, с описанием и уточнением места, с разъяснением насчет плутония и способа его доставки в полых металлических штангах, с идентификацией исчезнувшего Виная с Гюнтером Бонке... Кем оно было послано? Кем, если не той глухой девушкой? Неужели он посвятил ее в суть операции? Кенарь?! Ни за что не поверю.

— Она оставалась единственной, кто был рядом, — сухо возразил Натан. — Мы позаботились о том, чтобы изолировать его полностью, отстранить, отсечь, вынести за скобки... А он опять оказался лучшим.

— Он оказался самонадеянным фраером и провалил всю операцию! — раздраженно напомнил Шаули.

— Он опять оказался первым, — упрямо повторил Натан, — хотя и да: безоглядным и безрассудным.

Принесли ребрышки в облаке румяного пара — пиршество, достойное молчаливого наслаждения, — и Шаули набросился на еду.

— Ешь! — он кивнул на блюдо. — Ты же хотел есть!

Натан смотрел, как Шаули выгрызает мякоть из излучины кости. Ел тот по-настоящему, без этих ресторанных глупостей: просто взявшись рукой за косточку, так что по пальцам потекли прозрачные капли горячего жира... Проголодался парень. Знамо, чем кормят в этих самолетах...

— Я забыл поблагодарить тебя за то, что откликнулся и приехал, — вновь заговорил Натан. — Понимаю, чего тебе это стоило. Бьюсь тут один против всех. Кенарь — уже не наша проблема, говорит Нахум. «Посмотри в "Википедию": его биография не включает такого факта, как израильское гражданство». И бесполезно напоминать обстоятельства, при которых они его отлучили, да и кому напоминать: столько лет прошло после ухода Гедальи, в комитете уже все по-другому, вокруг меня совершенно другие люди. Не стану спорить: жесткие, устремленные, башковитые. Но... они *другие*, понимаешь, — не в том банальном смысле, что смена поколений, а во всем другие: иная эпоха, новая *тачскрин-цивилизация*.

— Это ты к тому, — наклонясь над тарелкой, чтобы не забрызгать жиром рубашку, промычал Шаули, — что романтические времена «Энтеббе» миновали безвозвратно?

— Для них Кенаря будто не было... — не слыша его, продолжал Натан. — Он в одиночку уничтожил разработчика и куратора чуть не всех терактов КСИРа и «Хизбаллы», совершенных за последние годы по всему миру, а они делают вид, что ничего не произошло.

Шаули уклонился от комментария — мол, благодаря все тому же блистательному Кенарю в руки врагов

318 попал столь необходимый им плутоний... Бросил на тарелку добросовестно обглоданную кость последнего ребрышка, не торопясь вытянул целую пачку салфеток, стал тщательно вытирать каждый палец... Долго молчал, возвращаясь то к одному пальцу, то к другому, что-то там подтирая и полируя салфеткой ногти. Наконец спросил:

— А что с той иранской шишкой, с генералом Махдави, он ведь дядя нашего знатного утопленника? Генерал-то нами наверняка выпотрошен, теперь можно и поторговаться...

— Это первое, что пришло мне в голову! — горячо перебил Натан. — Махдави — отыгранная карта. Зачем он нам? Он все выложил. Кормить его оставшиеся тридцать лет? Конечно, поднимется скандал, когда он соберет первую же пресс-конференцию в Тегеране или где там — в Женеве... Но мало ли какой дипломатический хай мы переживали. Вспомни хотя бы Дубай... О Махдави я сразу подумал. И знаешь, что сказал на это Нахум? Мол, ни персы, ни «Хизбалла» на такой обмен не пойдут, потому что и для них генерал Бахрам Махдави — отыгранная карта. Скорее всего, в придачу к Махдави они потребуют много такого, на что никто *в конторе* и в правительстве не пойдет. Если б Гюнтер Бонке был жив, мы бы еще рассчитывали на его родственные чувства к дяде. Но Кенарь, как известно, пленных не берет... К тому же ясно, что мы никак не можем фигурировать в кадре, если только... — он тоскливо вздохнул, — ...если только из Кенаря уже не выжгли всей его биографии. А потому, во-первых, спасибо тебе, что приехал...

— Во-первых, ты забыл, что Кенарь и мой друг тоже, — перебил Шаули. На его гладко выбритых щеках все еще лоснился жир от бараньего мяса. — Он — мой друг, что бы ни выкинул и как бы далеко мы с ним ни разбежались. И когда я говорю тебе, что после твоего звонка вывернул наизнанку все и всех, я говорю чистую правду. Я задействовал даже Леопольда, хотя это было рискованно: с чего бы мне, его партнеру, богатому иранскому еврею, владельцу сети крупных ковровых предприятий, беспокоиться о каком-то романтическом дураке, якобы племяннике давнего друга, который полез мстить по дурацкой любви... ну и так далее... С чего бы мне обращаться к нему за помощью, если я *не подозреваю* его в связях с DGSE? Но я пошел на этот риск, пошел, не зная, чтó на сегодняшний день спецы из «Хизбаллы» успели вырезать и выжечь из Кенаря... Больше я не могу рисковать: Леопольд — бесценный агент, мое сокровище, мое главное достояние...

— ...подаренное тебе, если не ошибаюсь, тем же Кенарем, — вкрадчиво дополнил Натан. И оба надолго замолчали.

Шаули провел рукой по подбородку, спохватился и принялся так же маниакально полировать салфетками свои детские ямочки, благодаря которым его улыбка выглядела столь безоружно-наивной.

Внезапно грянул над холмами нутряной тягучий зов муэдзина, и сразу ему отозвались несколько других — более высоких, напряженных голосов. Минуты две они плыли в воздухе над деревней, переливаясь и скользя, как водяные змеи, пока так же внезапно не оборвались.

— Вот эта их новая мечеть, — спросил Натан, кивая в панорамное окно на склон горы, где круглый купол целился в небо четырьмя тонкими круглыми минаретами, увенчанными тускло-золотыми конусами-колпачками. — В ней что-то есть, а?

— Я бы предпочел другие виды у себя на родине, — уклончиво заметил Шаули.

— Это ты зря. Черкесы никогда не были нам врагами. Возьми хотя бы здешних христиан: аббатство крестоносцев Эммауса и церковь Ковчега Завета — они прекрасно тут существуют, и никто их не обижает. Ты бывал на их музыкальных фестивалях?

— Не пришлось...

Натан помолчал и сказал:

— Леон мечтал когда-нибудь спеть в аббатстве. Там прекрасный по акустике молитвенный зал, фрески великолепные... Говорил: «Это будет моим возвращением в Иерусалим».

— Почему ты о нем — в прошедшем времени?! — вскипел Шаули, и это его восклицание на минуту словно бы приоткрыло клапан над неторопливой спокойной беседой двух мужчин, клапан, в который немедленно хлынула струя боли.

Натан невозмутимо ответил:

— Потому что я — старый хрен и не слишком надеюсь когда-нибудь его увидеть. Не обращай внимания. Я о чем: эту нарядную мечеть, мечту Али-Бабы, — он кивнул за окно, — вроде бы построил российский чеченский босс. Это правда?

— В общем, да...

— Я все думаю *о нашем деле*, о возможных путях... Например, о России, где джихад расцветает и колосится, где салафиты снюхались с мафией так, что внутри России уже существует их собственная, параллельная экономика, и не примитивный бандитский рэкет, а — высокая честь! — *закят*[1] на нужды джихада... Не подумать ли об этом? Джихад сегодня — всюду: вчера парни воевали в Афганистане, сегодня в Сирии, завтра в Ираке... И всюду слышна русская речь — как на той съемке, помнишь, где сирийские бандиты отрезают голову католическому священнику? Наемники, им все равно,

---

1 *Зд.:* оброк *(араб.).*

где и кого убивать. Уверен, что и Кенарь *там* слышит русскую речь... Так о чем я: не попытаться ли аккуратно прощупать выход на русскую мафию — уж они-то знают, как говорить *со своими*.

— Оставь бандитов в покое, — проговорил Шаули, смяв очередную бумажную салфетку и бросив ее в плетеную корзинку. — Ничего хорошего из этого еще не выходило. Не марайся перед пенсией...

Он уже был сыт, но напоследок отщипнул и отправил в рот еще кусочек питы — теплый, не удержаться. Задумчиво проговорил:

— Если хочешь моего мнения: попытайся действовать по внутренним каналам. Здесь, дома. Тихо, неторопливо, не ломая дров... Что, мало у нас *своих?* Протряси как следует Хайфу — там целый винегрет из полезных и штучных людей! Возьми бахаев, ахмадитов — это ж всё *хабадники мусульманского мира*, святые неформалы: с одной стороны, на них *харам*[1] из самой Саудии, с другой стороны — они весьма влиятельны по всему миру, и ребята вполне вменяемые. Да и у друзов родственные связи в Ливане.

Шаули оторвал взгляд от минаретов, наведенных с земли, как ракеты, и перевел его на Калдмана, за чьей сутулой спиной в золоченых рамах висела парочка истошных пейзажей: зеленые водопады, желтые скалы, красный леопард на дереве. Над гранитной лысиной Натана шевелила подвесками театрально тяжелая бронзовая люстра.

— В конце концов, выйди на наших черкесов! Именно: обратись к черкесской знати.

Подобрав с тарелки баранью косточку, Шаули рассеянно покрутил ее, как бы рассматривая, не осталось ли там кусочка мяса, бросил назад в тарелку и, внезапно вспомнив что-то, спросил:

1   *Зд.:* проклятие *(араб.).*

— Кстати, как там Зара?

— Зара — пожилой человек, — отмахнулся Натан. — Она старше меня! Знаешь, где она сейчас? В уютном таком недешевом местечке, между Рош-Пиной и Цфатом. Такой... санаторий, что ли. Очень респектабельное место. Зара там — заведующая спа, мы организовали ей эту должность, она заслужила.

Заслужила, подумал Шаули, понимающе усмехнувшись.

После пяти-то лет зверских пыток под управлением следователей из палестинского «Отряда 17», при участии «специалистов» из КГБ и Штази... И все это — в кромешной пещере где-то под Сидоном. Пять лет! Впрочем, это было давно... Заслужила, да.

— Напомни, когда ее обменяли? — спросил он.

— В восьмидесятом, на Кипре, при участии Красного Креста. — Натан оживился: — Что ты, ради Зары мы жилы рвали! В те времена израильские разведчики стоили недорого: мы сторговались на двух палестинских ублюдках, приговоренных к пожизненному за очередной взорванный школьный автобус. Сейчас за такого агента... да что там — даже за ее тело! — мы заплатили бы тысчонкой отпетых убийц. Все дорожает, включая покойников.

— Почему сирийцы не повесили ее, как Эли Коэна? — невозмутимо осведомился Шаули.

Натан улыбнулся:

— Потому, что она была черкешенкой, а не проклятой еврейкой; черкешенкой, с очень богатой и знатной родней... А мировой террор уже тогда учился торговать. И научился: одна только «Аль-Каида» с 2008 года по сегодняшний день выручила за пленных иностранцев кругленькую сумму: сто двадцать пять миллионов долларов. Восток всегда славился своими базарами...

Натан потянулся к кувшину и налил себе воды. Веточка мяты скользнула в его стакан и свернулась на дне темно-зеленой змейкой.

— Дело прошлое... Нет, Зара молодцом: прическа, стать, хорошая косметика. Руки только... похлеще моих. Знаешь, нежная женская кожа. Ну, ничего, она ходит в перчатках, это ведь может быть любая кожная болезнь, неприятная для красивой женщины, не так ли? А Зара до сих пор царственно красива. Главное, у нее нет чувства, что она списана по возрасту. Она не в мусорной корзине.

Натан задумался, уставясь на опустевшие плошки из-под закусок. Перед его глазами возникло скульптурно прекрасное лицо молодой Зары — еще до всего, до всего... Чем-то она была похожа на молодую Магду, но, конечно, гораздо красивей. Магда никогда красавицей не была — другим брала: умом, страстностью...

Он постарел, думал Шаули, как-то стремительно сдал за последние месяцы. И конечно, ему уже пора высаживать кактусы в своей знаменитой оранжерее. Вот что важно: почувствовать, когда ты устал, и не ждать той минуты, когда тебя попросят *выйти на ближайшей остановке*. Когда тебя *сопроводят в мусорную корзину*.

— Знаешь, а ведь ты прав! — Натан будто бы очнулся и перевел на Шаули такой проницательный и настойчивый взгляд, что тот внутренне напрягся — уж не прочитал ли Натан его мыслей. — Ты прав: съезжу-ка я завтра к Заре, посоветуюсь. У нее ведь и в самом деле богатейшая родня во Франции, в Австрии. Кто-то там из племянников по дипломатической линии... А ты тоже: проветри кое-какие свои знакомства. Глянь, кто сейчас в силе из *наших мусульман*. И еще: я понимаю, что с Леопольдом у тебя крайне деликатные отношения, понимаю всю сложность твоей ситуации, но... — Он положил обе руки на стол, и стало заметно, как подрагивают его пальцы, как подозрительно блеснули глаза из-под тяжелых век. — Было бы здорово, если б французы *взяли Кенаря на себя*. Видишь ли, сынок...

Он помедлил и со спокойной горечью подытожил:

— Мне кажется, в этом деле мы с тобой остались совсем одни.

3

Они были не одни.

Второй месяц Айя металась по Европе в попытках достучаться, доползти, *доцарапаться хотя бы до намека* — с той минуты, когда осознала, что Леон не умер, а просто... исчез.

Миновали первые безумные дни, когда она пересаживалась с самолета на самолет, часами болтаясь в белесых небесах, приникнув к иллюминатору, прожигаемому солнцем или заливаемому потоками дождя, будто гналась за Леоном на самой высокой скорости, какую только можно развить; будто надеялась настигнуть и вытащить его, увязшего в мертвенной ледяной трясине.

В Вене, стравив очередной гостиничный завтрак, она наконец задумалась, нашла по Интернету ближайший кабинет женского врача и, пробыв там десять минут, вышла другим человеком. С таким выражением лица покидают кабинет адвоката, огласившего завещание; так выглядит человек, минуту назад узнавший о полученном наследстве — хлопотном, трудном... прекрасном! Ей и оставили наследство.

В тот самый миг, когда в движении губ немолодого и утомленного гинеколога (будто на прием он явился после ночной смены в клинике) Айя разобрала *количество недель (vier Wochen[1], моя дорогая фрау)*, в самой глубине ее существа был остановлен заполошный бег, прекращена истерика, задавлен страх. И воскресшая надежда, проклюнувшись, стала расти вровень с крошечным ростком в ее утробе: будто новая *общая их жизнь* решительно и безоговорочно отменила смерть Леона.

— Вам надо нормально питаться, — сказал врач. — Судя по бледности, у вас низкий гемоглобин. И весу чуть-чуть набрать не помешало бы...

Она вошла в ближайшее кафе, заказала рыбу и салат и все деловито съела до последней крошки. Ужасно хотелось кофе, но она опомнилась и торжественно попросила травяного чаю. Прижала к напряженному животу ладонь, тихонько сказала:

— Слушай, ты... Сиди-ка ты тихо, ладно? И жри побольше. Нам нужно чуть-чуть набрать весу...

Вернувшись в отель, собралась, расплатилась чудесной карточкой Леона, которая никак не скудела, и, купив билет до Генуи, бесстрашно прибыла в Рапалло, где немедленно пошла на приступ полиции.

Кое-чему она все же у Леона выучилась: легенда была слабенькой, но вполне съедобной.

Тогда-то и тогда-то она путешествовала здесь с возлюбленным, который в один ужасный день (двадцать третьего апреля, если быть совсем точной) от нее сбежал. Испарился. То есть она уверена, что этот мерзавец сбежал, но, услыхав в аэропорту неприятный рассказ одного туриста об утопленнике, которого прибило к берегу, хочет теперь удостовериться и опреде-

---

1 Четыре недели *(нем.)*.

литься: проклинать ей изменщика или оплакивать безвременно ушедшего.

Карабинеры все были очень живые, галантные и даже веселые — одним словом, итальянцы. Делали комплименты, ахали, подмигивали, ободряли, заранее соболезновали. Гоняли ее из кабинета в кабинет, предлагали кофе, щелкали клавишами, качали головами... Она была терпелива и скорбна. В одном из кабинетов наконец повезло.

Да, синьорина: если вашего возлюбленного звали Гюнтер Бонке, то... примите, так сказать, наши...

— Как?! — спросила она побелевшими губами.

— Впрочем, вряд ли: он ведь не был туристом, здесь жила семья его отца... минутку... вот: отца, Фридриха Бонке, который, в свою очередь... — Тут в комнату заглянул еще один полицейский, и тот, что занимался запросом Айи, окликнул его, откинулся в кресле, чуть крутнулся туда-сюда и сказал: — Бруно, помнишь жуткую историю в апреле, когда отец того утопленника ехал на опознание и вместе с женой сверзился в автомобиле со скалы?

— Жуть! — Бруно закатил глаза и исчез за дверью.

— Вот... — развел руками полицейский. — А других утопленников у нас в апреле не было: не сезон. Боюсь, этот... э-э... — он сверился с компьютером, — ...Гюнтер Бонке никак не мог быть вашим... э-э... партнером.

— Да, — сказала она после некоторой паузы. И твердо повторила: — Да. Именно так.

Потом долго стояла у парапета набережной, глядя, как по жаркой синеве яркими бабочками скользят паруса яхт, жадно глотала текучий соленый бриз и, не обращая ни малейшего внимания на голоногую и голоплечую толпу, опасливо ее огибавшую, тихонько скулила:

— Где ты?! Где ты... Где ты-и-и-и...

Филиппа Гишара она разыскала довольно быстро. В вещах Леона оказалась записная книжка, практически чистая, но за кожаной обложкой хранилась целая пачка визитных карточек: музыкальный, журналистский и артистический мир Парижа, вплоть до разных «Опера Онлайн», «Опера для всех» и «Общества любителей оперы».

Ну, и кое-что еще: визитка модного дизайнера (странно: Леон всегда за пять минут покупал себе шмотки, правда, в дорогих магазинах), модного парикмахера (тем более странно: он чуть ли не постоянно сам брил себе голову) и цветная россыпь ресторанных карточек, какие обычно сопровождают поданный счет. Дико предположить, что Леон, с его блестящей памятью, не помнил адреса своего импресарио Филиппа Гишара... или адреса бессменного аккомпаниатора Роберта Бермана. Тем не менее обе визитки присутствовали.

Все это требовало обдумывания: она уже понимала, что Леон никогда ничего не делал «просто так».

В сотый, что ли, раз достала она из кармана джинсов его письмо — опять потрепанное: уже дважды распечатывала копию. Знала его наизусть: «Супец, ну и здорова же ты дрыхнуть...» — но извлекала и перечитывала едва ли не ежедневно, словно за то время, пока она спала, там могла добавиться строчка-другая. Вновь пробежала глазами указания, все, что связано с отъездом из Портофино, и — понятно, не соваться в Париж (а с чего бы это?), и — ясно, действовать, как привыкла (но зачем, если ныне ни Гюнтера, ни Фридриха нет в живых?). Банковская карточка — она и вправду держала Айю на плаву; «поезжай к отцу» — поеду, когда совсем сдамся... Но вот эта идиотская приписка насчет соджу —

к чему она? В скупом и очень важном *последнем* письме он приписывает ничего не значащее, игривое:

«И помни: в Лондоне нас ждет целая бутыль собственного соджу, на которую никто, кроме нас, покуситься не смеет!»

Никто, кроме нас, покуситься не смеет? А вот это мы проверим...

Назавтра к вечеру она уже выходила из поезда на перрон вокзала Сент-Панкрас.

Куда бы ее ни заносило, она по старой привычке предпочитала не оставаться ночевать, даже если к ночи падала с ног от усталости. Ехала в аэропорт или на вокзал, покупала билет на ближайший рейс — и засыпала в кресле, обморочно откинув голову, под стук колес или гул самолетных двигателей.

Легче всего на душе бывало утром, на выходе из вагона или салона самолета. Всегда казалось: сегодня обязательно узнаю что-то важное, сегодня он даст о себе знать... И пускалась по адресам, намеченным в списке. Так, она наведалась к Шарлотте и Марку. Вокруг замка бушевал зеленый хаос листвы, хотя травы на газоне для ослика по-прежнему не хватало, и случайные гости по-прежнему скармливали ему оставшийся после завтрака шоколад.

В благостно летнем Кембридже по берегам реки цвета темного пива все так же расстилались луга (лютики, дикая герань, белые метелки тмина), над которыми духовито пахло диким чесноком, зудели комары и летали встревоженные чибисы.

Айя решилась даже побеспокоить старые кальсоны, наверняка висящие над чугунной плитой, но рассеянный хозяин дома ее попросту не узнал, хотя вполне приветливо отвечал на вопросы:

— Леон Этингер? Да-да, и что же? Он так и не ответил на наше предложение...

Никто понятия не имел, никто не видел, никто не
получал никакой вести.

— Вероятно, он на гастролях... в Америке? В Ав-
стралии? В Новой Зеландии? Он ведь много концер-
тирует...

При виде ее исхудалого лица, нервно жестикулиру-
ющих рук, всклокоченной головы люди недоумевали и
отводили глаза — возможно, подозревая, что несчастный Леон находится в бегах по окончании неудачной
интрижки с этой ободранной кошкой.

К ночи день угасал, и город, куда она мчалась с такой надеждой, город со всеми его веселыми, занятыми,
озабоченными, влюбленными, энергичными людьми
становился омерзительным и *отстойным*...

* * *

Вечерний летний Лондон был прекрасен: нежно-
зеленое яблочное небо медленно таяло над возбужден-
ной вечнотекучей толпой. В этот день от Мраморной
арки до Вестминстерского аббатства гулял традиционный гей-парад — *Pride London,* и разукрашенные, полу-
голые, в цветных париках группки его участников все
еще попадались на улицах, и на них все еще пялились
обалделые туристы. На Трафальгарской площади как
раз в эти часы закрывал и развозил свои палатки кули-
нарный фестиваль, но духовой оркестр еще наяривал
как заведенный, сообщая энергичный ритм увлечен-
ной драке двух девиц с плечами и спинами, радужными
от наколок.

Лондон — краснокирпичный, красноавтобусный,
с красными телефонными будками — по-прежнему

являл собой грандиозный театр — ее, Айи, любимый театр, хранилище бесконечных *рассказов*... У нее даже что-то дрогнуло внутри: не пробыть ли здесь дня два-три, в том уютном пансионе, где они останавливались с Леоном?

Но тут же в памяти возникла и все собой заслонила зловещая и одновременно покорная фигура Чедрика, всегда внушавшая ей ужас: где он сейчас? К кому пристроился? И — боже ты мой — при ком теперь существует Большая Берта?

Айя не занялась еще *разбором этого своего рундука*, еще не подпускала себя к мыслям о гибели Фридриха и Елены, инстинктивно чувствуя невыносимую тяжесть этого груза, понимая, что не может, не должна сейчас нагружать свой хрупкий ялик, несущийся к другой цели.

Любые тревожные, страшные и смутные мысли она яростно отметала, тотчас вызывая в воображении заветный мускулистый мешочек, в котором зреет их с Леоном жемчужина. Это и было средоточие ее бродячей жизни: удобная для перевозки котомка с драгоценностью, еще незаметная окружающим, таскать пока легко, совсем легко; а позже... позже она найдет Леона. Все остальные мысли были всего лишь размытым фоном, на котором больно сияла ее ослепительная беда: исчезновение Леона.

Они и всплывали, эти мысли, как нечто постороннее; собственно, Айя сразу же их отгоняла, как отгоняют услышанные на улице разговоры случайных прохожих: все это чужое, и так далеко, и не имеет отношения к твоей непомерной заботе — например, к тягучей истоме внизу живота, где требовательно и нежно всплескивает хвостом золотая рыбка.

От вокзала Сент-Панкрас она села на голубую линию метро и с одной пересадкой минут за восемь добралась до Шарлотт-стрит — рукой подать.

Будто вчера только они искали, где «перехватить по-быстрому», а попали в чудесный ресторанчик с факиром-возжигателем супов («Как твой супец?» «Мировецкий!»), где на веки вечные она обзавелась семейной кличкой.

Время было вечернее, летнее, людное... ресторан распирало от посетителей, во внутреннем дворике сизой пеленой висел сигаретный дым и разносился гогот; барная стойка обсижена, как голубятня. Это хорошо, в планы Айи не входило привлекать к себе внимание. Когда некая пара, рассчитавшись, сползла с высоких табуретов, Айя протиснулась к стойке и, уперев грудь в надраенный медный поручень, а взгляд — в бармена, громко и четко произнесла имя в такт колотящемуся сердцу. Он обернулся к полке за спиной, пробежал глазами ряд бутылей и пожал плечами:

— Все выпито, мисс. Что вам предложить?

— Кем?! — крикнула она, сверля его исступленными глазами.

Он вновь пожал плечами и уже открывал-наливал-подтирал, принимал и выдавал заказы, крутил вентиль крана, подхватывал и брякал на стойку... совершал двадцать действий в секунду. Все это ей было знакомо по собственной прошлой жизни.

— Кем выпито?! — умоляюще крикнула она. Слева ее подпихивала уже набравшаяся девица, справа какой-то тип стучал по стойке кружкой, пытаясь привлечь внимание бармена. Айя плыла в оглушительной немоте многолюдства, пытаясь выпрыгнуть из нее, вновь завладеть вниманием парня. — Вы можете вспомнить, кто это был?

— Наверняка тот, чье имя написано на бутыли, мисс...

Он был поразительно вежлив, этот азиат, в этой требовательной толпе; все-таки они замечательно воспитаны и очень выдержанны.

Ей дико захотелось выпить, как в старые добрые времена: хорошую пинту коричневого портера... Но она попросила бокал пепси-колы, отошла, села за неудобный и потому незанятый столик чуть ли не на ступеньке у дверей и сидела там до закрытия. Наконец посетители стали рассеиваться... Опустел дворик, и небольшое помещение ресторана будто раздалось, стало свободней — люди стремились наружу, в теплую оживленную ночь, в следующий бар, паб, ночное варьете... Вот последняя компания, громко поддевая друг друга, вывалилась из дверей под крики одной из девиц: «Джейми, ухожу в отрыв!»...

Высокий рослый азиат с толстой косой, тот, что готовил ей огненный чудо-суп, вышел из кухни и стал вытирать столы, переворачивать стулья и драить загаженный пол.

Тогда Айя поднялась, подошла и поставила на стойку пустой бокал.

— Вы меня не помните? — спросила.

Он вежливо покачал головой.

— Мы были здесь с моим... парнем месяца два назад. И купили бутыль соджу. Она была почти полная...

— Мэм, — устало сказал он, — очень сожалею, но у меня перед глазами за день проходит уйма народу.

— Вы приготовили отличный супец... Послушайте! Целая бутыль соджу — куда она могла деться? Кто ее выпил?

— Должно быть, не в мою смену.

— А кто, кто был вместо вас?! — в отчаянии крикнула она. — Как мне с ним связаться?

— Понятия не имею. Его уволили неделю назад... Он подворовывал.

И от этой вполне человеческой реплики — «он подворовывал» — Айя сразу всему поверила. И сникла:

— Вы хотите сказать, что он мог угощать из нашей бутыли знакомых, прохожих и всех желающих... или сам все вылакал?

— Вот этого не знаю. И не думаю: слишком рискованно. Прошу меня извинить, мэм, я должен убирать, мы закрылись...

Эта опустошенная кем-то бутыль сводила ее с ума, швыряла от отчаянной надежды к полной безнадеге. Что это — невероятное совпадение? — спрашивала она себя, выйдя на оживленную, элегантную, безразличную к ее беде Шарлотт-стрит. Навстречу ей шла изумительно красивая, гигантского роста негритянка с целой упряжкой абрикосовых пуделей... Как же это?! Именно наша бутыль, «на которую никто покуситься не смеет»?! Нечистый на руку обалдуй втихую пользует выпивку и непременно из этой вот сироты-бутыли?!

Она была голодна, измучена, подавлена... Леон, черт тебя возьми, умоляла вслух, чуть не шатаясь от усталости, для чего ты погнал меня сюда, Леон? Чтоб я не смела поверить, что тебя больше нет?

Вровень с ней медленно тащилось свободное такси. Но, верная себе, Леону и бог знает какому кодексу беглецов, она пропустила этот пригласительный экипаж и долго еще ловила следующую машину.

Между тем произошла обычная осечка, досадный диссонанс, нечаянно прихваченная фальшивая нота. Нащупывая внутренним слухом гармонические сочетания и ходы, Леон предчувствовал многие события, но предвидеть это нелепое совпадение — изгнание вороватого

334 *бармена на другой же день после налета Кнопки Лю на закрома корейского ресторана — он не мог.*

И положа руку на сердце: вся эта дикая Леонова затея была, в сущности, артистическим экспромтом, одним из тех «маячков», которыми он метил территорию своей жизни. (Экспромты редко срабатывают на пользу дела, укорял его шеф.) Да и Кнопка Лю, хоть выпивку и уважал, но — домосед и закоренелый парижанин, вряд ли сподвигся бы рвануть в Лондон ради какой-то там бутылки... Он и Леопольду сказал:

— Вот стоит у меня перед глазами мой Тру-ля-ля, у фонтана, ну, где мы встретились в последний раз. На днях даже снился: улыбается и говорит мне, ну, это... ну, насчет корейского бухла аж в Лондоне... Поверишь: каждую ночь просыпаюсь и думаю: да етти твою, что ты хочешь от меня, а?! Чтоб я сдох, если потрачусь на эту аферу. Деньги-то какие: билет на поезд, то, се... За-ради чего?

И тогда Леопольд, щедрая душа, достал портмоне и слегка украсил жизнь бывшего марксиста, подтвердив тезис насчет бытия, которое, как ни крути, все ж таки определяет сознание...

* * *

...Вернее, все было чуть-чуть иначе: они давно не виделись, а Леопольд, такая радость, свалился на голову без предупреждения. Просто возник рядом с грузовичком Шарло — обычное воскресенье на «Монтрё», и Кнопка Лю торчал там с самого утра в поддержку своему троцкисту. Не передать, как он обрадовался Леопольду, — шутка ли, сколько не видались! Шутка ли, в какой дали от Парижа прозябал Леопольд столько лет! (На самом деле

Леопольд довольно часто наведывался в Париж, просто не всё и не всегда Кнопке Лю положено было знать.)

Некоторое время они вместе бродили от прилавка к прилавку, перебирали барахло на столиках, присаживались на корточки перед расстеленными на земле газетами, споря о том и о сем, как в былые славные времена... Леопольд выудил из бросовой кучи тряпья у какого-то пакистанца винтажную куклу: Германия, прошлый век, прелестная фарфоровая головка, натуральные волосы, туловище — натуральная кожа... «Из Освенцима, что ль?» — поинтересовался Лю, а Леопольд и бровью не повел. Затем эфиоп перепоручил весь свой хлам Шарло, и они с Леопольдом засели за пивом в том ресторанчике со штурвалом на голубой вывеске, где совсем недавно...

— Надо же! — сказал Кнопка Лю, когда официант принес им кружки. — Надо же, какая незадача: опять я не познакомлю тебя со своим Тру-ля-ля... А ведь мы с ним недавно пили тут и ели «мули», вот за этим же столом, как пара голубков. Теперь только черт рогатый знает, где он со своей беглой малышкой...

И на радостях от встречи со старым другом Лю принялся во всех деталях рассказывать душераздирающую историю любви:

— Ты не поверишь, Леопольд, это как в романе или в кино: является ко мне на днях Тру-ля-ля с перекошенной от любви рожей, заикается и на коленях умоляет сделать паспорт — для нее...

То есть как раз ту историю, которую поклялся держать при себе *до смертного часа*. Но ведь Леопольд — это ж такой близкий друг, с которым в огонь и в воду... Словом, история о звере-супруге, украшенная несусветным орнаментом, похожим на обстановочку квартиры самого эфиопа-марксиста, должна была Леопольда развлечь.

— И ты им помог... — деликатно предположил тот.

— А как же! — воскликнул Лю. — Знаешь, в одной русской опере один военный мужчина поет: «Лю-уб-ви-и-и всъе во-озра-сты поп-корны-и-и», что в переводе означает: если невтерпеж спустить, то и кулак сгодится! — Он захохотал.

Он любил щегольнуть перед Леопольдом блестящим знанием русского языка и русского обихода. Но в ту же минуту вспомнил о благородном смущении Леона, вспомнил сиротский квадратик фотографии со скуластым девичьим лицом и... и как-то загрустил.

— Вот тут мы как раз с ним и сидели, — повторил он, подбородком указывая на кружку с пивом и окончательно смешивая две разные истории и две разные встречи. — Он купил у меня уникальную вещь: мешок для сбора мочи.

— И куда ж они, бедняги, подались? — так же мягко и улыбчиво поинтересовался Леопольд.

— Не доложил... — понурясь, отозвался Кнопка Лю. — Был ужасно напуган.

Впрочем, Леопольд уже отвлекся от любовной интрижки этого самого «Тру-ля-ля», к которому был так привязан его старинный приятель, и принялся рассказывать о жизни в Тегеране, о своем растущем бизнесе и о партнере, богатом иранском еврее:

— Добрейший мужик, симпатяга, Шауль, только глуповат, вернее, очень наивен... И в коврах мало что смыслит: его главная удача в том, что на должность управляющего этим огромным производством он догадался пригласить меня, и вот уже год мы партнеры, и, думаю, он ни разу об этом не пожалел...

Словом, Леопольд вел себя как любой агент в подобных ситуациях. Он много лет работал на *La Piscine*[1],

---

1   «Бассейн» *(фр.)*.

как называют парижане DGSE, Генеральный директорат внешней безопасности, ибо скучное это здание, похожее на какой-нибудь НИИ, находится рядом с плавательным бассейном, на самой границе Парижа, где круглосуточно гудит *периферик*[1] и откуда из-за мощных глушилок чертовски трудно куда-либо дозвониться... Леопольд был очень ценным сотрудником *Direction générale de la sécurité extérieure* и в Тегеране выполнял одно деликатное долгосрочное задание, о чем, конечно же, не догадывался его симпатичный, но недалекий иранский партнер, успешно исполнявший вместе со своими коврами роль респектабельной ширмы.

У Леопольда поднялись бы дыбом последние волосы на сильно поредевшем загривке, если бы он узнал, какие топографические сведения зашифрованы в узорах пленительных персидских ковров, отправкой которых в Европу он лично ведал.

Но сейчас, сидя напротив лопочущего, поющего и пьющего Кнопки Лю, он размышлял: какая связь между исчезнувшим Тру-ля-ля и застенчивой просьбой симпатяги-партнера: разузнать «там, в вашем Париже» о каком-то пропавшем певце — то ли племяннике его соседа, то ли друге его племянника... Словом, «парень попал в беду, и кое-кто за него готов отвалить приличную сумму»... Помнится, эта странная просьба озадачила Леопольда, насторожила, заставила лишь улыбнуться партнеру в ответ на наивную, в детских ямочках, улыбку, но ничего не обещать.

— Поверишь, все время думаю о его идиотском предложении, — слышал он голос Кнопки Лю. — Езжай, мол, в Лондон, есть там выпивка в каком-то ре-

1 Кольцевая дорога *(искаж. фр.).*

стороне. Соджу — эта такая японская водка, что ли? Езжай, говорит, опохмелись. Эт-то что еще значит?

— Ну и поезжай, — вдруг невозмутимо отозвался Леопольд. — Если человек предложил...

Связав одно с другим, он уже ни минуты не сомневался, что оставленная *кем-то* бутыль соджу в опустошенном виде была *кому-то сигналом*. И очень интересно: *кому*. И какое отношение к этому имеет просьба его партнера «разузнать и пособить — там, в вашем Париже»? А заодно — какое отношение имеет богатый иранский торговец коврами, напевающий под нос тошнотворные восточные песни, к этому, судя по всему, серьезному оперному певцу...

Вот тут Кнопка Лю и возопил свои — *с какой стати и на какие шиши*.

Вот тут Леопольд и достал свое портмоне.

Ему, понимаете ли, было любопытно: врал Труля-ля или действительно оставил для Кнопки Лю целую бутыль отличного пойла.

* * *

Айя знала, что ограничена во времени: их *общая с Леоном жизнь* в глубине ее тела, их жемчужина, нетерпеливая золотая рыбка росла как на дрожжах, отвоевывая все больше места и в ее чреве, и, главное, в ее мыслях; понимала, что в конце концов ей ничего не останется, как только ползти в Алма-Ату к папе. Ей уже было плевать, как на нее посмотрит и что скажет ей Филипп Гишар, последний адрес в ее коротеньком списке. После происшествия с выпитой кем-то бутылью соджу Айя перебрала пропасть неутешительных версий, свято веря только в одну: Леон жив и послал ей знак. Леон жив и где-то обретается.

Где?

Из всех, кто мог что-то знать о пропавшем Леоне, она не встречалась только с Филиппом — и не потому, что в своем письме Леон почему-то запретил ей соваться в Париж. Просто она прекрасно помнила тот не слишком удачный их ужин, холодноватые манеры утонченного сноба и его оценивающий и недоуменный взгляд, каким он смотрел на «новую подружку Леона».

Однако — она это знала, видела, чувствовала — Филипп к Леону очень привязан, к тому же наверняка пострадал от исчезновения своего друга и подопечного. Словом, он был последним адресом, куда осталось наведаться.

Жилье известного импресарио — недалеко от площади Трокадеро — вполне соответствовало его статусу, кругу общения и даже его прославленной холеной бородке. Улица, громко именованная «авеню» (авеню де Камоэнс), была скорее переулком или даже тупиком: обрывалась каменным парапетом лестницы, что вела на другую улицу, уровнем ниже метров на пять. Тихая, респектабельная, была она отстроена изысканными домами конца девятнадцатого века, какими славится *истинный* Париж: мягкий желтоватый известняк, облицованный рустовым камнем.

Свою *инаковидность* этой улице, этому дому и в особенности высокомерному консьержу с лицом помощника министра (умирающее племя радетелей порядка) Айя почувствовала с первого взгляда. Накануне в одной из лавочек на метро Барбес-Рошешуар (где остановилась в подозрительном пансионе со стонущими всю ночь коридорами и номерами) она купила себе *худи*, униформу арабско-негритянских люмпенов: мешковатую флисовую куртку с капюшоном и накладными карманами; в ней и ходила, набросив капюшон на голову, — руки в карманы, ежеминутно готова броситься от кого-то через улицу, в арку, в проходной двор, за мусорные баки...

Войдя в шикарный подъезд (отделка холла поражала мрамором нескольких цветов и необычайно изящной кованой лестницей в стиле модерн), она сняла капюшон и улыбчиво объяснила консьержу, что у нее назначена встреча с месье Гишаром.

— Он не предупреждал, — возразил консьерж. — Минутку... — И, опустив трубку: — Сожалею, мадемуазель. Месье Гишара нет дома.

— Вот как? — надменно удивилась она, повернулась и вышла, и чуть ли не два часа стерегла Филиппа, серой вороной сидя под въедливым дождиком на каменном парапете лестницы с голыми икрами мраморных балясин.

Конечно, следовало позвонить, но вдруг бы он не пожелал с ней встретиться? Кажется, он был взбешен, что Леон из-за нее, из-за Айи, «превратил свою жизнь в сплошной кавардак» («сплошной каламбур» — переводил Леон *на одесский*).

А вдруг Филипп давно проклял артиста-самодура, пустившего по ветру все договора и обязательства, да и многолетнюю дружку? Вдруг и думать забыл, что в списке его подопечных когда-то значился такой вот вздорный молодой человек? Не говоря уже о том, спохватилась она, что ты просто идиотка: скорее всего, Филипп сейчас в Бургундии (лето, мертвый сезон), о чем прекрасно знает этот гаденыш-консьерж-помощник министра.

И тотчас, едва об этом подумала, на углу улицы показалась фигура в элегантном летнем пыльнике, в светлых свободных брюках, с небольшой сумкой через плечо. А уж бородку со сметанным мазком по центру просто невозможно было не узнать издалека. Благородная волнистая грива великолепного импресарио, покропленная дождиком, блестела, как алюминиевая, а походка его просто завораживала: церемониймейстер на коронации государя-императора.

Айя сверзилась со своего насеста и бросилась ему наперерез.

От придурочного парика она избавилась еще в Рапалло, едва только вышла из здания полиции, — стащила с головы и с остервенением запихнула в ближайшую уличную урну, — но у нее не было уверенности, что Филипп узнает ее, а главное, не было никакой уверенности, что, узнав, не отшатнется. И все же она бросилась к нему, распахнув руки, загораживая собой путь к подъезду. И загородила бы, а может, стала бы хватать его за рукава, если б, увидев ее, Филипп не остановился, как-то смешно вытаращив глаза, и в свою очередь не ринулся к ней, едва не попав под чей-то велосипед.

Налетел, вцепился в рукав ее негритянской куртки, точно не она, Айя, ждала его здесь, голодная, под мерзким кропотливым дождиком, а он ее выследил, проведя полдня в засаде.

Сначала даже говорить не мог: она никак не успевала различить в его губах сколько-нибудь связные фразы. Взмолилась:

— Филипп! Пожалуйста, английский и... не так быстро!

Сказать ему, чтобы чуток подровнял свои роскошные усы? Верхняя губа всегда внятнее, чем нижняя (Айя ненавидела усы и бороды, мешавшие слышать).

Но Филипп, наоборот, заткнулся, взял ее под руку, решительно прижав к себе локоть, и повел в подъезд, где, никак не отреагировав на приветствие консьержа, так же молча протащил к лифту. И когда они вышли на шестом этаже, он и там, молча достав ключи, отворил дверь своей квартиры — единственной на лестничной площадке — и бесцеремонно затащил Айю в прихожую, темную и душную.

Зато здесь он напрочь слетел с катушек — судя по заполошно мелькающим рукам.

Она крикнула:

— Свет, черт возьми! И говорить по-английски! И смотреть мне в лицо! Я же глу-ха-я!

Он включил свет, схватил ее руки и сказал:

— Прости! Умоляю, два слова: где он? Нет, подожди! Ты совсем замерзла...

Теперь он навис над ее лицом, преувеличенно отчетливо обводя губами каждый звук, и, схватив ее окоченевшие ладони, мял их и растирал, и странно еще, что не дул на них.

— Пойдем в кухню, вот сюда, в коридор и направо. Что тебе налить? Виски? Коньяк?

— Чай и какой-нибудь бутерброд, — сказала она, — а то меня вырвет. Я беременна.

— Час от часу не легче, — пробормотал Филипп. И взвыл: — Где он? Где этот негодяй?!

В кухне он бессильно опустился на стул, так и не сняв своего роскошного пыльника, только протянул руку в сторону холодильника и опять уронил ее на колено. Айе самой пришлось шарить в поисках еды, но там ничего не оказалось, кроме прошлогоднего сыра, — этот гурман питался в ресторанах. Она обнаружила половину черствого багета, яростно оторвала зубами кусок и принялась жевать: *картон картоныч этот их воспетый французский багет*.

— Леон исчез... Где у тебя чайник?

Огляделась, нашла, налила воды, включила.

— Он исчез, испарился... под небом Италии златой... Погоди! Не перебивай, просто слушай...

Вышколенная отцом и бабушкой, пуристами «грамотного языка», она с детства умела «излагать дело последовательно и внятно, с деталями, обстоятельствами и пояснениями». И тем не менее ей раз десять пришлось осаживать Филиппа криками: «Погоди, не перебивай!» или просто резким: «Помолчи!». И вообще, хотелось накапать ему в чашку что-то типа валерьяны или даже чего-то более действенного... Филипп, честно говоря, выглядел совершенно раздавленным. Кто бы подумал — такой вальяжный господин...

Первым делом она предъявила ему письмо, озаглавленное «Supez», — просто перевела на английский, водя пальцем по строчкам для наглядности. Но Филипп безумными глазами беспомощно бегал по затрепанному листу бумаги, переспрашивая и вслух повторяя скупые и какие-то... боевые команды Леона.

Не в состоянии сложить два и два, подумала Айя чуть ли не с жалостью.

Подтащила стул, села напротив него, успокаивающе положила руку ему на колено:

— Филипп! Брось это и послушай меня... Всё к тому, что Леон связан с разведкой. А вот с какой — не могу додуматься.

— Ты с ума сошла?! — тихо спросил он. — Артист его масштаба и его занятости? Зачем?! К чему это?! Не верю!

— Я понимаю. — Она сосредоточенно кивнула. — То, что я тебе сейчас вывалила, весь этот винегрет... просто дичь какая-то! Могла бы рассказать еще кое-что, но... не уверена, что имею право. Боюсь, что подведу этим Леона. Он чего-то опасался, очень... — Она вскочила и — благо, кухня у Филиппа могла сойти за репетиционный класс балетной школы — принялась мотаться туда-сюда, резко разворачиваясь у окна, вновь возвращаясь к стулу, на котором обреченно сутулился Филипп: — Все последние недели с ним я провела в каком-то перевернутом мире: мы убегали и преследовали, я раньше не знала, что это одно и то же. Мы спасали свои жизни, чтобы убить, — я прежде не предполагала, что одно может означать другое. Не спрашивай меня ни о чем конкретном, я сама подбираю — видишь, как осторожно, — слова подбираю, на которые он бы не наложил запрета.

Она вздохнула и перевела усталый взгляд на Филиппа, словно прикидывая, что еще можно ему открыть. И решилась: вновь села напротив, взяла его за руку.

— Судя по всему, в Портофино он убил одного человека; утопил. Умоляю тебя, молчи и не смотри на меня безумными глазами! — крикнула, обеими руками перебивая судорожный всплеск его ладоней. — Да, он уничтожил одного крупного... хищника, очень важного типа из какой-то другой разведки — боюсь, ближневосточной. Леон убил его, а не наоборот, как мне сначала показалось, и вот это точно, потому что труп того прибило к берегу... Не спрашивай меня о деталях, я их не знаю. — Она глубоко вздохнула, сглатывая горькую слюну, и решительно продолжала: — И тогда Леон либо скрывается и не может проявиться, либо... Либо его схватили и где-то держат.

Рассказать ему о выпитой кем-то бутыли соджу? — прикидывала Айя. *— Ободрить, заставить поверить, что Леон жив и подал такой вот знак, просто послав кого-то вылакать все содержимое бутыли? Или лучше не баламутить бедного? Он и так — как рыба, вытащенная из воды...*

— Есть еще третья возможность, — добавила она, сострадательно глядя в обвисшее серое лицо Филиппа. — Понимаешь, мне кажется, что одновременно он скрывался — да и меня прятал — *от своих*, ну, тех, на кого он работал и кого я не могу вычислить... Может быть, я совсем спятила, но поскольку думаю об этом днем и ночью, изнурительно, страшно, беспрерывно думаю, мне сейчас кажется, что он... наводил порядок в своей прошлой жизни, о которой я, как и ты, не имею ни малейшего понятия. Он был одержим идеей мести за что-то там... И наверняка вышел из-под контроля *своих*. Он оторвался от всех, вылетел за пределы их жестко организованной вселенной... Ну, как бы тебе объяснить? — пробормотала она, сосредоточенно хмурясь. — Вот: он взял такую высокую ноту, с которой не съедешь запросто, бескровно. Короче, есть вероятность, что его схватили *свои*... И если сейчас я не колочусь во все проклятые двери всех этих проклятых разведок, так только потому, что боюсь навредить Леону.

Наступила тишина, в которой лопотали только прекрасные напольные часы в прихожей — вероятно, фамильные, такие старые семьи всегда пекутся о своем почтенном домашнем времени. Айя склонилась, погладила вялые руки Филиппа, которые совсем уже не выглядели холеными руками великолепного импресарио, а оказались просто веснушчатыми руками пожилого человека. Улыбнувшись, проговорила:

— Пожалуйста, Филипп... Выпей чего-нибудь крепкого, я не уверена, что ты в порядке.

Он послушно поднялся, подошел к буфету, открыл дверцу и, достав графин с тяжелым золотом в брюхе, показал ей:

— М-м-м? Нет? — Когда она мотнула головой, налил себе рюмку, выпил... медленно произнес: — Значит, тот выстрел был не случайным.

— Какой выстрел? — насторожилась она.

— Неважно, на охоте... — он махнул рукой. — Выстрелил навскидку и попал в пробегавшего зайца. Якобы чудом. — Он сокрушенно покачал головой: — Дурил меня все эти годы, сукин сын, мерзавец, подонок... Думаешь, он работал на русских? — встрепенувшись, спросил Филипп. — Они его схватили? Пытают? Уничтожили?! Боже мой, и этому ублюдку достался *этот* голос...

— А русские убивают своих? — встревоженно спросила Айя.

— Все, когда потребуется, убивают своих, — печально пробормотал Филипп. — Если это разведка. Приятными людьми их не назовешь.

— Мы ничего не знаем! — возразила она.

— Ничего, — согласился Филипп, — кроме того, что он оставил тебя беременной.

Она поднялась, но передумала и снова села.

— Забыла совсем!

Вытащила из кармана джинсов портмоне, достала карточку, положила на стол и пододвинула к Филиппу.

— Что это? — спросил он.

— Банковская карточка Леона. Вот код написала — на автобусном билете. Я не смотрела, сколько на ней осталось: в первые дни была не в себе, кучу денег растратила на самолеты, стыдно вспомнить... Если сможешь, оплати, на сколько там получится, его квартиру, пожалуйста. Остальное я заработаю и пришлю. Понимаешь, он велел в Париж не соваться, значит, считал, что квартира под колпаком. К тому же я никого здесь не знаю, кроме тебя и этой его любимой консьержки, которую он называл «моя радость», но и она ведь может быть связана с...

— Радость моя Айя, — усмехнувшись, проговорил Филипп. — Ты полагаешь, я огорчен срывом его контрактов? Видимо, ты просто не понимаешь всей степени моего отчаяния... Я уже оплатил его квартиру на полгода вперед, как только понял, что его... — он прокашлялся, прочищая горло, — что его нигде нет.

Она молча кивнула, не благодаря; судорожный глоток как-то по-детски беззащитно прокатился по тонкой шее до самой яремной ямки.

— И насчет его контрактов... — Она вновь упрямо придвинула к Филиппу банковскую карточку и поднялась. — Думаю, ты очень пострадал: неустойки и все такое... Короче, эти деньги — твои. Остальное я отработаю, дай срок. Все верну. К сожалению, не могу сейчас купить себе камеру, так бы я заработала быстрее и больше. Но я умею трудиться, поверь.

— Дурочка, что ты несешь! — огорченно воскликнул он. — Посмотри, на кого ты похожа. Тебя ветром сдувает! Где ты живешь, как ты... постой!

— Он вернется, — сказала она, уже приоткрыв дверь на лестничную площадку.

— Айя! — окликнул Филипп и, осознав, что она уже не видит его лица, а значит, и не *слышит*, вскочил, нагнал ее на пороге, схватил за плечи. — Спасибо, что пришла. — Он неуверенно топтался рядом. — Мы ведь тогда... мы с тобой не понравились друг другу.

— Леон должен петь, — просто сказала она, глядя ему в глаза своими запавшими, сухими, без проблеска слезы глазами. — Он должен петь, когда вернется...

Филипп шагнул к ней и молча обнял — в последней и безуспешной попытке не пустить за порог.

4

На сей раз Натан ехал не торопясь, не обгоняя, не превышая скорости — как велел его кардиолог. В сущности, кардиолог вообще запретил садиться за руль, но кто станет слушать этих умников.

Просто он хотел еще и еще раз обдумать все, что скажет Заре.

Давно он не получал такого удовольствия от простой поездки в собственной машине. Да и Верхнюю Галилею очень любил; а сейчас, на исходе августа, эти оливы с их мощными стволами, так напоминающими изборожденных морщинами стариков, с плавким живым серебром волнующихся крон — они столько говорят памяти и душе.

Сюда они приехали с Магдой сразу после свадьбы — на маленькую частную ферму: три коровки, две козочки, маленький птичник, изнурительный труд на жаре... Выудили объявление в газете: бездетная семья сдает комнату любителям сельского отдыха. Весь их «отдых» заключался, само собой, в огромной кровати с такой разговорчивой периной, что до сих пор странно, как трудяги-хозяева, наломавшись за день, не выперли их за эти скрипучие всенощные. Даже наоборот: хозяйка — конопатая «румынка» из-под Бухареста — каждое утро вносила к ним в комнату букетик каких-то желтых цветов. Входила без стука, кралась на цыпочках к голубой вазе на столе и говорила: «Шшш! Занимайтесь своим делом, я не смотрю!»

Было это за два месяца до его плена. Магда была черноволоса, смугла и тонка, как тетива лука; гнулась в любую сторону — хоть в цирке выступай. Да все наше «свадебное путешествие», подумал Натан с улыбкой, собственно, и было — цирковой акробатикой.

От Рош-Пины, очаровательного старого городка, заложенного лет сто пятьдесят назад выходцами из Румынии, Натан повернул на Цфат и стал подниматься по горной сосновой дороге, притормаживая на слишком крутых виражах. Где-то на середине подъема, снизив скорость (въезд под еле заметным указателем легко было прозевать), свернул направо, въехал в аллею, всю испятнанную оранжевым солнцем, и, дождавшись, когда из будки покажется охранник, назвал имя Зары и получил пропуск в рай.

А это был подлинный рай — вся сбегающая по горе территория пятизвездочного спа-отеля, больше похожего на богатую ферму где-нибудь под Экс-ан-Провансом. Хозяйство и вправду было богатым: обширные угодья на склонах, пасека, коровник, конюшня, парники и фруктовые сады...

В аллеях бродили вздорные павлины, так и расстилая вам под ноги свои несусветные глазастые хвосты; тропинки перебегали ежи и лисицы, косули сторожко стояли в двух шагах за деревьями, а птичий гомон и клекот, и писк, и пересвирк вышивали над головой такой пестро-золотистый гобелен, что странно было — как сквозь него может быть так ясно виден пушистый самолетный хвост.

Несмотря на пресловутые пять звезд, никто тут не заботился о показушном глянце: густая трава вокруг олив была усыпана сморщенными черными плодами, пруд с четырьмя ленивыми лебедями окружен прорванной в двух местах сеткой, легкий запашок коровьего навоза вплетался в буйный запах трав и цветов, старые каменистые дорожки петляли меж двухэтажных коттеджей, а главный корпус — попросту могучее старое шале, расширенное, благоустроенное и обстроенное со всех боков галереями и террасами, — расселся на горе раскидисто и по-хозяйски основательно.

Оставив машину на стоянке, окруженной высокими кустами красного и белого гибискуса, Натан пересек деревенский дворик с пятью оливами и вошел в просторный каменный холл, где кресла, буфеты, столы и диваны были прикуплены в разные годы на разных антикварных аукционах. Прокопченная утроба старого камина даже летом хранила седоватый пепел сосновых дров, витражные двери вели в застекленную оранжерею с журчащим водоемом и огромным мерно вздыхающим аквариумом...

Среди белых фигур в махровых халатах и тапочках на босу ногу ты ощущал себя как-то слишком, ненужно одетым. Телефоны и прочая тревожность отменялись уже на входе, о чем предупреждала табличка, на которой перечеркнутый крест-накрест черный мобильник походил на какого-то противного жука.

Это было ужасающе дорогое место.

Мы выбрали для нее правильную должность на правильной горке, вновь удовлетворенно отметил Натан. До конца дней она будет слышать только спокойные голоса и журчание воды и вдыхать запах ароматических масел и дорогого полироля, которым натирают красное дерево этой изумительной мебели.

Резная деревянная лестница того же красного дерева вела из холла вниз, на лечебный этаж — к бассейну, саунам и ваннам.

Он спустился, прошел мимо магазина возмутительно дорогих сувениров и косметики, миновал несколько процедурных кабинетов и осторожно постучал в последнюю дверь. Зара должна была его ждать; она его и ждала.

— Не вставай! — воскликнул он, ускоряя шаги и протягивая руки навстречу.

Но Зара уже подтянула к себе палку, уже поднялась и вышла из-за стола. Они обнялись. Оглядели друг друга и снова обнялись.

— Я лишил тебя обеда? — спросил он. — Хочешь, поедем пообедаем где-нибудь в Рош-Пине? В «Джауни» готовят отличные стейки...

— Брось, — сказала она, — оставь эти ресторанные глупости. Тебе давно пора отказаться от красного мяса. Сейчас нам принесут чай, сухофрукты и орешки — вот что должны есть два старика, вроде нас.

— Если челюсти позволяют, — отозвался он добродушно, усаживаясь в кресло напротив. Как здесь все было продумано и как удобно! На сиденье кресла подложена подушечка — ну разве не трогательна эта забота о наших старых задницах! И стол у Зары совсем не напоминал бездушные офисные столы. Можно поклясться, что его лет сто назад приволок в Палестину в своем багаже какой-нибудь врач из Парижа, Будапешта или Варшавы. А прекрасные напольные часы в углу, а чудесный резной и как бы *нипричемный* в кабинете главного врача буфет, украшенный цветными провансальскими блюдами: черные оливки, золотой лук и кроваво-красные помидоры... Да, подытожил Натан, усаживаясь на ласковую подушку, мы выбрали для нее правильное место.

Принесли, конечно, никакие не сухофрукты и не орешки, но уж и не стейки: здешняя кухня была молочной, и единственное, чем мог разжиться плотоядный хищник, — это рыба, зато уж нескольких сортов.

Под льняными салфетками на двух подносах обнаружились закуски из баклажанов (местный повар был помешан на баклажанах: пек их и жарил, мариновал и чуть ли не скульптуры из них лепил), оладьи, цветник из разного вида повидла в крошечных стеклянных розетках, ну, и булочки, масло, чесночная паста... И, конечно же, кофе в высоком термосе.

— Ого! — воскликнул Натан, пододвигая к себе поднос. — Ого, как я проголодался!

Он совершенно не хотел есть. Он вообще в последние месяцы страдал полным отсутствием аппетита и очень похудел, что сводило Магду с ума. Но вот кофе по-прежнему втайне от жены поглощал в страшных для сердечника количествах.

И сейчас, заставив себя ковырнуть оладьи, торопливо отвинтил крышку термоса и налил полную чашку кофе...

...Когда девушка в белом халате явилась унести подносы, он придвинул к себе термос и попросил оставить чашку на столе. Пересел поближе к Заре — на стул справа от нее, — и минут десять *старичье*, как говорила Зара, хвасталось друг другу фотографиями внуков в телефонах. У Зары внуков было целых восемь — все мальчики, один в один, глаза как черносливины. Пятеро погодки, трое за ними — с двухлетними паузами *в производстве*.

— У меня парень один, зато рыжий-рыжий! — сказал Натан, пролистнул длинненьких подростков-близняшек, поразительно похожих на Габриэлу, и выкатил на экран огненный шарик вихрастой головы.

— Боже мой! — ахнула Зара. — Это пожар какой-то!

— А по характеру вообще — огонь, острый перец! — заметил Натан. — И генерал с пеленок: строит сестер, мать, бабку, даже отца — как первогодков.

Затем еще минут пятнадцать они сплетничали, перебирая знакомых, вполголоса обсуждая новости *в конторе* и в МИДе: ты не поверишь — тотальные, кардинальные изменения во всем и в кадровой политике — особенно...

Не хочет переходить к делу, отметила Зара, тяжко ему почему-то. Облысел, постарел... Что-то случилось?

И помогла: улыбнулась и проговорила:

— Ну, а теперь смело прыгни в воду с разбегу.

Он замешкался, будто не ожидал.

Еще по дороге, обдумывая их встречу, решил начать не с Леона, хотя и понимал, как жестоко сейчас забрасывать Зару в прошлое. Помедлив, достал из плоской кожаной книжки (привычное укрытие для многих фотографий за годы его пестрой карьеры) фотографию «Казаха» и положил перед Зарой на стол.

Она не притронулась к ней, лишь глаза опустила. Молча смотрела, долго, долго... Слишком долго для опознания. Слишком спокойно, удивился Натан. Как странно: не узнает? Все же это не совсем обычное лицо. Как можно не узнать человека, ломавшего тебе пальцы?

Наконец она разлепила морщинистые губы и бесстрастно проговорила:

— Постарел, мерзавец...

Что значит выучка, восхитился Натан. Сказал, забирая фотографию:

— Прости. Это было необходимо. Я бы не стал тебя зря тревожить. Хотел еще раз удостовериться, что это он самый.

Зара спросила:

— Неужели вам удалось его добыть?

Он улыбнулся ей. Провел ладонью по старческой легкой руке в перчатке, немного задержался на покалеченных пальцах.

— Его уже нет, Зара, — тихо проговорил Натан. — Живи в радости: его уже нет... — Потянулся к термосу, отвинтил крышку и нацедил в свою чашку остатки кофе, буркнув: — Самый крепкий — на дне! — Выпил, поднял на нее усталые раскосые глаза в обвисших веках. — И приехал я не ради него, Зара. Впрочем, если захочешь, расскажу потом обстоятельства его гибели. Кстати, мне даже стыдно, что мы не сразу вспомнили твои показания — все было бы проще. Но... это было так давно. И все же — он мертв, а ты жива, моя дорогая, и я ликую! А сейчас... взгляни вот на этого парня.

Он выложил перед ней старое армейское фото, на котором Шаули с Кенарем (Пат и Паташон) сняты в полном снаряжении на последних шагах к армейскому бараку: замордованные, взмокшие, чудится — даже от фотографии разит по́том. Физиономии обоих — в маскировочной зелени, а Кенарь вообще такую рожу состроил, что его родная мамаша не опознает.

— К сожалению, тут ничего не разберешь, кроме роста и сложения, — торопливо пояснил Натан, — так что я вынужден предъявить тебе вот еще... такую его фотографию.

Разумеется, он мог не тащить с собой все эти картонки — для чего существуют сегодня *наши электронные радости!* — но, человек старой закалки, он верил вещественности жизни, любил осязаемые предметы, особенно когда дело касалось работы.

— Что это? — Она подняла голову и недоуменно взглянула на Натана. — Это что, на карнавале?

— Извини, — усмехнулся он. — Это на сцене. Он певец, Зара, каких мало. Певец, парижанин, эстет, ловелас... Артист! На первый взгляд, далеко ушел от самого себя в солдатской форме. Но это не так. Вот он и добыл «Казаха», по пути прихватив кое-кого еще...

— Прекрати морочить мне голову, Натан, — прервала его Зара. — Оставь свою конспирацию *в конторе* и выкладывай все как есть про своего артиста.

...Минут через пятнадцать она уже опять внимательно разглядывала лицо Леона на двух фотографиях — и в маскировочной зелени, и в театральном гриме, с накладными ресницами, с длинными клипсами, рассыпающими брызги звезд. Деловито осведомилась: эта мушка на щеке — грим, конечно?

— Знаешь... — задумчиво проговорила она, продолжая разглядывать лицо Леона в высоком кудрявом парике восемнадцатого века. — Ты удивишься, но если закрыть эту дешевую паклю, вот так... — ее пальцы в перчатках телесного цвета с обеих сторон прикрыли кудри парика на фото, — то он напоминает сына одного человека из Кфар-Ма́нды... Человека этого звать Валид Азари, давнее знакомство; сам он тоже небольшого роста, зато три сына — просто гиганты, в жену: там женушка настоящий гренадер! Твой Кенарь лицом поразительно напоминает его среднего сына Мусу. Тот, кстати, тоже из бешеных: яркий, уклончивый, авантюрный. И тоже побывал в переделках — в основном криминального свойства.

Она замолчала, поглаживая фотографию чуть вздрагивающими пальцами.

Натан тоже примолк, стараясь не вспугнуть ее мысли; слишком хорошо знал легендарную Зарину способность связывать разных людей в самых диковинных комбинациях. Он верил, что ее великолепный интеллект, в свое время оперировавший невероятным количеством информации, с годами не утерял своей гибкости.

Эту черкешенку называли «жемчужиной израильской разведки». Образование (медицинское) она получила в Цюрихе, блестяще знала восемь языков и целых двенадцать лет руководила в Бейруте клиникой, созданной на деньги конторы.

В личных друзьях она в те годы числила едва ли не всю верхушку ООП — Жоржа Хабаша, Вади Хаддада, да и самого Арафата, — годами поставляя бесценные сведения не только о том, что происходило в высших эшелонах

356 *руководства ООП и входивших в нее террористических организаций, но и об акциях советской и восточногерманской разведок на Ближнем Востоке.*

Погорела из-за связника: тот по небрежности засветил один из «почтовых ящиков», что позволило палестинской контрразведке, «Отряду 17», выйти на резидента...

— Между прочим, — наконец заговорила Зара оживленно, будто нащупала некую тропку, на которую можно ступить, как говорится, полной стопой: — Тот самый Валид Азари, вся его семья... они из *ахмадитов*... А это, как ты понимаешь, кое-что значит. Эти люди на собственной шкуре знают, что такое преследования, и тем более ценят свое благополучие здесь, в этой стране. Но бог с ним, с Валидом. Сам он — так, по торговой части, мотоциклы-мопеды-насосы. Не о нем речь. Вот старший его брат — тот со-овсем другое дело. Совсем!

Она вновь умолкла, напряженно перебирая какие-то свои мысли, в такт им слегка перебирая пальцами в перчатках, будто пробегала пассаж на невидимой клавиатуре (а в молодости она неплохо играла на фортепиано). Натан терпеливо ждал, опасаясь лишь какого-нибудь служебного звонка, который мог ее отвлечь. Свой-то телефон он отключил после *парада дедовской гордости*.

— Брат его, Набиль Азари, — выразительно продолжала Зара, — влиятельный адвокат, искушенный и деятельный человек. Что немаловажно — *с улыбкой на лице*; понимаешь, что я имею в виду? Живет везде — в Париже, в Бейруте, на Корфу... Он из тех, кто со всеми знаком и имеет связи в самых разных кругах: и правительственных, и мафиозных. — Она предупреждающе подняла руку: — Хотя сам человек порядочный, даже церемонно порядочный... Но уж мы с тобой знаем, что образ жизни подчас диктуется важными тайными целями, а он этими целями буквально опутан.

Зара усмехнулась:

— Помню, Жорж Хабаш, убийца по шею в крови, говорил мне: «В твоем обществе я чувствую себя человеком»... Знаешь, у всех людоедов непременно должны быть личные друзья, не замешанные в поедании человечины. Врачи, например... или вот адвокат. Для многих Набиль Азари — та скрытая пружина в обществе, та потайная кнопка, на которую нажимают в критических случаях: когда требуется посредник — *человек с улыбкой на лице.* И, если я не ошибаюсь...

«...А ты никогда не ошибаешься», — мысленно подхватил Натан, уже волнуясь, уже понимая, что не зря, не зря он ехал сюда, к этой поразительной женщине...

— ...Если не ошибаюсь, он успешно посредничает при всяких секретных обменах — ты ведь знаешь, как за последние годы наживаются джихадисты на...

— Конечно, конечно! — горячо и торопливо перебил ее Натан. — Именно это я имел в виду, когда...

Движением брови Зара остановила его на полуслове, продолжая задумчиво поглаживать фотографию на столе.

— И мальчик хороший, — негромко произнесла она, — и так похож на Мусу, а Набиль любит Мусу больше остальных племянников. В конце жизни выясняется, что это, оказывается, важно: типологически родственные черты. Подсознание, что ли? Пещерный зов племени?.. Мы ведь странные животные...

Казалось, она бормочет все это просто по какой-то инерции, любой другой свидетель мог принять это бормотание за старческое недержание мыслей. Но Натан все так же внимательно слушал этот едва ли не шепот: Зара никогда не произносила ни одного лишнего слова.

Наконец, она подытожила, чуть ли не весело:

— Что ж, попробовать можно. Обстоятельства нам сейчас на руку, у «Хизбаллы» много дел: бойня в Сирии, бои на границе с Ливаном,... Это хорошо, что «Хизбалле» сейчас не до мелочей вроде пленного артиста.

Подняла глаза, и уже другим, деловитым голосом коротко сказала:

— Дай мне два дня, Натан. Дело непростое.

Оба одновременно поднялись, и опять Натан умолял ее не беспокоиться и не провожать, и опять она решительно отмахнулась, и он не посмел перечить.

Они вышли на крыльцо и постояли там, любуясь летним цветением духовитых кустов, над которыми целыми семьями трудились пчелы.

Зара хвасталась новостями в хозяйстве: недавно построенным рестораном и двумя новыми корпусами, как обычно, «припрятанными в холмах», дабы не нарушали образ «дедовской фермы». А на следующий год будем перестраивать бассейн и библиотеку.

— В очередной раз повысив цены, — поддел ее Натан, — и без того заоблачные.

Он сел в машину, сделал круг по стоянке и, проезжая мимо дверей шале, помахал Заре огромной своей изуродованной пятерней. В ответ она махнула ему рукой в перчатке.

Две-три секунды, пока не свернул, он смотрел на нее в зеркальце заднего вида.

Ее, конечно, звали не Зара...

Для Натана она была больше чем подругой, больше чем любимой, больше чем сестрой. Она была *сестрой по пыткам*. Много лет назад в Ливане их держали не-

подалеку друг от друга и однажды свезли в некий подвал в деревне, в долине Бекаа, на очную ставку — на
которой оба нашли в себе силы друг друга не узнать.

5

Мертвая бабочка торжественно въезжала на спинах
муравьиного эскорта в щель между бетонными блока-
ми стены. Всюду жизнь, всюду смерть... Откуда здесь, в
кромешной тьме, муравьи и тем более бабочки, пусть и
мертвые?

Невозмутимую эту похоронную процессию он заметил в те несколько мгновений, когда его заволокли
и бросили после допроса, не сразу заперев металличе-
скую дверь. *Они* теперь не затрудняли себя подобными
предосторожностями, справедливо полагая, что *на таких ногах* он вряд ли попытается куда-то уползти. Внес-
ли, швырнули на пол, и, ударившись щекой, он увидел
на уровне глаз в тусклом фонтанчике бетонной пыли:
двойная колонна муравьев сосредоточенно и кропотливо везла на спинах роскошную мертвую капустницу:
«Аида», въезд армии Радамеса в Фивы.

Его — он полагал — последний театр...

*Кто это рассказывал, или приснилось (любимый пе-
дагог Кондрат Федорович, консерватория, Москва, было
и такое в его жизни, — это он рассказывал?) — когда
в застенках НКВД терзали Мейерхольда, тот мысленно
твердил прописную истину: «Доминантсептаккорд разрешается в тонику... доминантсептаккорд разрешается
в тонику...» — и ему становилось легче. Разве? Нет, никого не спасают мантры, когда тихо тлеют собственные пятки.*

Впрочем, у каждого свои заветные мантры. В первые дни, после зверских допросов (капитан яхты правду сказал: *они* играли на всех инструментах), приходя в сознание, Леон пытался вызвать в памяти несколько финальных тактов «Ликующей Руфи». Ария Руфи — она мягко ложится на голос любого, даже средненького контратенора и поется раздольно и легко: там наверху всего лишь «ля» второй октавы:

Dove morirai tu, morirò anch'io e vi sarò sepolta.

«Где ты умрешь, там и я умру...» *(Это вряд ли, не дай тебе боже, моя любимая!)*

Il Signore mi punisca come vuole,
se altra cosa che la morte mi separerà da te.
Mi separerà da te.

«Пусть то и то причинит мне Господь, и даже больше причинит, смерть одна разлучит меня с тобою...»

Пусть то и то причинит мне Господь... хм... довольно обтекаемый реестр пыток; к тому же вряд ли эти человеческие забавы проходят по божественной ведомости.

Да и глубоко, Господи, сверху не разглядеть, сквозь все-то слои бетона. Поглубже ада станет... Интересно, в какой круг поместил бы Данте эти сменяющие друг друга темницы?

Его перевозили с места на место по ночам, в наручниках, крепко завязав глаза. Несколько раз тащили длинными подземными туннелями: он определял это по затхлому холодному запаху бетона, промозглому холоду и утробному эху. Значит, правда, что у «Хизбаллы» в Ливане такая же разветвленная подземная паутина, как и у «Хамаса» в Газе. В первые дни его перевозили,

опасаясь неизвестно чего, и на новом месте всегда под-
жидал новый, полный сил *следователь*, который принимался разрабатывать свою версию:

— *Ты работаешь на американцев? Ты работаешь на
израильтян?*

— *Я певец... откройте «Википедию»... откройте
«Ютьюб»...*

В глазах у Леона — в те дни, когда получалось их
разлепить, — рябило от пятнистой камуфляжной фор-
мы. Со временем попривык и даже стал кое-кого раз-
личать. Прояснились трое — вероятно, приставленные
его сторожить, кормить, таскать на допросы и перево-
зить из одной дыры в другую. Самый молодой из них,
Абдалла — маленький, востренький, с рваной речью за-
ики, чем-то напоминал Кнопку Лю — и в руках все тот
же «калашников», что гордо реет на их желтом знамени.
Вторым был брезгливый верзила Джабир; неизвестно,
как его занесло в эти бравые ряды: у него всегда что-то
перевязано — палец, запястье, лодыжка... Леон подозревал, что это уловка такая. Джабир выполнял все, что
приказывал ему старший, Умар, тот, кто единственный немного говорил по-английски, но по лицу видно
было, как верзила брезговал Леоном, всегда сочащимся
какой-нибудь сукровицей, — вонючим, с бородой, за-
скорузлой от крови, с дико отросшей гривой.

В этот бетонный мешок (вероятно, подвал под одним из домов или мечетей в одной из деревень долины
Бекаа — оплота боевиков «Хизбаллы») его перевезли
некоторое время назад, и по тому, что уже два дня не
волокли на допросы, он понял, что спектакль катит
к финалу. Долго он вил эту нить, но когда-нибудь все
кончается... Штука была в том, чтобы выдавать крошки бесполезной для них правды в самое нестерпимое

мгновение пытки, когда еще хочется остаться в живых; ибо сразу за этим следует миг-оборотень, нестерпимая алчба смерти, когда даже пытатели устают от допроса и могут не выдержать — пристрелить или полоснуть по горлу ножом. Дьявольский дебет-кредит, мучительный приход-расход; точка равновесия душераздирающей боли...

Впрочем, как учил их инструктор: боль от пыток притупляется. Верно, притупляется... Но Леон громко верещал, *он криком пел*, так что *эти* затыкали уши и иногда не выдерживали, били отчаянно, чтобы он потерял сознание, замолчал, подох... а забытье, отключка, *небытие* — было счастьем.

Он уже прошел многие стадии. Сначала пустился в простейшее: плакал, умолял, клялся, просил минутку передышки — что взять с артиста. Тут не следовало переигрывать: безусловно, *те*, на яхте, передали *этим* в подробностях, как он за пятнадцать секунд отключил двух бугаев Гюнтера и прикончил в воде его самого. Так что *артист-пидар* тут не канал.

Затем пришли самые страшные мгновения *первого физического воздействия*, первой пытки, когда все твое нутро вопит, не веря, что *это на самом деле*, что *это происходит с тобой*, длится и длится, и возвращается к пронзительному истоку немыслимой боли; что *другие люди* совершают с тобой *такое*... Вслед за тем наступила стадия, которой психологи давно уже дали название «стокгольмский синдром», — несколько омерзительных дней бесконечной жалости к себе, а также *к этим несчастным парням, у которых просто нет выхода, ибо они суть и есть ты сам, только в других обстоятельствах, и так далее...*

Именно жалость к себе и доверчивая любовь к палачам была чревата самой большой ошибкой, самой бесповоротной бедой: если б вдруг, не выдержав, он закричал-заговорил по-арабски, не просто отождествляя себя с мучителями, но еще и вливаясь в них всею кровью, всей жаждой выжить, остаться и быть — пусть и с ними, здесь, навсегда!

Вот тогда все действительно закончилось бы в считаные дни.

Спасал его неизменно Артист, тот самый, что всю жизнь властно правил его личностью и ни разу еще не подвел. Именно Артист в последнюю минуту твердо говорил ему: «Стоп! Это — театр, это просто очередная роль; ты выучил свою партию, и другой в *этом* спектакле у тебя быть не может. Так допой, доиграй свою партию до занавеса».

Тогда он просто входил в образ: это пьеса такая, говорил он себе, подбирая большим пальцем струйку крови изо рта, из носа, — модерновая опера мудака-экспериментатора, поставленная другим мудаком-экспериментатором, явным мазохистом: на сцене пытают, добиваясь от главного героя бог знает чего, демонстрируя бывалому зрителю «весь вопиющий ужас вонючих дыр нашего мира». И поскольку партия героя мелодически и гармонически должна соответствовать замыслу режиссера, ждать от актера человеческих звуков не приходится. И он вступал...

* * *

Здесь было сухо. То есть, конечно же, сыро и темно, и постоянно кружила над ним назойливая вонь его собственного паленого мяса... Но по крайней мере он не валялся среди луж крови и нечистот предыдущих обитателей несметных темниц этой подземной стра-

364 ны. Лежал щекой на холодном бетоне, время от времени уплывая в разверстые декорации золоченых ворот древнеегипетских Фив, и слышал собственный голос, прерываемый быстрым топотом крысиных лапок...

Пока *они* не поняли, что крысы почему-то не пугают его и почему-то не желают его грызть, *они* бросали его голым в простой, но остроумный зиндан: спускали на веревке, завязав лишь полотно на животе, чтобы твари не выгрызли внутренности.

Пусть то и то причинит мне Господь...

Это дух белой крысы Буси, убиенной за Леона, вступился за него на просторах крысиного рая? Он с ними шептался, с крысами, иногда тихо им пел. Кое-кто из них приближался и обнюхивал его: крупные шелковистые животные с щекотливыми веревками длинных хвостов. Странно: ни одна не укусила ни разу, что произвело на *ребятушек*, особенно на Абдаллу, убойное впечатление. *Может, он — шайтан? Может, крысы его боятся? Может, его поганое мясо отдает Геенной!* Много идиотских предположений выслушал Леон, сидя мешком у стены, свесив голову и пряча лицо — если позволяли сидеть *они* и позволяло сидеть истерзанное тело — или валяясь у них под ногами. Ни в коем случае не показать, что ты понимаешь каждое произнесенное слово. *Арабский брат* (бурный поток арабской, без акцента, речи — новая легенда, новая история, которую следует из пленного вытянуть, задокументировать и передать в Центр, а значит, продлить его жизнь еще на какое-то количество дней) — это будет последней версией, последней ниточкой, прибереженной на последние минуты перед расстрелом, повешеньем, сожжением, отрезанием головы или что там еще следует по ихнему прейскуранту казней.

Приходя в сознание, он молча пел (связки все равно работают), молча распевался «Ликующей Руфью». В удобном для распевки эпизоде на минуту и двадцать секунд зашифрован рабочий библейский артефакт: «Пусть то и то причинит мне Господь...» шло на глубоком крещендо, последняя же фраза: «Смерть одна разлучит меня с тобою!» завершалась не в минорно-уменьшенных или терпких гармониях, как того, казалось бы, требовал трагический текст, а возносилась к небесным эмпиреям в жизнеутверждающем мажоре, да еще на фортиссимо: финал-апофеоз!

Слава богу, горло они не трогали: пленный должен говорить. И еще повезло: когда на первом же *настоящем* допросе двое поволокли его на кучу тряпья в углу комнаты, один из его охранников, старший, Умар, крикнул: «Эй! У этих артистов СПИД у всех, поголовно!»

И — сработало! Его швырнули на пол и принялись остервенело избивать ногами, целя ботинками в пах... Тогда он заплакал в первый и последний раз — от облегчения, сворачиваясь креветкой, вопя и радуясь дикой боли; любой дикой боли, *только не той, о ликующая Руфь...*

* * *

Айи не было, ее не существовало — она осталась плыть где-то там, в оцепенении своего скульптурного сна, грудками вверх, под парусами своих соболиных бровей — как облако плывет на небе, отныне для него не существующем.

Айю он себе запретил — с той минуты, когда всесторонне отрабатывалась и на всех его членах обрабатывалась легенда одержимого местью жениха. И то сказать: держался он на ней немало. Впрочем, скоро упустил счет времени, когда провалялся без памяти незнамо сколько после особо пристрастного допроса с участием Чедрика. Этот сопровождал его всюду и лютовал без всяких границ. Это он яростно выплюнул: «Ложь!» — на осторожно и убедительно сыгранную Леоном историю *насилия над девочкой*...

— Он лжет! — крикнул, стиснув, как от боли, лошадиные зубы. — Гюнтер не интересовался бабами!

— Ну конечно, — не поворачивая головы, с издевкой отозвался старший из них, Умар. — Тобой, только тобой он интересовался... — И головорезы в комнате невольно заржали: так нелеп был громила Чедрик в образе возлюбленной.

Тогда Леон впервые почувствовал, что *местные* ненавидят и презирают Чедрика, считают его обузой, которую вынуждены терпеть, проклятым надоедалой, соглядатаем, присланным из Тегерана.

В первое время из Центра приезжали, сменяя друг друга, несколько человек; тогда допросы ужесточались, до обмороков, до обильных кровотечений, до нескончаемого нутряного стона: *сдохнутьсдохнутьсдохнутьсдохнутьсдо-о-о-о-о-о-о-о!!!..*

— На кого ты работаешь? На американцев? На израильтян? *На-кого-ты-работаешь?!*

Я артист, шептал он разбитыми губами, я певец... Откройте «Ютьюб»... откройте «Википедию»...

— Кто послал тебя убить Гюнтера Бонке? *Кто-послал-тебя-убить-Гюнтера-Бонке...*

Мне плевать, кто был этот мерзавец Гюнтер... Я мстил за невесту... я певец, вот... послушайте...

— *Заткните кто-нибудь его канареечную глотку! Я не могу больше слышать этот визг!*

— *Его надо заткнуть с другого конца, тогда он запоет по-настоящему...*

— *Вот ты и затыкай, халлас!*[1] *Лично я обойдусь без французского СПИДа...*

Мастера допроса менялись от перемены географии, но *рабочая группа* — Умар, Абдалла и Джабир — сопровождали его всюду. И если выпадали дни, когда ни один из *серьезных людей* не являлся по его душу, святая троица ловила кайф: карты, *наргиле*, травка... забывая, правда, кормить его.

Леон подозревал, что его давно бы оставили в покое, приберегая на обмен, как они это делали с остальными пленниками, если бы не безумный Чедрик. Все слышали, исступленно твердил тот, что Гюнтер кричал: канарейка — разменная монета! Что это значит?! Он что, его знал?! Гюнтер не сможет уже ответить — значит надо выжечь, выколотить правду из канарейки!

...Из того, что время от времени в очередной бетонный или земляной ад к Леону спускался некто, внимательно осматривавший его раны и делавший толковые перевязки (у всех местных группировок были прикормленные врачи, и зачастую хорошие врачи: кто-то же должен оперировать, перевязывать и выхаживать раненых боевиков), Леон заключил, что его намерены придержать на всякий случай, дабы выяснить, насколько может потянуть подобный странный товар. Будь он просто очередным иностранцем, журналистом, сотрудником какой-нибудь миссии, да просто певцом, случайно угодившим им в лапы, они бы сами через посредника пытались выйти на представителей Франции или на Красный Крест — на любую организацию по обмену или выкупу пленных. Но Чедрик, Чедрик, маниакально преданный памяти хозяина, — он неустанно доказывал, что из Леона далеко не все выколотили. И сам брался за «разговор», отлично владея всеми

1 Хватит! *(араб.)*

368 их адскими инструментами допроса, пока местные не вмешивались, не давая ему прикончить Леона — чего, конечно, страстно великан желал, но и опасался: такое мощное развлечение, такой чудесный допинг вдруг оборвется со смертью канарейки? Ну нет — ведь дохлые канарейки не поют.

Порой чудилось: потеряв хозяина, Чедрик прилепился к нему, Леону, в извращенном стремлении служить хотя бы таким образом: пытая.

* * *

Все свободное время охранники резались в карты. Иногда в «басру», но чаще в наиболее распространенный в Ливане «тарнииб». Карточные игры, как и другие особенности игорной индустрии Ближнего Востока, Леон неплохо знал по служебной необходимости: когда-то в рамках спецоперации против галилейских арабов, причастных к трансграничной наркоторговле, он месяца два проработал барменом в популярном *Casino du Liban* в Джунии — портовом и курортном городке в десяти километрах от Бейрута.

Ливанских торговцев, как обычно, контролировала «Хизбалла», в частности, один тип из Мардж-Аюна: он готовил каналы для переправки в Израиль не только наркотиков, но и оружия, время от времени захаживая в Casino du Liban.

(Леона звали тогда Абдулазиз абу Бодрос, был он подданным Иордании, родом из деревни под Аккабой. Знал там, само собой, каждый камень и все время сбивался на иорданский диалект. Он всем улыбался: бар казино был идеальным местом «поговорить-послушать», особенно когда после выигрыша развязывались языки.)

*И легенда его в тот раз была предельно проста: при-
ехал к двоюродному брату, тот и пристроил его в хоро-
шее место.*

*(Двоюродный братец был первоклассным агентом,
впоследствии заработавшим от конторы вольную, — на
редкость удачная судьба, если не считать того обстоятельства, что для вольной ему пришлось угодить под
машину и навеки остаться инвалидом.)*

Так вот, по отдельным репликам Леон определил,
что играют в «тарнииб» и что Чедрика принимают в
игру четвертым — именно в этом качестве он еще ими
терпим.

А через несколько недель Леон понял, что один из
парней, психоватый заика Абдалла, задолжал Чедрику огромную сумму в ливанских лирах — в переводе на
американские доллары что-то около трех тысяч.

...В связи с чем у него возникла навязчивая мысль:
не задумают ли *ребятушки* кому-то втихую его перепро-
дать, тем более что за последние недели допросы (если
не считать постоянно пылающей ненависти-страсти
Чедрика) случались все реже.

Такое здесь бывало: группировки боевиков притор-
говывали пленными. Но тогда возникала опасная вероятность оказаться в руках совсем уже отпетого сброда, падкого на деньги.

Навозные тучи отпетого сброда летали по просто-
рам Ливана, Ирака и Сирии без всяких границ. Про-
считавшись в торговле, сброд церемониться не станет:
если правительства или правозащитные организации
не желают «вступать в переговоры с террористами», не-
счастному заложнику просто и элегантно сносят кум-
пол — разумеется, запечатлев кровавую забаву на видео:
как же без прогресса...

370   Иногда, в *спокойные дни* Леона охватывала безумная надежда: не может такого быть, чтобы *кто-то из своих* не работал сейчас над его освобождением! Выжил же Натан, вернулся же он домой... Только бы голос остался, Господи, сохрани мне голос!

И легко, вдохновенно принимался выстраивать ходы: то письмо, посланное им на адрес Шаули, — неужто оно не дошло? Да нет, непременно дошло и прочитано. Так что же — его прокляли? Стерли его имя со скрижалей *конторы?* В это он не верил, если только... если только жив Натан Калдман.

В том, что Айя сделала все, как он велел, у Леона и сомнений не было. Он доверял ей, как себе самому. Умная, рисковая, наученная этим миром *по самое не могу*, — она была *его женщиной; женщиной его жизни*.

И не ее вина, что, скорее всего, эту жизнь им не доведется прожить...

6

Монастырский колокол мерно отбивал двенадцать, когда Меир Калдман свернул на свою улочку в Эйн-Кереме. Он тихонько мычал от боли: посреди рабочего дня, после выпитого кофе, из давно дремавшего дупла вдруг выхлестнулась струя боли, мигом превратив зуб в огнедышащий очаг. Даже после таблетки не стало легче. Пришлось срочно заказать очередь к своему дантисту — тот жил неподалеку, принимал у себя дома.

И что бы там ни говорили про то, как «сегодня у дантистов совершенно безболезненные методы лечения», после неприятнейшего часа, проведенного в опрокинутом виде с разинутым ртом, Меир хотел только одного: принять снотворное и еще одну таблетку нурофена, лечь в постель и, пока в доме тихо (малыш в садике, а близнецы в школе), заспать хнычущий зуб.

Он подъехал к воротам, остановился и вытащил ключ из зажигания.

И тотчас над крышей дома, над золотой россыпью лимонов в верхнем садике, над хребтом всего лесистого ущелья взмыл и надулся тугим парусом страстный настойчивый поток:

> U-na furti-iva lagri-ima
> Ne-egli occhi suoi spu-untò —

...знаменитый романс Неморино из «Любовного напитка» Доницетти, взятый октавой выше; лавина голоса, неповторимо сочетавшего в своем тембре глубину и высоту:

> Que-tlle festo-ose gio-ovani
> In-vidia-ar sembrò-o...

Опять! Опять этот ненавистный голос разливается по дому, путается в ветвях шелковицы, улетает к бесплотному небу Эйн-Керема, перекликаясь с отрешенным боем колоколов монастыря Сент-Джон.

Кончится это когда-нибудь?!

Меир отворил калитку, прошел мощенной плитняком дорожкой к двери в их с Габриэлой половину дома, остановился на минуту в кухне выпить воды... спустился на нижний этаж.

Значит, Габриэла опять не вышла на работу. Она возглавляла компьютерный отдел в одном банке и в последние месяцы позволяла себе «работать дома» — то есть сидеть, безвольно уставившись в одну точку, под *этот голос*. (Под все тот же проклятый голос!)

Меир застал ее в спальне. Сидит на низком пуфе у стены — в белых шортах и свободной застиранной майке, которую давно пора бы выкинуть; лицо совершенно бессмысленное, будто кто-то вусмерть запытал ее этой музыкой. Длинные загорелые ноги бессильно вытянуты вперед, руки повисли... Воплощенная Скорбь, с ненавистью подумал Меир. И эти немытые космы, разве что пеплом не посыпанные, — да она вообще расчесывалась сегодня?

Она не слышала, как Меир вошел. Лишь когда он выключил стереосистему и исполненный счастливой истомы голос Леона оборвался на плавной дуге легато...

Габриэла резко подняла голову и уставилась на мужа. Он стоял напротив — высокий, грузный, сильный, начавший лысеть, как отец. Очень похожий на Натана, только беспомощный.

— Что будем делать, Габриэла? — тихо спросил он. — Что мы будем делать с нашей жизнью?

Она не отвечала, вяло уставясь в проем раздвинутой стеклянной двери, где от полуденного ветерка нежными шажками в каком-то робком танце двигалась по ковру легкая темно-синяя занавеска.

В течение последующих пяти минут — как нередко бывает в жизни — у этой многолетней супружеской пары, с утра начавшей обычный день двумя-тремя обиходными словами и расставшейся с тем, чтобы вечером встретиться за ужином с детьми, состоялся обмен несколькими судьбоносными фразами — из тех, что обрушивают плотины устоявшихся жизней.

Потом ни он, ни она не могли припомнить начала этой смертельной дуэли.

Кажется, Меир первый заявил ледяным тоном, что не позволит уничтожить их жизнь, что ей, Габриэле, пора принимать антидепрессанты, что это курам на смех, когда человека выбивает из седла неприятное происшествие с кем-то посторонним, пусть даже знакомым по юности, но не имеющим никакого отношения к семье. Что, наконец, это недопустимо, когда дети видят мать абсолютно апатичной и развинтившейся... Вот даже малыш вчера...

...И тогда, не меняя позы, так же пристально глядя в угол на вальсирующую занавеску, Габриэла спокойно сообщила ему: кстати, о семье, малыш — ребенок Леона...

Меир захлебнулся коротким ошеломленным смешком.

— Кто — мой Рыжик?

— Сын Леона, — тупо повторила она.

— Мой Ры-жик?

— А ты его мамашу видел? Одно лицо...

Все произошло очень быстро: несколько кадров малопристойного клипа.

Получив оплеуху, Габриэла отлетела к дверям, но быстро поднялась на четвереньки, словно тяжелая рука мужа придала ей наконец недостающей энергии.

— Ну, что же ты? — выдохнула она. — Давай прикончи меня. Убивай, как ты его убивал тогда ночью...

— Я его не убивал! — прорычал он.

— Убивал! — сказала она торжествующе, изучая мужа сквозь упавшие на лицо пряди волос. Было что-то первобытное, что-то пещерное в ее позе. — Я видела, хотел убить и убивал!

— Но ты, помнится, была тогда в восторге от нашей драки, — проговорил он, внимательно за ней наблюдая. Почему, черт ее дери, она не поднимается с карачек? Просит, чтоб я еще разок наподдал ей ногой под зад?

Пролеченный зуб, как потревоженный осьминог, вдруг выпустил огненные щупальца до самого дна бедной челюсти. Хоть волком вой.

— Послушай, — пробубнил Меир, усаживаясь в кресло, машинально успокаивая ладонью взбесившийся зуб. — Мне плевать, если ты с ним переспала... Я и тогда его перешиб, и сейчас перешибу.

— Лжешь! — тем же торжествующим тоном отозвалась она. — И тогда не перешиб, а сейчас и подавно... Ты забыл мелкую деталь: он все равно и уже навсегда — был первым. Кстати, вот в этой комнате. И был прекрасен: легкое чуткое тело, нежное — как его голос. А я ведь тоже была у него *первой*, и мы любили друг друга, мы открыли друг друга... Вот что тебя выжирает изнутри всю жизнь.

— Что ты за тварь... — с тоской проговорил Меир, чувствуя, как с новой силой взмыла боль — уже не зубная: ноющая, небрежно залеченная боль всей его семейной жизни. — Провокаторша, разрушительница! Чего ты добиваешься — сейчас? Ну хорошо, можешь проваливать. Ты же понимаешь, что после такого признания любой адвокат свернет тебе шею, просто завяжет твою длинную шею узлом. Детей ты не получишь, хоть двести раз повторяй, что Рыжик не мой сын. Чушь! Это мой ребенок... А Леон не вернется.

— Почему? — крикнула она. — Твой отец ведь вернулся?!

— Мой отец вернулся, потому что мы готовы были платить за него полной мерой и заплатили. За твоего Кенаря никто платить не собирается. Кто он такой? Сейчас он к нам не имеет ни малейшего отношения.

— Ах ты гад... — прошептала она. — Все вы — гады! Ни малейшего отношения?! Он для вас... ради вас... Вы годами шантажировали его — любовью к прошлому, всем этим *братством нашей трудной юности*... всеми этими *штучками*, на которые вы так горазды! Выдергивали его из нормальной жизни, его — бесценного, бесценного артиста! Не отпускали, держали на привязи! Он же на вас работал!

— Дура! — резко оборвал жену Меир. — Он нам все испортил! Провалил подготовленную операцию. Из-за него эта чертова «передачка» преспокойно достигла Бейрута, и мы не могли ни перехватить ее, ни даже уничтожить — потому что, видите ли, на яхте находился Кенарь! Он и — начинка для «грязной бомбы» «Хизбалле». Счастливого пути!

Интуиция и опыт подсказывали ему, что сейчас не стоило бы давить на этот нарыв, что умнее всего спустить ситуацию на тормозах, уйти отсюда, слинять — хотя бы на родительскую половину дома, — спокойно дождаться вечера, когда дети за столом, перекрикивая друг друга, хохоча, ругаясь, капризничая, сами собой (особенно болтун и смешнюга Рыжик) постепенно залечат, залатают родными голосами эту ужасную сцену.

Но остановиться уже не мог. Рыжик! Любимец, его слабость, его сладость... не его кровь?! Не его семя?! Чушь!!! Эта мерзавка просто лжет, чтобы разодрать самое уязвимое в сердце мужа. Тогда и она сейчас получит.

— Он всегда путал сцену с жизнью, твой драгоценный Кенарь! — злорадно добавил Меир. — Решил, что он и тут — солист. Заигрался мальчик. Полез исполнять главную роль и — сгорел. Так что поделом ему...

Габриэла так и не поднялась с пола, сидела, привалясь спиной к стене; лицо ее было бледнее, чем недавно наклеенные серебристые обои, которые настолько им приглянулись, что они везли их на самолете из Италии, где всей семьей отдыхали на вилле под Флоренцией.

— А сказать тебе, почему ты тогда хотел его уничтожить? — тихо спросила она. — И сейчас мечтаешь, чтобы он сгинул? Сказать?

Она продолжала пристально следить за фигурой мужа, не убирая со лба свисающих на лицо прядей. Что-то невероятное, что-то *безглазое* есть в этом разговоре сквозь пелену волос, подумал он, как вся наша жизнь; и, криво ухмыляясь, бросил:

— Ну, скажи... Думаешь, *за тебя, да?* Чушь. На самом деле, я...

— На самом деле, — перебила она его звенящим от напряжения голосом, — ты ему не мог простить свою мать.

Повисла пауза, перебиваемая только шелестом кроны той старой шелковицы в патио, на которую все они лазали в детстве, — до сих пор она приносила сладчайшие плоды...

— Что?! — тихо произнес Меир с обескураженным лицом.

— Ты не мог простить, — отчеканила Габриэла, — что Магда давно его любит... Молчишь? То-то... Просто любит, и все. Как баба. Это ведь возрасту не подвластно. Это так всегда и бывает: голос его, улыбку, руки... Главное — голос. Думаешь, я не помню, как у нее дрожали губы, когда он только рот открывал? Она его любит с тех пор, как увидала мальчишкой — неопрятным, лохматым, бедно одетым... Я все помню! У меня отличная память.

— Ты... ты... — боль, пульсирующая в челюсти, хлынула ему в грудь и там запеклась, как сгусток крови. — Так это ты сводила свои бабские счеты с моей матерью, которой в подметки не годишься! С моей матерью — эталоном верности и благородства?!

— Вер-но-сти?! — Габриэла захохотала. — Бедный, бедный сыночек... Бедный дурачок... Ну, уж конечно, когда тебя зачали, верность была ее единственным уделом... Да весь Иерусалим знал ее любовника — как раз когда твоему папаше отбивали почки...

Он ринулся к ней через всю комнату, отшвыривая стулья — удавить ее, чтобы заткнулась навсегда! Чтобы ни слова больше, ни единого слова! — схватил за горло, поднял с пола одним движением, как курицу... и держал так, все сильнее сжимая пальцы, превозмогая желание размозжить ее голову о стену.

— Меир!

Меир не слышал... Его сжигала ненависть, душная, темная ненависть — к Леону. Это Леона он сейчас держал, все сильнее сжимая его горло, не обращая внимания ни на хрип жены, ни на окрик ошеломленного отца, заглянувшего со своей половины дома на слишком громкий разговор *детей*, — сжимал, чтобы Леон наконец *перестал звучать*, перестал его мучить...

— Меир!!! — крикнул Натан, подбежал и повис на сыне. И поскольку тот не выпускал добычи из замкнувшихся в судороге лап, навалился на него и стал бить, куда пришлось куда попадал, — задыхаясь, слабея и выкрикивая имя жены — в помощь.

Когда на вопль Натана в спальню влетела Магда, Габриэла уже валялась на полу с мутными глазами на багровом лице, хватая воздух распяленным ртом. Меир же, будто проснулся, с ужасом глядел на нее, пятясь к двери...

— Я не... — бормотал он, мелко тряся головой. — Это не я...

— Пошел вон, — тихо приказала Магда сыну. — Убирайся!

Но Меир все топтался в дверях — большой раненый человек, — кривясь от тягучей боли в груди, переводя взгляд с матери на отца. Невозможно было пережить то, что сейчас тут было сказано...

— Ты не знаешь... — сказал он отцу дрожащим, высоким, каким-то детским голосом, — ты не знаешь...

Тот грубо толкнул его в плечо, выпихивая из спальни, оттесняя к лестнице, молча указывая подбородком — убирайся, пошел вон!

— Ты просто не слышал, что она сказала про маму, — еле шевеля губами, бормотал Меир.

— Я все слышал, — бросил Натан, серый, какой-то обескровленный; даже кромешный семейный скандал уже не мог встряхнуть его, не мог придать ни капли энергии, возмущения или боли. — Она — баба, доведенная до ручки. А ты поверил ей, говнюк. Ну и разбирайся теперь с самим собой...

Когда Меир выбрался к машине и сел за руль, не понимая, куда ему ехать и что делать с семьей, с детьми, со всей своей жизнью, за какие-то пять безобразных минут обернувшейся пепелищем сыновней, отцовой и мужней любви, колокол Святого Иоанна вновь почему-то ожил тревожным гулом, неурочным и неуверенным, как проснувшийся в темной пещере путник. И долго маялся в пустоте высокого неба с бездушным прочерком стылого коршуна, ахая, дрожа, никак не затихая...

7

Известие о внезапной кончине Натана Калдмана привело в движение — как это случается во всех подобных структурах и ведомствах — самые разные группировки и альянсы.

И хотя до похорон все следили за правильным выражением лиц и горячим выражением соболезнований семье, там и тут в кулуарах и кабинетах, в телефонных намеках и домашних бдениях забродили слухи, соображения о непременных перемещениях, забрезжили чьи-то надежды, заплелись чьи-то сговоры.

Впрочем, мало кто сомневался, что должность Калдмана перейдет по наследству: у него была репутация человека, не выпускавшего вожжи из рук и не пускающего дела на самотек. И если уж на то пошло: чем, по справедливости, плоха кандидатура его сына Меира? Даже недруги признавали, что стремительное восхождение его *в конторе* за последние два-три года — отнюдь не отцова заслуга. Никто бы не стал возражать, что башка у младшего Калдмана варит не хуже, чем у старшего.

Куда больше потрясло свидетелей (немногих, кому довелось оказаться в офисе *конторы* в тот утренний час) явление вдовы Калдмана с белой крысой на плече. *Ого, это было посильнее, чем тень отца Гамлета!*

Об этом пересказывали пересказы еще несколько месяцев после *визита*:

— ...И вот, представь: тело мужа лежит непохороненным, а она является сюда этакой седой фурией, с крысой на плече! Очуметь можно! Чем тебе не античная трагедия!

— Да брось ты. Не античная и не трагедия, а цирк и сумасшедший дом. И что, она прямиком двинула в кабинет к Нахуму?

— Ну, а я тебе о чем! Недотепа этот, секретарь, сунулся мягко возразить, обежать ее кругом... ты ж знаешь, Нахум скальп с него снимает за любой пропущенный гол. Так она смела его одним взглядом, невозмутимо вошла к Нахуму и прикрыла за собой дверь.

Собственно, так все и произошло.

Магда притворила дверь, подошла к столу онемевшего Нахума Шифа и — прямая, иссохшая, крахмально-седая (ни слова приветствия, ни тени улыбки) — проговорила:

— В наше время человек растворяется очень быстро, Нахум. Человек и его дела. Я пришла предупредить:

380 если вы немедленно не начнете *настоящую работу* по
вызволению Кенаря, я взорву здесь всех вас.

Лицо Нахума Шифа нервно дернулось в улыбке, и
хотя его глаза — очень синие, с черной точкой зрачка —
остекленели от ярости, мягкий его голос задушевно
протянул:

— Магда, Ма-агда! Боже, я не верю своим ушам...

Он поднялся из-за стола и подошел к ней, протягивая руки, точно собирался обнять. Но оказавшись где-
то на уровне ее плеч, руки опустились — неизвестно,
как эта мерзость, крыса эта отреагирует на прикосновение к хозяйке: пожалуй что и укусит!

Нахум не был великаном, поэтому его пронзительные глаза василиска вбуравились вровень в невозмутимое лицо Магды, будто пересчитывая и запоминая
все ее морщины.

— Ты просто в горе, ты в шоке, — сострадательно
продолжал он. — Сама не знаешь, что говоришь. Мы
все горюем: Натан, золотое сердце, выдающийся ум...

Ни малейшей фальши в его словах не было: когда-
то, лет тридцать назад, они с Натаном были довольно
близкими друзьями и все последние годы, в сущности, решали сообща очень многие трудные задачи. Но
почему-то в присутствии Магды Нахум всегда ощущал
себя лжецом и шарлатаном; эта проклятая баба умела
даже переглядеть его невыносимые для многих ледя-
ные глаза. Вот и сейчас, ощутив в собственном голосе
непростительную неискренность, он отвел глаза и за-
торопился:

— Что касается того дела, с... э-э...Кенарем, то... во-
первых, ты знаешь, мы занимаемся им и прилагаем все
усилия... Дело непростое, как и любой... э-э... обмен.
Весь вопрос в том, что мы можем предложить, не обна-
руживая себя, — иначе его сразу уничтожат.

— У вас есть генерал Махдави! — оборвала она его.

Нахум поморщился. Если б не память о Натане, он бы вышвырнул из кабинета эту чокнутую старуху. Сегодня состоятся похороны, и пусть они пройдут в надлежащей атмосфере. А там все вернется на круги своя, и с Меиром гораздо легче договориться. Меир умный человек.

— Да? — усмехнулся он. — А я и не знал. Видимо, жены наших сотрудников знают кое-что лучше меня...

Она подняла на него глаза и так же спокойно проговорила:

— Я прожила с разведчиком всю жизнь, Нахум. Можешь вообразить, сколько я знаю: я напичкана сведениями, как электронная аппаратура. И ты понимаешь, какие у меня связи — еще от покойного Иммануэля, да и от Натана... Вообще, от нашей длинной жизни за границей, из нашего дома, в котором кто только не бывал...

Она шагнула к нему, приблизив свое лицо неприлично, почти интимно, понизив голос так, что он зашелестел между ними, как змея в траве. И такую спеленутую ярость ощутил в этом голосе Нахум, что инстинктивно отшатнулся.

— Говорю тебе: я взорву здесь всех вас к чертовой матери. Парочка интервью двум-трем европейским газетам, кое-что о продажах оружия, кое-что о странных исчезновениях, о ликвидированных иранских ядерщиках; кое-что о пленном генерале Бахраме Махдави... Западная пресса встанет на задние лапы и оближет мою задницу.

— Магда... — пробормотал Нахум в замешательстве, — дорогая... Ты?! Ты не предашь своей страны и своего народа! Нет, ты этого не сделаешь.

— Я сделаю именно это, — холодно оборвала она его. — Мне нечего терять. И если у вас появится искушение слегка подправить мою манеру водить, то учти: я обо всем позаботилась. Натан бы мной гордился. Я

даю вам два месяца, — продолжала она. — Если через
два месяца Кенарь не вернется, *мой человек*, что бы со
мной ни случилось, пустит в ход те документы, которые сегодня ночью я нашла в домашнем сейфе и уже
переправила в надежное место. Полагаю, Натан приготовил их ровно для той же цели: он выдыхался и не
был уверен, что вы не захотите заткнуть ему рот.

— Господи, Магда, что за слова! — Вид у Нахума
был оскорбленный, и, похоже, он действительно был
сильно обижен, обескуражен, взбешен. — Я не верю
тому, что слышу! До чего мы дожили и где мы живем!

Уже направляясь к двери, Магда на эту реплику
резко обернулась. Белая крыска потопталась на ее плече, удерживая равновесие, и привычно замерла.

— Мы живем в дерьмовом мире, где вонь стоит до
небес, — отчеканила Магда, — так что морщится даже
бог, который тоже уже провонял.

Выдержав секундную паузу, она сказала:

— Надеюсь увидеть тебя на похоронах Натана.

Когда Магда покинула кабинет Нахума Шифа, его
секретарь трусовато заглянул в дверь, так и оставшуюся приоткрытой.

Босс сидел за столом, в бешенстве пытаясь прику-
рить сигарету от умирающей одноразовой зажигалки,
дергающимся углом рта повторяя одно и то же:

— Чокнутая ведьма... Чокнутая ведьма...

Миновав двух охранников, Магда неторопливо вышла к припаркованной «хонде», села за руль и, развер-
нувшись, выехала на проспект.

Проследив за ее машиной, один охранник подмигнул другому и сказал:

— Вдова Калдмана... Видал лицо? Спокойна как слон. В одном русском мультике, еще в Союзе, была такая старуха с крысой: Старуха Что-то... Кряк или Шмак... Когда я маленький был, любил смотреть.

* * *

Еще не пробочное время, машина движется в правом ряду спокойно, ровно, не быстро. Гнать не стоит... Ей сейчас нельзя разбиться.

По радио уже передавали некролог (молодцы, подсуетились): «...Генерал-майор запаса... бывший начальник Генштаба... бывший министр обороны... блестящий организатор операций, ставших легендой военной разведки... поднявший на новую высоту... возродивший дух... неутомимо преследовавший врага...»

Разумеется, никаких документов в сейфе не существовало. Сейфа тоже не существовало, да и к чему он Натану, верному сторожевому псу своего народа.

Вот «мой человек» как раз существовал. Они называли так внука Рыжика. Когда тот врет уж особенно заливисто, как дрозд, Натан подмигивает Магде и говорит: «Наш человек!»

Вернее, подмигивал... и больше уже не будет...

С самого рассвета Магда с сыном (после *вчерашнего* она всю ночь судорожно искала его по друзьям и знакомым и с трудом нашла) готовились к похоронам. Ей еще предстояло о многом позаботиться: пригласить на поминки друзей семьи, человек тридцать, в ресторан «Карма» (и недорого, и от дома недалеко), а значит, надо заехать туда, заказать места, продумать угощение.

Натан бы одобрил эти посиделки. Пусть... Пусть скажут много хороших слов, а они и скажут: внезапная смерть всегда огорошивает и вышибает даже у безразличных людей слова сочувствия и сожаления. Натана многие побаивались — в те времена, когда он был силен и изощрен в своей профессии; но многие и любили его, и все как один безоговорочно уважали. Лет через тридцать о его жизни напишет книгу какой-нибудь журналист, из тех, кого допускают к краешку подлинной информации, похороненной в таких глубоких сейфах, что проще о ней забыть. Возможно, когда-нибудь в его честь назовут улицу или школу, спокойно думала Магда, — если не забудут о нем через год.

Надо было понять, что Натана нет, осознать это, ощутить и смириться. Пока не получалось. Что ж, у нее есть время...

Само собой, Меиру не был известен ее утренний *демарш*, в действенность которого она свято верила. Она была женой разведчика и отлично знала, с кем имеет дело. Простой, как обух по голове, шантаж всегда эффективнее любой сраной дипломатии.

К тому же этот отчаянный шаг помог на несколько сладостных мгновений — пока она смотрела в глаза василиска и видела в них смятение и ярость — забыть беззащитное лицо Натана на подушке в те последние минуты перед приездом «скорой», когда, сжимая руку жены, Натан *отпускал ее душу на волю*.

Она спросила:

— Ты знал?

Он сказал с расстановкой, превозмогая боль:

— Знал, конечно. Свет не без добрых самаритян... Забудь об этом, Магда, ты ни в чем не виновата. Жаль, что мы не обсудили раньше...

Она склонилась к нему, к самым губам — серым и бескровным, — выдохнула в отчаянии:

— Так не бросай же меня — *теперь!* И не бросай Леона... У него никого нет, кроме тебя!

В переулках и тупичках Эйн-Керема ночью может заблудиться кто угодно, не только «скорая помощь».

Впрочем, все равно они приехали довольно быстро, но, как говаривал в свое время Иммануэль: «Подруга-смерть, хотя и передвигается на своих двоих, всегда оказывается проворнее нас».

* * *

Как палая листва под ветром медленно кружит и собирается на асфальте в узоры; как долго вытаивает под медленным солнцем снежный курган, которому, кажется, и сносу не будет; как исподволь в толще звуковой немоты возникает в оркестре еле слышимый звук английского рожка, и вот уже ему отвечает гобой, и фагот подхватывает тему, и звуки собираются в реплику, в музыкальную фразу, крепнет мелодическая тяга, и отзывается группа альтов, и вступают виолончели... Как, наконец, под плавной рукой дирижера взмывает волнующее соло первой скрипки, этого вечного посредника меж инструментальными группами, этой птицы, ведущей оркестровый клин на простор, к вступлению солиста, к торжествующей свободе человеческого голоса...

...Так чья-то осторожная нога отпустила тормоз, а чуткая рука мягко переключила рычаг *на движение*, и подспудно и вроде бы сама собой стронулась переговорная машина: кто-то где-то в кулуарах то ли правительственных кабинетов, то ли совещаний глав масс-медиа произнес первое слово... Кто-то выдохнул новость, назвав наконец имя захваченного в плен — подумайте только! — певца, солиста Парижской оперы!..

В те же дни некий молодой человек из клана Азари — рослый и лихой красавец, так напомнивший Заре нашего героя, — вылетел в Париж для встречи с дядей, в нагрудном кармане пиджака среди прочих бумаг имея ту фотографию в гриме, которая, естественно, ничуть ему никого не напоминала, тем более — какая чепуха! — его самого... А в Париже с той же фотографией в руках его дядя, известный адвокат Набиль Азари, человек искушенный и осторожный, учредитель известного правозащитного фонда под эгидой правительства Франции, видный деятель на ниве международных контактов, день-другой поразмыслив, сделал несколько пробных звонков: как местных, парижских, так и в Брюссель, и в Гаагу, в Каир, в Стамбул... и, наконец, в тот же Бейрут.

Всюду его внимательно выслушивали: этот человек пользовался уважением в самых разных, в том числе и самых влиятельных кругах.

* * *

Вездесущая лиса Леопольд, надо отметить, в эти дни вновь оказался в Париже и с удовольствием отобедал со своим давним приятелем адвокатом Набилем Азари, когда-то очень пособившим ему в одном щекотливом и дорогостоящем конфликте.

За обедом оба с немалым удивлением обнаружили, что дело, по которому назначили друг другу встречу, касалось одного и того же человека — ну да, певца, контратенора, очень известного в музыкальном мире, но, видимо, страшного идиота: влип в какую-то историю с любовной местью, а убитый им тип оказался высокопоставленным функционером *наших иранских друзей*... И все это — на глазах свидетелей, как на подмостках сцены. Ну и угодил в лапы к *этим костоломам из долины Бекаа...*

— Прямо Вальтер Скотт, — заметил адвокат, подзывая официанта, чтобы попросить еще бокал шардоне.

— Скорее, Майн Рид, — поправил Леопольд. — И одному богу известно, при голове ли еще этот всадник.

Леопольд знал, о чем говорит: он уже побывал в Лондоне по следам опустошенной эфиопом бутыли соджу и уже понял, что история с этим знаком — дурацкая, сентиментальная и глубоко личная. Девушка была странная, объяснили ему в ресторане, как оглушенная... Не хотела слышать, не хотела понимать очевидные вещи.

Короче, если парень жив, продолжал адвокат, кое-кто усердствует вытащить его из вонючих пастей пятнистых гиен. «Наверное, этот "кто-то" — администрация "Опера Бастий"?» — с понимающей усмешкой заметил Леопольд.

Оба они сознавали сложность поставленной задачи. Оба имели давние связи с *La Piscine*, оба понимали, на какие верха предстоит взобраться, чтобы эта серьезная организация в будущих переговорах согласилась *взять артиста на себя.*

Накладывая горку паштета на кусочек булки, Леопольд раздумывал одновременно о двух вещах: не взять ли ему, по примеру Набиля, еще бокал вина и не предложить ли кое-кому *у нас* такую вот, пофантазируем, версию: *некий русский певец (но! гражданин Франции!) в свое время становится агентом DGSE по кличке... э-э-э... «Тру-ля-ля»! Кто может эту версию подтвердить? Ну-у... скажем, другой агент, крошка-эфиоп, завербованный нами еще в те времена, когда ему срочно понадобилось сменить «калашников» на какой-нибудь мешок для сбора мочи...*

И уже на следующее утро один рисковый журналист, побывавший во многих «горячих точках» планеты и сумевший поджарить себе на этих угольках немало бифштексов, был по-дружески оповещен, что пропавший три месяца назад известный оперный певец (следовали регалии и титулы артиста, произнесенные как бы между прочим) самым неожиданным образом нашелся: захвачен в плен одной из влиятельных группировок Южного Ливана и — как совершенно случайно выяснилось только сейчас — содержится в ужасных условиях, явно нуждаясь в помощи врачей. Заметка об этом очередном вопиющем злодеянии исламских боевиков была немедленно опубликована в *Le Figaro* и перепечатана сразу тремя крупными новостными агентствами.

* * *

В тот же буквально день безутешный Филипп Гишар, импресарио похищенного артиста, был потревожен звонком от человека, назвавшегося «старым другом Леона». Человек представился: «Джерри — просто Джерри, без церемоний, пожалуйста»...

«Американец», — подумал Филипп в сильнейшей тревоге — у этого типа действительно был американский акцент.

Мягко отклонив предложение Филиппа встретиться в ресторане, тот напросился в гости и хотя не был уверен, что роскошная квартира Гишара не напичкана жучками, очень толково, не подкопаешься, провел сдержанную скорбную беседу, в которой попросил Филиппа связать его с... кем, интересно? С ее высочеством принцессой Таиланда: ее высочество, профессор, доктор наук, знаток и покровитель искусств, особенно музыки — как известно, большая поклонница незабываемого голоса Леона Этингера.

Филипп подскочил в кресле и заорал:

— Еще бы! Она трижды была у нас на спектаклях и каждый раз присылала Леону хренову тучу цветов! Но какие связи у ее высочества с...

Гость заметил скучноватым голосом, что ее высочество покровительствует не только искусствам и дружит с самыми разными, подчас неожиданными представителями международных элит. Даже вот в строптивом и грозном Иране ее просто обожают...

— В Иране?! — вытаращил глаза Филипп. — А при чем тут Иран?!

При том, так же тускло продолжал невзрачный гость, похожий на киоскера, продающего билеты национальной лотереи, что те казаки-разбойники, в чьих лапах Леон оказался, если на что и отреагируют, так только на окрик Ирана.

— Но... — промямлил Филипп.

— ...но Иран ни на что подобное сам не пойдет, — подхватил гость.

Вот тогда и было произнесено имя без вести пропавшего три года назад генерала Бахрама Махдави; вернее, не произнесено, а... На стол перед Филиппом гость выложил бумагу, в которой и значилось имя генерала; пара конфеток для самой принцессы — в виде целого пакета новейших технологических разработок одного уникального стартапа одной из ведущих в данном вопросе стран; а также билет в Таиланд на послезавтра: дело срочное, мягко пояснил Джерри. И только теперь растерянный Филипп Гишар обратил внимание на железные желваки своего гостя.

Месье Гишар в чудовищном волнении поднялся из кресла и прошелся по комнате... Точно: это американцы, подумал он. Значит, Леон работал на американцев. Когда его успели завербовать и где — в Москве, в годы учебы? Все эти его импульсивные исчезновения, да, конечно... И что это — ЦРУ? ФБР? Филипп ни черта не понимал во всей этой проклятой мути. Послать бы его подальше, этого типа, у которого и внешность типично американская, и манеры всей этой напористой шушеры... Но... вдруг это — единственная возможность вытащить Леона?! Да, сам Филипп ни черта не понимал в дипломатической и секретной возне, но был знаком с человеком, который отлично в ней разбирался.

Остановив свой бег по кругу, Филипп проговорил:

— Вот оно, значит, как... Ну... допустим. Тогда это должен быть не я.

— А кто же?

— Я знаю, кто, — сказал Филипп. И набрал номер телефона все того же человека. Что поделать: вездесущий, всеохватный и всепроникающий доктор Набиль Азари был известен своими разноплановыми знакомствами, а с ее высочеством принцессой Таиланда просто дружил уже много лет.

Так и получилось, что буквально в считаные дни раскрученная центрифуга, вытолкнувшая с разных сторон несколько версий и несколько персон в сложнейшем деле по освобождению артиста, вдруг сошлась в одной точке, на одном человеке.

Воистину: все пути ведут в Рим, тем паче если «Рим», исповедуя веру в своего тайного бога, предпочитает не выкорчевывать чужих богов, а заручиться их всемерной благосклонной поддержкой.

* * *

Как Леон почуял это движение в обездвиженной сырости очередного — на сей раз земляного — погреба? Это дуновение в спертой вони, в аммиачном духе застарелой мочи, смешанной с металлическим запахом свежей крови, — мельчайшее изменение в поведении его тюремщиков?

Накануне ночью его опять перевозили (он, пребывавший в кротовьей тьме, не понимал уже времени суток, просто когда его в наручниках, с завязанными глазами, выволакивали и заталкивали в машину, кожей лица чувствовал ночную свежесть, сухой смолистый запах ливанского кедра, звездную благодать природы, которую человек, это гнусное животное, нимало не ценит).

К нему опять наведался врач, осмотрел и перевязал гноящиеся ступни паленых ног. Ему даже сбросили вниз костыль, чтобы к помойному ведру он мог не ползти, а ковылять... И повиснув на этом костыле, он корячился над ведром — счастливый, что оправляется *по-человечески*.

А потом ему на недлинном шнуре спустили лампочку слабого накала, и она теплилась туманной луной где-то наверху, под металлическим люком удивительно глубокого погреба — так затеплилась слабая надежда, хотя он и твердил себе, что это ничего не значит, что это может быть прелюдией к новому витку допросов и пыток, что Восток изощрен в издевательствах...

Он уже не пел, он молчал много дней, уверенный, что распевки эти не понадобятся, ибо *доминантсептаккорд разрешается в тонику* только там, где обитают люди, где воздух чист, где гноящаяся плоть не издает такой удушающей вони, где в футбол играют мячом, а не человеческими головами...

В тот день, когда ему вниз сбросили питу с мятым помидором, он вновь стал молча распеваться. «Ликующая Руфь» не то чтобы воспрянула, не то чтобы поверила в избавление, но — замерла в осторожном ожидании...

И никто и никогда — ни тюремщики его, ни тот, кто в разных концах мира сплетал разрозненные нити в канат, на котором медленно и бережно потянули жертву из глубины мерзкой ямы, ни деятельные участники переговоров, ни сам Леон — никто и никогда! — не узнал, что виртуозным делом выуживания артиста, повисшего над бездной на израненных пальцах, занимались его собственный сводный брат и его собственный дядя.

И вот что поразительно, что непременно: какими бы секретными ни были переговоры, как бы ни пеклись стороны о предотвращении утечки информации, так уж заведено, что в один прекрасный день слухи о грядущем обмене пленными непременно воплотятся в нескольких предположительных фразах, набранных типовым шрифтом в самом хвосте новостной полосы.

8

Она и выхватила из новостной полосы агентства *France-Presse* эти несколько фраз о начале секретных контактов между представителями некоего правозащитного правительственного фонда и представителями некоей ливанской группировки по вопросу освобождения из плена гражданина Франции, оперного певца, попавшего в руки вышеупомянутой группировки при невыясненных обстоятельствах, точка.

Имя Леона не называлось, но двойной канонадой грохнуло у Айи в висках и в животе, где немедленно забился неугомонный ребенок, за последний месяц не дававший ей ни минуты передышки.

Все в этом сообщении должно было вызвать недоумение рядового обывателя: как он там оказался, сей французский соловей, что забыл в тех ливанских дебрях? На что обывателю легко возразил бы человек осведомленный: подобные захваты иностранных граждан в последние годы стали настоящей ближневосточной коммерцией.

Она перетаптывалась за стойкой ресепшн пятизвездочного отеля «Континент», одного из самых роскошных в центре Бангкока, — оформляла большую *громокипящую* семью израильтян: мама с папой лет под сорок и пятеро детей, разбежавшихся по всему огромному мраморно-зеркальному холлу. Сверяла в компьютере данные по заказу, а глаза потрясенно метались, пытаясь еще раз выхватить *Ликующую Весть* с экрана ноутбука, круглосуточно открытого перед ней везде, где бы она ни оказалась: на работе, в кафе, в благословенной шестиметровой каморке, выданной ей «под ночлег» добрейшим дядькой, главным администратором отеля.

Перед глазами в знакомой наизусть поэтажной сетке номеров прыгали и плыли пустые клеточки.

Она была близка к обмороку — если, конечно, в жизни, а не в книгах, случаются обмороки от счастья.

* * *

Отель «Континент» был вершиной и, увы, скорым завершением ее здешней карьеры. С самого начала ей страшно везло: скрыв глухоту (не привыкать), она устроилась стюардессой на внутренних авиалиниях и даже прилично полетала. Но когда ее однажды едва не стошнило прямо в салоне самолета, вынуждена была уйти: пора и честь знать. И опять повезло: ее взяли преподавать английский в католическую школу в рай-

394 оне Ваттана, и целый месяц она пребывала в раю среди разноцветных деток из состоятельных семейств, пока директриса не обратила внимание на ее растущий живот и, слащаво улыбаясь, не полюбопытствовала, почему супруг никогда не забирает Айю после уроков и никогда не появляется в школе? После чего, вздернув подбородок, Айя холодно объявила, что увольняется.

Теперь оставались только подсобки и кухни ресторанов и харчевен...

Она и проработала в такой харчевне до откровенного живота и была уволена за то, что стала занимать слишком много места в тесной кухоньке. В тот же день ее выперли из сомнительного рабочего общежития — очередной ночлежки в районе Ванг-Май, где полчища куцехвостых кошек с ближайшего пустыря свободно разгуливали по аварийному скводу, деля территорию с восемью женщинами, чьи биографии могли ошеломить даже бывалого тюремного психолога. Короче, Айю выперли, опасаясь неконтролируемого прибавления в жильцах.

Ну что ж... Видимо, настало время ехать к отцу.

Ей давно осточертел этот ширпотребный занюханный рай, этот город, где шикарные небоскребы существуют рядом с грязными двориками; где голозадые дети гоняют кур, а улицы и переулки секс-индустрии занимают пространство, равное какому-нибудь предместью Парижа. Надоели паршивые лысые собаки на пустырях, похожие на крыс-выродков, дикая влажность и запах канализации из решетчатых люков вдоль дорог, уличные забегаловки — брезентовый полог на двух столбах, все эти мотобайки с шарабанами, вонючие каналы, оголтелые туристы... В самом деле, пора было уезжать.

Но случайно оказавшись в вестибюле отеля «Континент», она по какому-то наитию свернула в боковой — служебный — коридор, прошла его до конца и заглянула в открытую дверь офиса главного администратора. Встретившись глазами с плотным человечком за огромным письменным столом, улыбнулась, заговорила, вошла. И после пяти минут разговора на английском («А какой еще язык ты знаешь? Русский — это хорошо, у нас много русских туристов») он просто и без всяких оговорок взял ее на работу до... и скромно отвел глаза от ее живота: «Как получится».

— Тебе будет удобно сюда добираться? — спросил, все так же деликатно обегая взглядом ее фигуру. — Где ты живешь?

— Сейчас нигде, — честно ответила она. И он (невероятная служебная отвага!) написал записку к дежурной по пятому этажу: там в бельевой подсобке в закуте коридора вполне помещалась раскладушка.

Но зато уж и работать пришлось с утра до ночи, не считаное время. Она и не считала — не посмела, при такой-то удаче. Ноги вот только опухали к концу смены, и остобрыдли бутерброды, которые на всякий пожарный она держала в ящике под мраморной полкой ресепшн.

Почти все деньги она пересылала на адрес Филиппа, сказала же — я отработаю (суеверно считала, что с Леоном все будет хорошо, пока у него есть куда вернуться).

Первый перевод Филипп отослал обратно, написав Айе возмущенное и строгое письмо. Но когда она упрямо пульнула назад ту же скромную сумму, он, отругавшись и покорно вздохнув, прекратил «этот матч»; стал просто вкладывать деньги на банковский счет Леона — такой вот *круговорот бабла в природе*.

Оформив и поселив суматошную семью израильтян, она вызвонила сменщика и, едва живая, понеслась в свою подсобку (задыхалась, хотя не по лестнице же поднималась, а в лифте!); там снова открыла ноутбук и впилась в заветный абзац новостей. Сидела с успокаивающей ладонью на животе и другой ладонью — на колотящемся сердце, без конца перечитывая, вызубривая текст, вымаливая с экрана, выколдовывая, впивая по глоточку смысл каждого слова в коротеньком сообщении «о начале секретных контактов между...», мысленно шарахаясь между странами, разведками, организациями, дипломатами и теплым беспокойным грузом собственной утробы, пытаясь понять, как ей действовать сейчас, куда ехать, в какие ломиться двери?.. И оборвала себя: дура! Куда — ломиться?! Ясно ж тебе сказано: переговоры сек-рет-ные!

...Ничего не надумала, заснула там же, над компьютером, поставленным на круглую бельевую корзину с банными халатами. А проснувшись, заказала по Интернету билет с пересадкой до Алма-Аты: «Езжай к отцу, я найду тебя там непременно».

* * *

По утрам, до лекций в университете, Илья Константинович всегда проводил час-другой в «лаборатории» в подвале. Там всегда было чем заняться: поменять газетную подстилку в клетках, завести фонограмму для молодежи или поставить кенаря-учителя; глянуть, какой помет, нет ли у кого поноса, не посыпались ли перья у кого-то из взрослых кенарей. Опять же, обыденная забота — заменить *минералку* в спецкормушке: крупный песок с толченой ракушкой и толченой яичной скорлупой.

Но главное: в период обучения молодых самцов он ежедневно прослушивал их, каждого по отдельности, и если выявлял диссонансы в песне, изолировал таких от «народа». Случалось и наоборот — изолировать именно того, кто начинал удивлять настолько неожиданными колснами, что возникала необходимость сохранить уникальную песню. Как правило, подобные таланты проявлялись в потомстве Желтухина.

И каждый день приносил что-то новое.

Это утро он, как обычно, посвятил *научным интересам*: отсидел у компьютера, редактируя свои вставки в совместную с одним молодым нейробиологом статью «О результатах исследований функций новых нейронов в мозге канарейки». В последние годы Илья Константинович все серьезнее занимался нейрогенезом — изучением нервных центров, управляющих пением кенаря.

Закрыв файл, потянулся и сделал несколько жизненно важных упражнений: повращал глазами, размял уставшую поясницу и, напрягая икры, раза два привстал и рухнул обратно в кресло — прочел недавно очень полезное исследование «Как не умереть за компьютером».

Сняв с полки плетеную корзину с мелочовкой, выудил оттуда пинцет, пару мешочков минералки...

...и в этот миг измученный голос Айи произнес над его плечом:

— Папа...

Илья вскочил, как подкинуло его, хотя понятно же, что показалось, показалось! Вот обернулся — и где она? Но он бросил на стол все, что держал в руках, просто вывалилось все разом! — и обмершими губами приговаривая «боже мой, боже», рванул к лестнице — наверх, на веранду, во двор, на улицу...

Она уже выкарабкалась из такси — тяжелая, вся какая-то набухшая и больная, с бело-мучным *казахским* лицом. Подняла голову на онемевшего отца, сказала:

— Заплати, пожалуйста, у меня ни копейки, все на билет ушло... папа...

И он бросился к ней, к ее животу, к милому опухшему лицу (Гуля, Гуля!), осторожно обнял...

— Я так устала, папа... — выдохнула она.

И он все повторял как заведенный свое «боже-боже», пока метался на кухню за портмоне, вначале не нашел его (оказалось, — в кармане пиджака, а там единственная крупная купюра... да не важно! — и рукой таксисту: «Неважно, неважно, бери-уезжай!»).

— Ну, спасибо, мужик... — обескураженно произнес водила, трогая и головой покрутив на радостях.

Они опять осторожно обнялись, и он повел ее, лишь на мгновение спохватившись:

— А вещи?! — и вновь лишь рукой махнул: какие там вещи, все спустила, все! Только живот ее перед глазами маячит; заповедный живот с дорогим птенцом.

Она выглядела такой больной — как обычно бывало перед ее уходами в темные воды бездонного сна. Ступала медленно, покачиваясь, как грузовая баржа, входящая в гавань. И снова, едва слышным шелестом:

— Я так устала, папа...

— Покушать... и чай горячий, — бормотал он, укладывая дочь, поднимая обе ее тяжелых ноги на родимый «рыдван», дяди-Колино наследство... Да удобно ли ей будет на нем сейчас?! Господи, о чем я думаю, купим, все купим! Новую тахту *им* купим...

Он укрыл Айю теплым пледом, готовый уже бежать догревать чайник, что-то быстро, и бурно, и убежденно повторяя — не мог уняться, говорил и говорил, чтобы не расплакаться.

Она бормотала из последних сил:

— Леон приедет... дверь не запирай... телефон пусть... — И опять: — Я так устала, папа...

Когда отец вернулся из кухни с подносом, на котором все, что по-быстрому, — яичница мгновенного приготовления, чай с лимоном и малиной, и гренки, конечно же, «фирменные гренки старика Морковного», — Айя уже спала. И спала так, как обычно вмертвую простиралась-вытягивалась, готовясь к своему протяжному сну.

Илья поставил никому уже не нужный поднос на стол, сел в ногах у дочери, положил, как любила она, руку ей на щиколотку — «для проводимости мыслей», и стал смотреть на обморочно-бледное, одутловатое, прекрасное, бессмертное Гулино лицо. На живот — как тот вдруг колыхнулся сам по себе.

Вскочил, достал из шкафа еще один плед, укрыл ее получше, хотя в доме совсем не было холодно, наоборот, очень тепло было; бережно подтыкал пушистую шерстяную материю под ноги, под уютно лежащий на боку живот, хлопоча над не рожденным еще внуком.

Опять сел в ногах, уставился в ненаглядное лицо...

Сидел, не в силах подняться, готовый просидеть ровно столько, сколько она проспит; перебирал все ближайшие заботы и дедовы хлопоты — неотменимые, срочные, такие сладко-мучительные... Хмурился, вздыхал, качал головой...

...и был бесконечно счастлив.

9

Бордо с золотом: благородное сочетание... Византийское великолепие Константинополя, сказочные дебри бахайских снов, припыленные штуки патрицианских тка-

400 *ней в подвалах Ост-Индской компании... Нет, красиво.*
Сказать Марьям — может, попробовать такое же в
нашей спальне, на Корфу?

Все эти мысли, вызванные созерцанием коврового
покрытия да и всего оформления дорогого люкса вен-
ского отеля «Палас Кемпински», где уже много дней
продолжались труднейшие переговоры по обмену *того*
на этого, были всего лишь дымкой, признаком усталости мозга, попыткой не дать дикому раздражению как-
то повлиять на ход дела.

В подобные минуты доктор Набиль Азари всегда отвлекал себя красотой. А красота — за редким ис-
ключением — всюду его сопровождала. Он и сам был
красив: невысокий изящный человек лет за шестьдесят,
с прожигающими собеседника черными глазами, безу-
коризненной прической и аккуратно подстриженны-
ми седыми усиками. И такими приятными манерами,
что одно его появление где бы то ни было привносило в
любое общество деликатную уместность, достоинство
и ненавязчивое дружелюбие. Среди знакомых и друзей он славился тонким юмором и умением любую не-
приятную ситуацию, любой конфликт погасить безо-
бидным каламбуром. Иными словами, доктор Набиль
Азари был прирожденным дипломатом.

К тому же он был прирожденным заговорщиком,
хитроумным Одиссеем и выдающимся организатором.
Через основанные им благотворительные и правозащитные фонды ежегодно прокачивались миллиарды на нужды общины «Ахмадия», к которой он принадлежал и каз-
начеем и распорядителем которой был уже много лет — с
тех пор, как в 1984 году ортодоксальный ислам предал
его прекрасное миролюбивое вероучение *хараму*...

(О том, что родился он в Хайфе, где у его старинно
богатой семьи с начала прошлого века был в Кабабире

большой двухэтажный дом и где поныне жила его мно- 401
гочисленная многоступенчатая родня, знали считаные
люди, самые близкие — например, Зара, которая еще
в Бейруте, несмотря на разницу в возрасте, была его
многолетней любовницей.)

Он стоял у открытой двери на балкон, курил свою
голландскую сигару *La Paz Corona* из резаного табака и,
привычно улыбаясь уголками губ, любовался сочетанием бордо с золотом — в портьерной ткани, в обивке
кресел и козеток, в ковровом покрытии пола просторной гостиной. Византийское великолепие Константинополя, сказочные дебри бахайских снов...

«Грязные собаки... — думал он. — Они преврати-
ли ислам в исчадие ада. Невежи, они не знают Корана,
зато с детства научаются убивать, полагая, что "джихад", борьба за веру, — это и есть та кровавая бойня, в
которую они погрузили цветущий Восток, а мечтают
погрузить весь мир... Они понятия не имеют, что Ко-
ран запрещает насилие в вопросах веры...»

Двое его *оппонентов* сидели в креслах вокруг стола, тоже курили (все взяли тайм-аут и заказали кофе
из бара) и нимало не были похожи на грязных собак.
Наоборот: оба, несмотря на наличие бород, тщательно
выскоблили утром остатние пустоши скул, одеты были
в довольно дорогие костюмы, сидевшие на их грузных
телах чуть топорно, и вели себя довольно учтиво.

А вот претензии их и заломленная цена были невероятно, чудовищно наглы! Впрочем, *эти* были всего только подрядчиками, получавшими свой процент;
торговались они умело, и шантажируя, и льстя, и угрожая, и уговаривая... Был еще третий у них — человек-
гора; тот в комнате не присутствовал, но неизменно
торчал снаружи у двери и шнырял туда-сюда по кори-

дору, пугая богатых постояльцев великолепного отеля своей невероятно зверской физиономией с рассеченной бровью и черной лакированной челкой пятиклассницы на бугристом лбу.

Доктора Азари сопровождали только племянник, удивительным образом лично знакомый с некоторыми чинами той организации, у которой выторговывали *товар*, и представлявший правительство Франции «юрисконсульт по процедурным вопросам» по имени Леопольд (фамилия оказалась неважна, хотя какую-то он назвал, даже карточки вручал — у него этих фамилий была чертова уйма).

Невозмутимый и слегка сонный Леопольд говорить предоставлял своему старшему другу, но раза три, когда переговоры зависали в чрезвычайно опасной точке, отпускал какое-нибудь успокаивающее замечание, после которого двое бородатых посланцев почему-то сбавляли тон. Красавец племянник, с такими же выразительными, как у дяди, огненно-черными глазами, в основном улыбался. Вообще, вся компания производила впечатление вполне довольных друг другом людей.

В сущности, день сегодня был удачным, хотя и не победным: они пришли к трудному соглашению, но цена оказалась высока, непристойно высока и, помимо других условий, включала в себя частичное ослабление блокады (нефтяные потоки) и возвращение на родину генерала Бахрама Махдави, три года где-то пропадавшего; *а где именно — вы наверняка узнаете из первой же его пресс-конференции.*

Потому и сделан был общий перерыв на кофе (обычно они расходились подальше, и если одна группа шла в бар, другая следовала в ресторан), что обговорено было все, даже место обмена: Кипр, КПП возле отеля «Ледра-Палас», в буферной зоне, контролируемой войсками ООН.

Официально передающей и принимающей сторонами были Франция и Турция.

«А во всем виноват Запад, его готовность платить! — думал доктор Азари, отводя взгляд от бородатых визави, негромко переговаривающихся между собой на фарси. Он ничего не имел против фарси — в конце концов, это язык его предков, персидских евреев, перешедших в ислам в середине восемнадцатого века. Он и сам превосходно знал фарси, считал его одним из самых выразительных и богатых языков Востока, но что-то внутри него противилось говорить *с этими здесь* на их родном языке (не стоило усиливать их и без того более сильные позиции), так что переговоры шли на английском. — Виновата пошлая слабость Запада, его бесконечная готовность уступать, его прогибчивый хребет, беззубая унизительная старость! Еще в 2003 году за гражданина западной страны "Аль-Каида" просила двадцать тысяч долларов. Сегодня они просят двадцать миллионов. Только за прошлый год суммарный выкуп у них составил шестьдесят шесть миллионов! И все это немедленно идет в дело: закупка оружия, вербовка фанатиков... Погружение мира в кровавую бездну... Нет, человек недостоин Божьего милосердия, он недостоин Мессии...»

Вошел официант — за подносом с пустой посудой, — и в приоткрытой двери вновь мелькнул ужасный великан. Эти их подлые штучки, подумал доктор Азари, их главный козырь — устрашение. Ну для чего здесь маячит эта дебильная рожа? Он ведь и говорить, поди, не умеет.

— Сегодня сильное солнце, — улыбаясь, проговорил доктор Азари. — Слишком сильное для этого времени

404 года. — И чуть задернул занавеси: бордо с золотом, благородное сочетание, патрицианское великолепие падшей Европы.

Это был сигнал двум мужчинам — обычным туристам в кроссовках и с рюкзаками, — третий час отдыхавшим на скамье бульвара, как раз под балконом четвертого этажа гостиницы. Сигнал о положительном результате переговоров, после чего оба туриста — и высокий, дородный, ирландской масти, и другой, с тусклой внешностью киоскера, продавца лотерейных билетов, — поднялись и неторопливо потопали со своими рюкзаками в сторону Академии изобразительных искусств.

И в комнате после ухода официанта ощутимо пронеслось облегчение — во всяком случае, одной из сторон. Переговоры завершены, теперь другие, уже рабочие инстанции проговорят все процедурные вопросы с миротворческой миссией ООН на Кипре... И хотя номера в «Палас Кемпински» оплачены еще на день, доктор Набиль Азари уже мечтал вернуться к себе, возможно, слетать на Корфу, где на любимой семейной вилле его ждала жена Марьям с незамужней и нездоровой дочерью Шейлой.

Да, вот так оно почему-то вышло, с застарелой, но вечно ноющей болью думал доктор Азари, что Всевышний дал ему только двух дочерей, притом Шейла — сущее наказание, а Реджина все «ищет себя» и никак не выходит замуж... Зато Валиду, младшему его братцу, подарены трое *таких* сыновей (в особенности Муса — красавец и умница!). Хотя вспомним, что такое Валид: милый, добрый, беззлобный... никчемный человек. Не смог даже получить образование в этой своей Одессе; влип там в какую-то любовную интрижку, завел песню о браке... Хорошо, деспотичный их отец — благословенна память праведника, дети с ним не шутковали! — быстро за оба уха вытащил балбеса домой и здесь сразу женил на достойной девушке. Все это было будто вчера, и все это — прошлое, прошлое, прошлое...

В сущности, доктор Азари с сегодняшнего дня мог считать себя свободным: «переговорщики» редко принимают участие в самой процедуре обмена — обычно это обходится без столь высоких сторон. Но почему-то (он и сам не мог ответить себе, почему) ему хотелось взглянуть на «того мальчика», как мысленно он называл пленного певца, эту певчую птичку, серебряного кенаря... Каждый день он прослушивал на «Ютьюбе» какую-нибудь арию или романс в его исполнении. К тому же любопытно было — действительно ли тот и в жизни так похож на его любимца Мусу, как это кажется на фотографии?

Леопольд что-то говорил, улыбаясь: он сегодня раза два удачно сострил, и все рассмеялись, даже эти надутые фанфароны.

Оба бородатых «подрядчика» поднялись, договаривая ничего не значащие формулы этикета. Прощаются... пожимают руки... Вот направились к дверям...

Тут Набиль Азари перехватил настойчиво напоминающий взгляд племянника и вспомнил, *что* они обсуждали ночью, когда вдруг одновременно проснулись — то ли от духоты, то ли от многодневного напряжения. Вспомнил, как задумчиво Муса проговорил:

— Знаешь, дядя, что мне в голову пришло? Не всучат ли нам, *как у них* это принято, мешок с дорогими останками?

И хотя Леопольд, с которым за завтраком они обсудили *тему*, считал, что не стоит делать на ней акцент, что, мол, *на таком уровне это пункт разумеющийся*, доктор Азари с обаятельной улыбкой проговорил вслед оппонентам, будто вспомнив что-то незначительное:

— Одну минутку! Вот еще что... — Он рывком подался к столу, стряхивая пепел с сигары. — Артист нужен нам целым. Нас не интересуют ни отрезанные головы, ни набор для супа из мослов и копыт. Мы не израильтяне, готовые платить даже за кости своих покойников, мы — коммерсанты. Нам нужен живой товар, а в противном случае генерал Махдави останется в своей удобной камере... Господина *Этинже*, — продолжал он, намеренно выговаривая фамилию на французский лад и сосредоточенно рассматривая при этом свою сигару, — ждут мировые подмостки. Ждут меломаны во многих странах, а также его высокопоставленные друзья, включая ее высочество принцессу Таиланда. Все они ждут возвращения уникального Голоса. Мертвые же петь не умеют...

Оставив свою сигару в фирменной хрустальной пепельнице отеля «Палас Кемпински», доктор Набиль Азари поднял голову и приятно улыбнулся:

— Я хочу услышать, что мы поняли друг друга.

Это был рискованный выпад, настолько отличный от многодневного вальсирования доктора Азари вокруг этих мужланов, что даже Леопольд изменился в лице, а в комнате повисла ледяная пауза. Наконец кто-то кашлянул, и люди задвигались.

— Мы поняли друг друга, — ответил старший.

Они повернулись и вышли.

* * *

Опять приходил тот самый доктор, специалист по *прилечиванию увечий*.

Интеллигентного вида молодой человек, очки в дорогой элегантной оправе. Такого легко себе представить в бостонской, женевской, парижской клинике (не исключено, что где-то там он и стажировался).

Сменил повязку на правой, плохо заживающей ноге (левая получше была, Леон уже на нее наступал) и перевязал пальцы правой руки, гноящиеся на месте трех содранных ногтей. Прямо курорт какой-то! Косметические процедуры: «У нас вы получите все самое лучшее!»

Его и кормить стали — вернее, просто увеличили количество той же пищи. Хумус (в прежней жизни терпеть не мог) стали выкатывать в больших банках и питы выдавали — штук пять в день. Ну, и помидор иногда перепадал, а огурцы — нет, огурцов почему-то не водилось; может, считались особым деликатесом? Это был его рацион, и на том спасибо.

То, что грядет нечто новое, Леон ощутил не только по этим приметам, но держал свои надежды на прежнем голодном пайке: перемены могли означать всего лишь переход из стадии допросов, так и оставшихся для них неэффективными, на стадию пожизненного заточения — до тех времен, когда выгодно будет пустить его в какой-нибудь размен. Он твердил это себе постоянно, чтобы сердце не рвалось к пустой надежде, чтобы стойкое состояние «консервации духа», которое он навязал себе невероятным усилием воли, то *забытье Айи*, которое он в себе вышколил за эти месяцы, насильно и яростно *не вспоминая* (ее нет, ее нет, ее больше не будет), — чтобы оно оставалось несокрушимым, как скала, а иначе хана...

И все-таки кое-что изменилось.

Они стали при нем говорить между собой. Вынося парашу, уже не торопились захлопнуть люк над его го-

408 ловой, и когда перебрасывались новостями, Леон процеживал, сопоставлял и выстраивал разрозненные факты, смахивающие на полную ахинею, в некую картину того, что бурлило, воевало, убивало друг друга где-то там, над его норой... Судя по всему, наверху шли интенсивные бои на сирийско-ливанской границе, исламистская группировка «Джабхат-ан-Нусра», выкормыш «Аль-Каиды», вела войну по двум направлениям: в районе Кунейтры — против сирийской регулярной армии и на границе — с боевиками ливанской «Хизбаллы».

В один из этих дней Умар вслух зачитывал новости из местной газеты «Ан-Нахар»: ливанские спецслужбы раскрыли планы «Джабхат-ан-Нусры» захватить приграничный город Арсаль и двинуться вглубь, в города долины Бекаа, на завоевание земель, по пути уничтожая всех мужчин старше пятнадцати лет... Абдалла и Джабир слушали, отпуская отрывистые матерные замечания.

Мда-а, думал Леон, прислушиваясь к этой веселой политинформации, забавно: поистине, «не пожелай царя другого».

* * *

Вдруг его помыли! Это было чудом... Минут десять поливали, подтащив шланг к люку в потолке: мыло для заключенных, естественно, еще не присутствовало в *цивилизации зинданов*. Он стоял в центре своей земляной четырехметровой норы, навалясь на благословенный костыль, и ртом ловил струю чистой воды, пусть и не питьевой, пусть из крана — подставлял безобразно отросшую гриву и бороду безумного пророка, улыбаясь воде, жизни... не мог напиться, надышаться водой никак не мог...

Словом, что-то явно менялось. Видать, им стало выгодно содержать его в пристойном состоянии.

Но дня через два после «великого омовения» он вновь услышал ненавистный голос и узнал тяжелые шаги над головой. Вернулся Чедрик, который отсутствовал больше месяца. Леон приуныл: возвращение «черной вдовы» Гюнтера Бонке означало новые побои и новые пытки. Однако Леона все никак не поднимали наверх, и Чедрик к нему не спускался. А может, Чедрика просто *не пускали* к нему? Почему? Однажды ему показалось, что Умар крикнул кому-то:

— Сказано: живым и целым, *эр йим заак!*[1]

Наверху шли какие-то разборки. Сквозь захлопнутый люк он слышал голоса, интонацию, но слов не различал, как ни напрягал слух. По некоторым приметам он давно догадался, что Умар ненавидит Чедрика — тот был чужаком, оставленным тут для присмотра, навязанным чужаком, к тому же, мухлевал в карточной игре. Время от времени Чедрик напоминал Абдалле о долге, все время перевирая сумму, и Абдалла взрывался и вопил: «*Йа казаб! Йа джамус!*»[2] — заикаясь так, что слов вообще нельзя было разобрать.

Вот что Леону не давало покоя: почему Чедрик все время тут околачивается? Кто его приставил к Леону — «Казах»? С какой целью? Неужели сам он, его семья, его дом больше не нуждаются в надежной охране (разве что он сменил Чедрика на кого поумнее)? Ведь, потеряв сына, «Казах» должен был опасаться, что и его самого в любой момент могут ликвидировать?

Это был единственный недостающий фрагмент целой картины, который Леон, понятия не имевший о

[1] Рвать тебя хером! *(араб.)*
[2] Лгун! Скотина! *(араб.)*

случайной смерти «Казаха», не мог воспроизвести. Необъяснимое исчезновение «Казаха», его *неприсутствие в кадре* — вот что не давало покоя; возможно, потому, что (будь честным, говорил себе Леон) каким-то образом с этой фигурой была связана Айя. В тяжелые дни полного затишья бывали невыносимые минуты, когда он просто жаждал услышать наверху голос Фридриха — пусть бы за этим последовали новые пытки: *хоть словечко о ней, хотя бы намек — где она...*

Где она сейчас?

Наконец его вытянули наверх. Самостоятельно он не смог бы еще подняться по лестнице. Спустился вниз Джабир, обвязал Леона ремнями, и грубыми рывками его потащили. Слегка пришедший в себя за последний месяц, Леон решил, что волокут его на новый допрос, и испытал какое-то бездонное холодное отчаяние: вот теперь он больше не выдюжит. Больше — нет...

Но его просто вытащили и проволокли по длинной бетонной кишке, освещенной двумя тощими флюоресцентными лампами, в комнату, где, видимо, по очереди спали его охранники. Там и лежбище было — брошенный на пол матрас, — и низкий столик с тремя кальянами; стул, тумбочка, умывальник. Судя по отсутствию окон, какой-нибудь очередной этаж данного бункера.

Затем явился Умар с синим тренировочным костюмом в руках, бросил его на стул и кивком приказал своим подручным одеть Леона. И сердце у того забилось: ни на расстрел, ни на повешенье *эти* врага не принаряжают. С места на место они обычно его и так перевозили, без смокинга, в вонючих лохмотьях. Значит... что же? Значит, значит...

Костюм оказался большим, возможно, с кого-то снятым. Штанины и рукава пришлось просто отхватить ножом. Тем же ножом отхватили ему бороду — нелепыми клочьями.

— Абдалла, поставь ему тут ведро, — велел Умар. — Сегодня пусть здесь валяется, а завтра — *халас*[1], избавляемся...

Вот когда ему стоило нечеловеческих усилий сдержаться, не шлепнуться на пол, не возрыдать на арабском:

— *Аху шлуки!*[2] Умоляю, скажи: что значит «избавляемся»? — душераздирающий приступ благодарной любви и желания схватить и целовать руки этого прекрасного, щедрого, благородного человека...

Леон сидел на стуле с равнодушным лицом, лбом опираясь о перекладину костыля, мысленно заставляя себя монотонно твердить страшные, непроизносимые арабские ругательства. И через минуту полегчало, отпустила мутная исступленная слеза унизительной истерии, и на смену ей пришла холодная ярость врага, неудержимое желание снести, взорвать эту подземную бетонную цитадель черной боли, страдания и страха — взорвать, пусть и вместе с собой!

— Пусть ляжет, — добавил Умар. — Завтра он должен прилично выглядеть. — И по-английски, Леону: — Иди, ложись, ты! Ты, ты, артист! Ложись, понял? Кончены песни...

Уже в коридоре, перед тем как навесить на дверь замок и замкнуть его (никогда слух Леона не работал с таким неистовым напряжением), Умар кому-то буркнул:

— И того, *йа ибн иль шармута*[3], — не пускать. Не пускать, я сказал! *Урбут эль хмар уэн бадо сахбо!*[4] На этом чертовы деньги замешаны и политика — французы,

1 Всё *(араб.).*
2 Братишка! *(араб.)*
3 Сукина сына *(араб.).*
4 Привяжи осла там, где велел его хозяин! *(араб.)*

412 турки, оружие... какой-то интерес Тегерана. Платят за нашу канарейку, ясно? И много платят!

Ключ скрежетнул в замке, шаги стихли... Вот она: комната, пусть без окон, пусть запертая, но... комната! Лучшие в его жизни апартаменты. Прости, моя любовь, что я привел тебя в эту клоаку...

...И лишь тогда, не унимая колотящегося сердца, он *впустил Айю*: безмолвно она вошла, присела на корточки рядом с его матрасом, осторожно опустилась на колени... и он легонько, стараясь не причинить себе боли, искореженными пальцами коснулся ее грудок: старшая... младшая... А вот моя старшая... а познакомьтесь-ка: младшая. Они сравняются, когда наполнятся молоком...

У тебя, наверное, уже отросли длинные волосы, и ты убираешь их за левое ухо, в котором качается монета — царский червонец Соломона Этингера, мое наследство, чистая уральская платина. А крошечные шелковые стежки от бывших колечек — они ведь давно заросли?

Его отбитое тело, его онемевший от побоев пах ничего не хотели, ни капли чувственного желания не было в его истерзанном костяке. Ничего, кроме нежности, кроме счастья; кроме нежности, свободы и счастья... Они так и заснули рядом — он не мог даже обнять ее по-человечески. Под бледнеющим небосводом мерно катились по черной акватории серебряные гребни волн, а гребень скалы круглился двумя кучерявыми холками — двумя няньками, баюкающими в седловине лимонную луну...

Так они и плыли на пенишете в наступавшее утро, в сизое небо, что с каждым мгновением выпивало из моря синие соки дня. По горам стекал зеленый шелк рассвета, а в отдалении — пунктиром — шла на лов флотилия рыбачьих лодок, и ровно тянуло свежим ветром...

Скрежетнул в замочной скважине ключ, и Леона подбросило: утро?! за ним пришли?! Как все произойдет, как повезут — на машине, потом аэродром, самолет?!

Но в щель приоткрытой двери лился из коридора мертвый металлический свет, в котором — не может быть, наваждение! — он узнал зловещий силуэт: Чедрик! И понял, что погиб, обречен: один, с больными ногами, никуда не годной правой рукой и едва сросшимися ребрами... Чем, чем соблазнил этот гад остальных — наркотиком? Не может быть, чтобы Умар выдал ему ключ за просто так...

Рывком изогнувшись, бесшумно подтянул к себе костыль и левой рукой крепко схватил у основания...

Несколько долгих секунд Чедрик стоял в проеме двери, пытаясь сориентироваться в темноте, нащупать глазами Леона... Наконец мягко ринулся к нему. Леон метнул костыль, метя в переносицу, но промахнулся, и великан, взрыкнув, навалился сверху, придавил всей тушей, прижав к горлу Леона лезвие ножа.

— Вот этот нож, — в восторженном трансе шептал на арабском, будто самому себе, — я тебя им располосую, если дернешься...

Он сопел, дыша на Леона дикой смесью мяса, чеснока, характерной вонью каннабиса... Капли жаркого пота падали на лицо Леона с жирного бугристого лба. Чугунная туша, распластанная поверх его искалеченного тела, полностью его парализовала, давила, не давала дышать.

Вот он, миг для самой последней версии!

— Брат! — выдохнул Леон по-арабски из-под самых ребер. — Выслушай меня, брат... Все это ошибка... тебя ввели в заблуждение... Я расскажу тебе, как все было на самом деле...

Но в мутном сознании великана арабская речь Леона воспринималась как естественная попытка смертника выкрутиться из последней петли; возможно, в наркотическом возбуждении он и не различал языки. Он и говорил с собой, только с собой и еще со своим умершим, и слышал только себя.

— Он мертв и лежит в земле, — бормотал Чедрик, прижимая лезвие к горлу Леона все плотнее, — а ты жив... И они говорят, за тебя дают большие деньги... За канарейку много платят, говорят они, продажные твари... Хорошо, говорю, я не стану его убивать, пусть канарейка и дальше поет — хотя мой Гюнтер лежит в земле и ничего уже не услышит, не увидит... Пусть канарейка и дальше поет, даже лучше поет, но пусть тоже ничего не увидит!

Навалившись на обездвиженного Леона, левым локтем он пережимал горло пленника, так что дыхание того становилось все реже, а сознание поплыло в безбрежную смерть, в распахнутую равнину мертвенной мессы, в невыразимую тоску...

«Вот сюда», — показала Стеша на горло, и он понял, что его приглашают в компанию тех, кому уже не до воздуха, — пора, мол, давно не виделись... Тихо вращаясь гороскопическими близнецами, проплыли «ужасные нубийцы»: Тассна и Гюнтер-Винай с луковой розой во рту; Винай подмигнул Леону — ты ведь этого добивался?

Под зловещий клекот в адском мраке ледяного тумана восстали, надвинулись мертвецы — бородатые тени в белых саванах... Под далекий гул подземного зова его волокли в мертвенный свет, в белесую пелену бескрайней равнины, где синь и золото гаснут, где душа цепенеет, мертвеет, погружается в тень — навсегда.

Леон уже не слышал восторженного бормотания Чедрика:

— Я не задену его птичьего мозга... я осторожно, самым кончиком ножа...

...тот уже не берегся, безумец, уже не сдерживал голоса; готовился к жертве во имя умершего:

— Гюнтер! — вопил. — Гюнтер! Канарейка будет петь, ты слышишь? Она будет петь для тебя!..

В коридорах загрохотали ботинки бегущих на его вопли охранников, но Леон не чувствовал ни взрыва дикой боли и огненной тьмы, ни кровавых ручьев, что текли по его лицу; не слышал, как в комнату ворвались Умар с подручными, как навалились и поволокли прочь великана, яростно его избивая, и тот, не сопротивляясь, кричал:

— Это шпион! Он говорил со мной по-арабски! Он говорил по-арабски!!!

— Собака, собака! — в ответ кричал Умар. — Он все испортил! Кто дал ему ключ, *йа амиль маштап*[1], собака, мерзавец?! Кто дал ключ?!

А больше всех старался Абдалла, психопат-заика, кто и выдал Чедрику ключ «на минутку» (вернее, продал: за прощеный карточный долг). Он старался бить того по голове и в пах, чтоб поскорей отключился. Бил, исступленно вопя:

— Ну-ка, Джабир, вырви его вонючее нутро!!!

А тот, избиваемый сворой отборных молодцов, крякал, выл и качался — раненый медведь, — продолжая выстанывать свое безутешное: «Гюнтер, Гюнтер!» — вздымая над головой два пальца, испачканных в крови Леона; два пальца, победно расставленных буквой V...

10

В начале декабря, да еще ночью, на Кипре холодно и неприютно. Резкий наждачный ветер бренчит выве-

---

1 Предатель *(араб.)*.

416 сками, скребет по кирпичной стене голыми ветками деревьев и гонит мусор по пустой сейчас улице Ледра, от автобусной станции до самого КПП.

Мало кто назвал бы это место привлекательным, хоть это и центр Никосии. Буферная зона между греческим и турецким Кипром, контролируемая войсками ООН, огорожена бетонными плитами, колючей проволокой, мешками с песком... Типовые будки и полосатый шлагбаум довершают угрюмое оформление некоего драматического действия, которое должно здесь произойти через считаные минуты; действия отнюдь не театрального, хотя на воротах «Ледра-Палас» даже присутствует двусмысленная вывеска «UN Exchange Point», что можно перевести как «ооновский пункт обмена».

Напряжение растет, ибо с обеих сторон — и с кипрской, и с турецкой — к КПП уже подъехали машины с дипномерами.

Все обговорено и размечено по минутам: в момент, когда поступит сигнал от длинного, как Паганель, и чем-то раздраженного чина миротворческой миссии ООН, произойдет обмен *того на этого*: сопровождающие должны вывести пленников в специально огражденное пространство — одного из турецкой зоны, другого — из греческой.

Оговорено и то, что к процедуре обмена не будет допущен ни один представитель прессы. Да собственно, и группы сопровождающих (они же принимающие) немногочисленны: с «французской», то есть греческой стороны КПП — двое мужчин в гражданском, а также доктор Набиль Азари и врач, пожилой, но жилистый, подбористый человек с чемоданчиком в руках. А то, что за их спинами чуть поодаль маячит меланхоличного вида чернобровый верзила с ямочками на гладко выбритых щеках, — так это просто некий ковровый коммерсант, личный друг доктора Азари и дальний родственник семьи того пленника, которого доставили из Бейрута. Коммерсант выглядит так, будто напросился *поглазеть на процедурку*, и в этом смысле, раздраженно думает невыспавшийся чин ооновской миссии, вообще непонятно, кто его пустил тут околачиваться, среди серьезных людей.

Человек восемь в форме миротворческих сил ООН, с передатчиками в ушах, прогуливаются вдоль бетонных блоков забора с греческой стороны, иногда перебрасываясь словами с солдатами в патрульном джипе.

Наконец, старший из «миротворцев» вытягивается, напряженно выслушивая кого-то невидимого в ухе, и машет рукой остальным, а те быстро растягиваются по периметру небольшой «сцены».

Несмотря на вполне исправные фонари, их желтый недостаточный свет довольно слабо освещает напряженное, тихое, стремительное действие. Практически одновременно из обоих выходов показываются: «французы», с двух сторон тесно приобнимающие невысокого плотного человека в теплом пальто и шерстяной, альпинистского вида шапочке с легкомысленным помпоном, и — навстречу им из противоположного выхода — выдавливается сплоченная группка молодых чернобородых мужчин, за которыми не сразу виден... не сразу видно... почему-то не сразу... эти колеса... что происходит?!

Происходит заминка, невнятица мгновенных судорожных движений «французской стороны». Генерала Бахрама Махдави резко тормозят те двое, что предупредительно приобнимали его мгновение назад. Тогда один из «турецкой группы» выкатывает перед собой инвалидное кресло, где в тренировочном костюме (в

418 такую холодрыгу!) сидит... подросток с невероятно буйной гривой длиннейших кудрей, с повязкой на глазах...

На две-три секунды обе группы застывают, как для исторического снимка. Вот вперед ринулся доктор Азари, потрясая руками и от волнения крича на арабском:

— Что за повязка?! Снимите ему с глаз повязку!

И, вдруг все поняв, замирает, беспомощно повторяя:

— Вы обещали! Вы дали слово! Это бесчестно! Это кровавое зло!!!

Оглянувшись, он нервно переходит на английский:

— Остановите генерала! Не передавайте им генерала!

В этот самый опасный миг из-за спин застывших в замешательстве мужчин выныривает тот странный легкомысленный свидетель, тот случайный чей-то приятель или родственник — короче, ковровый деляга с ямочками на щеках... Одним движением руки властно отстранив совсем потерявшего лицо доктора Азари, он мягко, как пантера, устремляется прямо в гущу неприятеля и, захватив ручки кресла, катит его «к своим», а за его спиной бородатые бросаются к генералу, с обеих сторон подхватывают его и чуть ли не на руках выносят прочь, на турецкую сторону...

Генерал уже не важен, он — отыгранная карта, сейчас важнее всего — врач, спешащий к инвалидному креслу, в котором странно неподвижно и бесчувственно, видимо, под действием наркотика, сидит слепец.

Но прежде чем того касается врач, Шаули прижимается щекой к его затылку и тихо говорит:

— Это я. Ты слышишь? Ты слышишь?! Все кончилось...

* * *

Он проклинал себя за недальновидность. Еще ничего не зная, обещал надоедливому старине Авраму (как тот узнал, черт побери, о сроках, шпион у него, что ли, имеется *в конторе?*), что на последнем перегоне, уже на военном аэродроме пустит его «обнять мальчика». Какое там обнять... Идиот! Как он, Шаули, мог надеяться, что Леон вернется прежним!

Теперь еще возись со стариком, объясняй ему, почему он не может сдержать обещание.

Накануне, перед вылетом их группы на Кипр, Аврам позвонил и сказал: ты не забыл? Помни, я буду ждать прямо там, у входа на летное поле. Спросил, не нужно ли мать подготовить. Шаули, мысленно выругавшись, осторожно ответил: пока не стоит.

Перед тем как самолет из Никосии, уже с Леоном на борту, поднялся в воздух, Шаули позвонил Авраму предупредить: извини, мол, в другой раз, попозже, сейчас не до тебя.

— Да я уже здесь, — перебил его Аврам. — Я здесь всю ночь провел, в машине. А ты как думал? Ведь это мой сын, понимаешь? Мой сын.

И Шаули вдруг смутился, стал оправдываться — мол, я не в том смысле, просто не стоит сейчас смотреть на него, он не в лучшем виде.

И опять Аврам перебил:

— Ты что, меня бережешь?! Или я не был солдатом, когда ты, сопляк, мамку сосал?!

Так что вопрос был снят.

И Аврам подоспел, как раз когда по трапу сносили Леона. Подбежав, увидел его, укрытого одеялом, и в нерешительности остановился: тот вроде бы спал — поди разбери, с этой повязкой. А может, врач ему что-то вколол.

Старик растерянно поднял глаза на Шаули, молча вопросительно провел ладонью по лицу, как бы сбрасывая на землю повязку. Шаули так же молча покачал головой. И тот все понял... Забрался внутрь «скорой»,

420 сидел рядом с носилками, держал Леона за руку, монотонно, хрипло повторяя:

— Мальчик... мальчик...

И по тому, что, отнимая руку, возвращал ее мокрой, было понятно, что он плачет не переставая.

— Ну, будет тебе, — вдруг проговорил Леон тихим и внятным голосом. — Уймись.

И сразу стало ясно, что ни минуты он не спит да и не спал — с тех пор, как пришел в сознание там, в бункере; *с тех пор, как пришел в сознание и увидел черное солнце Страшного суда.*

И руку Аврама сжал левой рукой неожиданно крепко, жестом попросив наклониться ниже, еще ниже...

— Мать... — сказал ему в ухо. — Не стоит ей пока...

— *Хаз ве халила!*[1] — воскликнул Аврам и молча затрясся, уже не таясь.

11

Ей приснились ее грядущие роды. Оказывается, это вовсе не больно, легко и даже весело, и как бы все между прочим... Смутного продолговатого ребенка плавно уносят куда-то прочь, а над ней склоняется врачиха с лицом *фигурного тренера* Виолы Кондратьевны и ласково говорит:

— Поздравляю! У вас родился мальчик с двумя парами глаз.

— Как?!.. Почему?.. — бормочет Айя в испуге. — Ведь это... неправильно, ненормально?!

Очень даже нормально, приветливо отвечает врачиха, и вполне даже оригинально выглядит. Есть и слово

1   Боже упаси! *(ивр.)*

такое красивое: *многоочитый*... Вот архангелы или там серафимы... И если что, положим, случается с одной парой глаз, то...

Но Айя ее уже не слышит, она срывается с каталки и невесомо, в воздухе бежит по каким-то длинным коридорам, куда чужие люди в белых халатах унесли ее ребенка, бежит и ударами кулака распахивает двери, за которыми — ничего, пустота... И она кричит, кричит, понимая: вот, оказывается, *в чем* настоящая боль, вот это и есть, оказывается, *родильная мука*...

Проснулась с папиной ладонью на щеке:

— Ты кричишь.

— Да... сон дурацкий... какая-то чушь.

Она медленно села на своем рыдване, спустила тяжелые налитые ноги на пол, нашарила тапки.

— Может, пора? — обеспокоился он. — Поедем?

— Да нет, — с досадой отмахнулась она. — Говорю ж тебе: идиотский сон, и больше ничего.

Встала и, как была, в рубашке потащила брюхо к компьютеру.

— Ну, как на работу! — воскликнул отец. — Умойся сначала, оденься, позавтракай по-человечески... Да пожалей ты ребенка!

Она вспомнила сон: *многоочитый*... И содрогнулась от вновь наплывшего на нее кошмара...

Компьютер всегда стоял включенным. Иногда ночью, оттого, что уже и лежать было тяжко, ни вдохнуть, ни выдохнуть, она поднималась и приникала к монитору, пускаясь по своему обычному кругу: все ведущие международные агентства новостей.

А тут и шарить не пришлось: экран расцвел прямо на ленте *France-Presse* на английском языке, будто ждал ее пробуждения, будто именно эта краткая новость, промаявшись ночь в нетерпеливом ожидании, послала ей сон-пробуждение — вставай, мол, смотри: для тебя писано.

Несколько слов, скупых и казенных:

Минувшей ночью в Никосии, Кипр, на КПП «Ледра-Палас» при участии французской и турецкой сторон под наблюдением миротворческих сил ООН состоялся обмен пленными: иранский генерал, бывший в плену у израильтян, обменян на французского певца, захваченного несколько месяцев назад одной из ливанских группировок.

Если прочесть кому неосведомленному — полная абракадабра: где Кипр и Турция — а где Иран и ливанские группировки?

Она поняла все мгновенно, как ослепило. Дико крикнула:

— Господи!!!

Из кухни примчался отец, обхватил за плечи, привалил к себе, испуганно и дальнозорко щурясь в экран, пытаясь разобрать, что там страшного дочь могла вычитать. А она все билась в его руках, тянула шею, кричала:

— Гос-пади!!! Госпади-и-и-и!!! — как, наверное, и кричат в настоящих, а не сновиденческих родах.

— *А что такое «аллилуйя»?*
— *«Славьте Господа!».*
— *На церковнославянском?*
— *Нет. На древнееврейском.*
И улыбнулся этой своей улыбочкой, больше похожей на щит латника...

Господи, как она могла... где были ее мозги, почему сразу?!..

Господи, как она не дотумкала, не допетрила, не 423
сопоставила, дура дурой! Вот же на кого он чем-то похож — на Михаль! Нет, еще на... да, на ребят, с которыми она работала на виноградниках под Ашкелоном;
на измотанных солдат, прошивающих всю небольшую
страну со своими винтовками и рюкзаками по всем
автобусным рейсам, во всех направлениях... Что-то
общее — в жестах, в мимике; клоунская свобода тела,
белозубый гвалт, а кисти расслаблены и этак штопором, будто ввинчивают лампочку в патрон, когда что-
то доказывают... Эх ты — ломилась в никчемные двери,
в чужие приемные... где, где был твой профессиональный взгляд фотографа?! Как можно было не опознать
сразу этот израильский жест!

И вдруг — как рукой сняло: весь морок и страх, глубинную мутную жуть; самолетную *белесую непроглядь*,
таиландскую работную каторгу... Все стало ясно, четко,
стремительно, и она оборвала саму себя: ну, довольно!

Молча и решительно высвободилась из рук отца,
молча оделась, стала собирать какую-то даже не сумку,
а тряпичную рыночную котомку. Илья напряженно
следил за всеми этими — сначала показалось, беспо-
рядочными — движениями. Посмотрела бы на себя:
застиранная цветастая рубашонка, холщовые штаны
на резиночке — посоха только не хватает... Но когда
она достала из бабушкиного бюро британский паспорт
и сунула его в эту странническую котомку, он решительно встал в дверях комнаты, ладонями упершись в
косяки.

Как бабушка когда-то — нелепо, смешно и жалко —
отчеканил:

— Через мой труп! — И добавил: — Давай, отодвинь
меня. Попробуй меня обойти. Я здесь буду стоять вечно.

Она даже не услышала, просто не обратила внимания: была так сосредоточенна, так собранна и внятна. Подошла к отцу, положила обе ладони ему на грудь и тихо — а в лице такой покой, и глаза блестящие, и губы дрожат — сказала:

— Не бойся, папа. Теперь все будет хорошо.

Илья умоляюще крикнул:

— Что ты творишь?! Ты же... ты — мать, мать!!! Ты прежде всего должна думать — о ком?! О том, кто в тебе! Ты доноси! Доноси, дай ты мне его на руки, а потом поедешь!

И заметался по комнате — грузный, с вспотевшим красным лицом, с дрожащими руками.

Как он сейчас понимал бабушку, как сострадал ей, давно умершей! И как бессилен был что-либо изменить.

* * *

По мраморным ярусам, плавно переходящим в невероятной длины мраморный проспект, она тащилась на выход в огромном аэропорту этой маленькой страны...

Дотащилась к залу с рядами таможенных будок, выстояла страшенную очередь (время было праздничное, одновременно прибыло несколько рейсов), и когда наконец пробилась к окошку, за которым сидела лохматая, *отвязного вида* девица с накладными и тоже какими-то праздничными чудо-ногтями, протянула паспорт и твердо проговорила, уставясь в эти ногти, украшенные каплями стразов:

— Мне нужны люди в вашей разведке... Срочно!

Девица привстала, вмиг сделавшись хищной лохматой птицей, приблизила лицо к окошку и тихо скомандовала:

— Стоять тут.

Минут через пять Айя уже сидела на стуле, привинченном к полу, в какой-то выбеленной комнате без окон, но с большим зеркалом скрытого наблюдения, и под внимательным взглядом рыжеватого мягколицего человека в веснушчатом крошеве по рукам и лицу не могла выдавить из себя ни слова. Поднимала кулаки и бессильно опускала их на стол. И каждый раз он терпеливо говорил ей:

— Шшшш! — как ребенку. — Успокойтесь. Доктор сейчас придет, доктора уже вызвали.

И в ту минуту, когда открылась дверь и долговязый, веселый и щеголеватый доктор со словами: «Ну и кто здесь родит? — а при взгляде на ее живот: — Вау! Как ее в самолет-то пустили?» — вошел и крепко пристукнул по столу своим чемоданчиком, она вздохнула и выговорила:

— Леон... — после чего навалилась грудью на стол, вяло стукнулась головой и потеряла сознание.

...И даже в такой небольшой стране нужно очень постараться, чтобы найти именно того человека, который необходим тебе в данную минуту, немедленно, неотложно! Так что сначала — по хлопотливой цепочке — в коридорах госпиталя «Адасса» был настигнут и выдернут оттуда один из сотрудников Шаули. Он и был послан *разобраться в вопросе* в гостиницу аэропорта, куда поместили взрывоопасную пассажирку, а когда вернулся и принялся кратко обрисовывать шефу ситуацию...

— А... та, глухая! — перебил его разозлившийся шеф. — Гнать ее в шею. Посадить на самолет и с приветом бабушке! Ему сейчас не до нее. Мало ли с кем и когда он спал.

Тот, посланец, архангел при исполнении, выдержал привычную паузу и мягко проговорил:

— Не так просто. Там... обстоятельства.

Шеф уставился на него:

— Что за обстоятельства?! — и вспыхнул: — Слушай, какие сейчас, черт возьми, у него могут быть обстоятельства, кроме предстоящих операций?!

Тот неловко усмехнулся, вновь посерьезнел. Откашлялся и произнес почему-то виновато:

— Она приволокла сюда живот. И видит бог, Шаули, этот живот больше ее самой. Так я что думаю: возможно, этот живот с его начинкой... ну... может, это и есть — лучшие *для нас* обстоятельства?

* * *

Машина подъехала к главному корпусу госпиталя «Адасса», Шаули вышел и, открыв дверцу пассажирского сиденья, терпеливо наблюдал, как в несколько приемов Айя выбирается наружу. Кажется, он побаивался ее касаться и рядом с ней двигался с профессиональной осторожностью сапера над неразорвавшимся снарядом. Но все же подставил галантный локоть, и она вцепилась в него и, тяжело переваливаясь, двинулась к лестнице. Всюду здесь были подъемы, спуски, лестницы, сейчас ей ненавистные: горы, сосны, дома на склонах — Иерусалим...

Вокруг расступался и громоздился, спускаясь по холмам, целый город разновысоких корпусов с переходами, круговым автобусным сообщением и сложными пересадками в зданиях из лифта в лифт. И они пересаживались, шли по коридорам, снова входили в очередной лифт... Ей казалось, конца не будет этому пути; казалось, он длиннее, чем ее длинная дорога сюда; казалось, ноги ее никогда не дойдут до той палаты, или что там — камеры? бокса? реанимационной? — где держали Леона... Шаули смешно семенил рядом, часто переступая своими длинными ногами и приговаривая:

— Вот тут еще пара ступенечек, о'кей?.. И тут еще немного...

Она задыхалась, но всякий раз отказывалась «передохнуть, постоять». Не бойтесь, твердо сказала ему, я не подведу, у меня еще пять дней до срока...

Наконец вошли в последний лифт, вышли и еще тащились по многоколенным переулкам внутри хирургического отделения, огибая пустые каталки и металлические этажерки с обедами для пациентов. Это напомнило ей ночное их путешествие в дождь, бесконечные коридоры замка Марка и Шарлотты и то солнечное утро на другой день, когда — два голых беспризорника — они бежали к ванной и орали там как сумасшедшие, поливая друг друга ледяной водой.

Завернули еще раз, остановились перед закрытыми дверьми бокса, и Шаули осторожно вынул свой локоть из-под ее руки.

— Вот что... — наконец решившись, мягко проговорил он. — Зубы — это ерунда, ты даже не смотри. Зубы мы ему вставим лучше, чем были... Главное, со всем этим делом... ну, в смысле... со всем этим *для твоей радости* — тоже все будет нормально, доктор сказал. Беспокоиться, в общем, не стоит...

Значит, есть еще что-то, сказала она себе, с чем никогда уже не «будет нормально» и не будет «лучше, чем было». Вдруг вспомнился сон — невесомый ее гон за унесенным ребенком по бесконечному коридору с пустыми комнатами. Многоочитый. И горло сжалось окончательным спазмом, запирающим вопль в сухой носоглотке: приготовься...

— Вы честное слово ничего ему не сказали? — спросила она, строго глядя на Шаули сухими глазами.

— Честное слово, — ответил он. — И всех разогнал. В наших интересах, чтобы он грохнулся в обморок от счастья. Ну... иди, малышка.

И предупредительно открыл дверь перед ее животом.

Леон сидел на кровати в больничной пижаме, с повязкой на глазах, будто его все еще везли куда-то по дороге, которую он не должен запомнить. Сидел и сосредоточенно учился нащупывать на тумбочке стакан с водой, ничего не опрокинув. Его рука осторожно ползла, легко огибая пачку бумажных носовых платков, и отпрянула на еле слышный скрип отворившейся двери.

Его не успели подстричь, или он сам не захотел, и промытые до блеска дремучие ассирийские кудри были собраны сзади в хвост и перевязаны кусочком бинта. Он был отлично выбрит, худ, как кузнечик, и мал. Он был — ребенок, которого она так тяжело носила и во сне родила *внакидку*: с двумя парами глаз.

Увидев повязку, она ослабела и привалилась плечом к косяку двери, почему-то сразу поняв, что *эта* не из тех послеоперационных, которые в конце романа с торжеством снимает врач, даруя пациенту новоявленный свет. Не приближаясь, просто сказала:

— Здравствуй, Леон.

Он не дернулся, не крикнул... только помертвел, будто кто плеснул в него гипсовой синевой, мгновенно облепившей лицо, как посмертная маска. Но через мгновение улыбнулся и легко проговорил:

— О-о... кого я слышу! Был бы и увидеть рад, но... — и шутливо-сокрушенно развел руками перед лицом, словно приглашал полюбоваться *на этот каламбур*, так что сердце у нее захолонуло и взвыло. Она молчала, задыхаясь от этого его тона.

Гордый. Гордый он, сукин сын... Ну, а я так совсем не 429
гордая.

— Ты как же тут очутилась, Супец? — продолжал он приветливо, и ей казалось, голос его, который она не слышит, нащупывает к ней дорогу и в то же время рвется куда-то прочь — бежать, скрыться! Она видела по губам, как мечется непослушный ему голос: — И как это тебя, бывалую бродяжку, опять занесло в наши края? Надолго ли?

Кажется, этот идиот и дальше собирался выдуривать в таком роде.

Она прервала спокойно и твердо:

— Надолго. Приехала заставить тебя жениться. Ты обещал!

Он замер на миг... рассмеялся, как смеются хорошей шутке, и с горечью проговорил:

— Увы, детка. Боюсь, это не актуально. Я, как видишь, слепец.

— Вижу.

— Так не будем забавлять остряков нашей некомплектной парой.

— Сволочь! — тихо проговорила она с чувством. — Ах ты сволочь! Сейчас по-другому запоешь.

И пошла прямо на него, ткнулась коленями в его обтянутые пижамой острые колени, растолкала их, надвинулась. Схватила обе его руки и — как на алтарь — возложила их на выпуклый свод живота.

Он оцепенел, отдернул руки, как ошпаренный.

— Что это?! — шепнул прыгающими губами. — Что это?!

...вновь припал ладонями к крутой сфере ее живота, рывками ощупывая его сверху и по бокам, сильно и больно оглаживая и сводя ладони внизу тяжелого полушария, точно проверяя подлинность и вес тугой этой амфоры...

— Ну, ты, полегче, — отозвалась она, слизывая языком катящиеся по губам слезы — первые ее слезы с того дня, как она пустилась в длинный изнурительный путь за его тенью. — Это тебе не арбуз. Это последний по времени Этингер.

Он молча ткнулся лбом в ее живот, а ладони продолжали жадно кружить под цветастой распашонкой, точно потерявшиеся псы, что бегают по пустырю в поисках хозяина. И кожей она ощущала каждый шрам, каждый воспаленный бугор на этих некогда прекрасных руках.

— Здесь никого? — спросил он севшим голосом. — В палате?

— Все ушли, — сказала она, сурово глядя прямо в повязку, точно могла проникнуть за нее и встретить взгляд его горючих, как смола, черных глаз. — Кому интересна эта порнография: глухая со слепым?

Тогда, подняв руки, он осторожно ощупал ее груди, будто прислушивался к перекличке, а затем и дуэту двух голосов, будто приценивался на будущее *к хозяйству*. Запрокинул незрячее лицо в белой повязке и прошептал:

— Сравнялись! Они сравнялись...

Эпилог

Гример Людмила выглянула в коридор и позвала:

— Гаврила Леоныч! Прошу в кресло. Попудрим вашу мордаху, чтоб не блестела...

Мальчик лет восьми вынырнул из-под ее локтя с другой стороны, послушно взобрался в высоковатое кресло, сказал:

— Она все равно будет блестеть в финале.

Все здесь было не очень приспособлено для артистов — как всегда бывает в *неспециальных* местах: для гримера выделена комнатка в коридоре, которую Людмила мысленно называла «кладовкой»; откуда-то — из сувенирной лавки во дворе монастыря — принесено и поставлено на обветшалый комод зеркало в синей деревянной раме. Что и говорить, условия *более чем приблизительные*, но уж акустика молитвенного зала аббатства Святой Марии в Эммаусе была такой, что любой певец сразу забывал о неудобствах. Ежегодный музыкальный фестиваль в Абу-Гоше славился этим залом, как и чуткой преданной публикой.

— А красавец-то, красавец! Фрак на заказ шили?

— Ага...

Людмила набрала на кисть матовый грим, стряхнула в коробку, левой рукой чуть приподняла подбородок мальчика и пошла огуливать пушистой кистью его щеки, нос, лоб.

— С премьерой вас, Гаврила Леоныч! Волнуешься?

— Не-а.

— Как это?! — ахнула она шутливо-возмущенно. — Выступать на равных с таким знаменитым певцом, как твой папаня, и совсем не дрейфить? Не верю! — Она отстранилась, глянула на него в зеркале, подмигнула: — Отец-то гоняет как сидорову козу? Я слышала сегодня в гостинице. С утра голосили оба, аж звон в ушах...

— Да нет, — терпеливо пояснил он. — Это так, распевка.

— Ну да! А чего он кричал: «Не срами Дома Этингера!». Где у вас такой дом?

— Да нет, — совсем смутился мальчик. — Это так, поговорка. — И добавил с материнской интонацией: — Это фигура речи.

Людмила, откровенно любуясь нежным румянцем, присущем всем рыжим людям, не отпускала его подбородка, чуть поворачивая вправо-влево, трогала кистью там и тут, а сама задавала и задавала дурацкие вопросы, на которые он отвечал, как муштровал его дед Илья: «внятно, серьезно и полной фразой».

— Слышь, Гаврик, а ты чё — тоже певцом будешь?

— Ну... — он пожал плечами, — трудно сказать: впереди еще мутация. Папа говорит, буду ли я петь, знают только он и Бог.

Людмила расхохоталась:

— А ты кому из них больше доверяешь?

И мальчик ответил без тени иронии:

— Папе, конечно.

— Па-а-апе! Ну и ты у нас теперь, значит, Блудный сын! — Она опять рассмеялась, но сразу же спохватилась: — Ой, прости, мой зайчик. Я не над тобой, не обращай внимания. Погоди, пудру смахну... Но ты хоть приблизительно знаешь, что это за штука такая — блуд?

— Знаю, — серьезно отозвался мальчик. — *Это когда голос души тонет в мерзости и забывает сам себя.*

...Странная эта тетя Люда. Нет, она, конечно, милая, но... не очень умная женщина. Знала бы, сколько отец рассказывал и объяснял, прежде чем решился ввести его в ораторию. Они даже в Санкт-Петербург летали на два дня — смотреть картину Рембрандта, перед тем как к партитуре приступить. Папа ради этой поездки перенес какую-то важную встречу, и Филипп кипятился, кричал: «Что, нельзя было на репродукции показать?! Минутное дело!» — а папа как отрезал: «Нельзя!» И они втроем с мамой полетели в Петербург и в тот же день пошли в Эрмитаж... Папа сначала долго молчал, будто *рассматривал* картину, — на самом деле это он ему давал освоиться *с минутой встречи...* А потом вдруг привлек к себе, как мама говорит, «макушкой в сердце» («когда ты сидел у меня внутри макушкой в сердце...» — говорит она) и стал сначала рассказывать притчу, про то, как *голос души тонет в мерзости и забывает сам себя...* И затем очень подробно объяснял саму картину — прямо наизусть! — и по смыслу, и по живописи, так здорово: «Сумрачное золото рембрандтовской полутьмы...»

А когда дошел до того места, ну, что в чужих странах блудный сын *забыл родной язык,* так что, вернувшись, не смог даже попросить слуг позвать отца и в отчаянии *закричал,* то есть *криком запел* — и тогда слепой старик-отец узнал его голос... в этом месте мама вдруг страшно побледнела, быстро расчехлила свою камеру, отстранилась от них, отпала и стала быстро-быстро бегать вокруг, расстреливая кадрами их двоих, обнявшихся против картины, где *другой* слепой отец обнимал *друго-го* сына — бритого наголо, как папа на своих молодых фотографиях...

*   *   *

Мальчик с отцом, оба во фраках, стояли в мягком дневном полусумраке перед дверьми в левый придел базилики: отец предпочитает загодя обживать пространство сцены. Ты должен ощутить акустику зала по проникающему гулу публики, говорит он. И хотя здесь, в переулках старой громады церкви крестоносцев, тесновато даже после перестройки, а оркестранты и хористы в коридорах тихо допиликивают и гнусавенько подтягивают шнурочки своих партий, отец чувствует себя в дрожжевой толще звуков, звучков, закулисной распевки басов и альтов и ровного гула публики, до последней щелочки заполонившей молитвенный зал ордена бенедиктинцев, — как рыба в море.

— Герцль, где моя грудка? — с насмешливым, но и явным волнением спросил Леон.

В последние годы он предпочитал короткую стрижку с корректными висками, в которых — пора, ничего не попишешь — уже проблескивало изрядно седины.

Сын привычно разгладил на груди отца атласные лацканы, поправил по центру бабочку.

— Все в порядке, папа.

Тот прихлопнул ладонями на своей груди руки сына и, не отпуская их, проговорил, шутливо сдвинув брови:

— Голос... голос — Леона... А руки... руки — Айи! — И мальчик привычно хмыкнул на привычную семейную шутку.

— Перед кульминацией — не затягивай, — сказал Леон. — Просто слушай меня, но помни, что ты — главнее... Ты — исток, детство, юность. Ты — напоминание каждому, что человек рождается чистым и свободным от греха.

— Хорошо.

— Ты все время как бы окликаешь меня, *шваль паскудную*: мол, а ведь ты был мною, ты был безгрешен...

— Ты говорил это двести раз.

— Ничего, послушай в двести первый. Не напрягай связки. Не старайся меня догнать. У тебя одна краска: чистота. Бедновато, но прекрасно, как ангелы в старых церковных витражах. У греха всегда богаче арсенал средств. Не передави, понял?

— Хорошо, папа...

Мимо них двумя цепочками прошел хор — вначале басы и тенора, затем (в многоструйном облаке духов) альты и сопрано: шелест юбок, мягкая поступь концертных туфель, покашливания, помыкивания в нос, последние перешептывания... Сейчас все выстроятся, затихнут, и тогда выйдет оркестр...

— Мама с Шаули здесь? — беспокойно спросил отец.

— Конечно, — легко соврал мальчик, — в третьем ряду.

Он вообще врал легко, артистично и убедительно. Мать говорила в таких случаях: что вы хотите — Этингер!

Просто за минуту до того, как они покинули артистическую, мальчик получил от нее сообщение на мобильный: «мы уже близко, задержимся на два такта, *возьми на себя*». (Айя встречала Шаули из Брюсселя.)

Никогда не уточняла — что именно сын должен «взять на себя», но он отлично понимал ее и *брал*. В свои восемь лет он вообще много чего *брал на себя*,

436 многое умел — особенно когда мама уезжала на съем-
ки и он оставался с отцом один: умел приготовить яич-
ницу, сварить картошку, соорудить семейные «гренки
старика Морковного»... Сегодня, сейчас, ее любимая
полуфразочка означала только одно: упаси боже отцу
волноваться перед премьерой!

Вот пропыхтел мимо дирижер, толстяк Ури Шрё-
дер:

— Ну что, мои дорогие: с богом?

...и Леон привычно нащупал плечо сына: руку пока
еще можно было не задирать...

* * *

...Он удивительно свободно двигается, думала Магда, только рука на плече мальчика, а сам легок, пласти-
чен, естественен... И с болью: будто от рождения слеп.

Хорошо, что Айя уговорила его на сцене пользо-
ваться этими мерзкими искусственными зенками, ничего общего не имеющими с его *незабвенными* глазами.
Вблизи — ужасно, конечно, но из зала совсем не заметно. И какое же счастье, что возле него эта женщина.
Она — скала, скала! А мальчик хорош, но... совсем другой. Помнишь, каким был Леон, когда — чуть старше
его: ломкий, хрусткий, острый — ассириец — кудри! А
сын — мягкий, без отцовой неистовости; может, это и
хорошо. И уже видно, что высоким будет, он и сейчас
длинненький, то-то Леон шутливо называет его *Большим Этингером*. Рыжий, как эта дикая женщина, его
бабка... Айя рассказывала с меланхоличным таким
смешком: впервые взглянув на внука, та сказала: «*Хорошо, что Лео не видит*, до чего пацан на меня похож»...
И не пора ли перезнакомить двух *наших рыжиков?* Нет,
Меир не позволит никогда: Рыжик — благословенная

его боль, спасительная, благородная боль. Его отступ- **437**
ные Леону.

Но неужто мастерица-природа программирует и
тасует драгоценный коллаж генов уже в миг зарожде-
ния клетки, так, что *у нашего* — ни слуха, ни голоса, в
точности как у Габриэлы, а другой — *из утробы глухой
матери!* — выловил, выудил, выхватил наследственный
дар, серебряную птицу, соловьисто звенящий альт! Почему? Неужели природа раздает свои горючие подарки,
сообразуясь *с историей предмета?*

Ну, всё, всех — прочь! Вот оно... тишина... Сейчас —
вступление: удар счастья, сверкающее слияние голоса
и света... Боже мой, перестану ли я хоть когда-нибудь
покрываться испариной от его первой ноты!

* * *

— Напрасно ты моталась в аэропорт, я мог бы до-
ехать и на такси...

— Ты бы не успел к началу. Мы и так опоздаем, но
чуть-чуть... Слушай, положи руку мне на плечо, я не
могу на тебя пялиться, мне на дорогу надо смотреть.

— Запросто, могу и на коленку положить.

— Перебьешься... Ездоки здесь бешеные, наглые,
хуже, чем в Бразилии!

— Как говорил Бен-Гурион: «У меня нет для вас
другого народа».

Шаули помолчал и спросил:

— Как он там? — имея в виду, конечно, не Бен-Гу-
риона.

Айя весело отозвалась:

— Психует: премьера же... С утра над Гавриком из-
мывался, со мной так вообще не разговаривал — не-
достойна... Сейчас, как обычно, последует катарсис и

438   ночное постижение его глубокого смысла, значит, сегодня буду изгнана из постели, поплетусь к Гаврику, как побитая собака.

— Вот сукин сын! — воскликнул Шаули.

Она хохотнула:

— Зато завтра замучает нежностями...

— Да это не жизнь, а какие-то качели! — возмутился он.

— Точно, — подтвердила она с загадочной улыбкой. — Мы высоко летаем...

Жаль, что Филиппа нет, думала она, — без него празднику чего-то недостает. То, что Вернона нет, драгоценного нашего автора, то — ладно, он успеет поблистать через месяц в Лондоне, этот велосипедный болван! Ну кто устраивает велопробег накануне премьеры собственной оратории? Спасибо, что лапу сломал, а не голову... Но — Филипп, близкий друг, опора и надежда артиста! Чем он там отговаривался, какими-то делами... На самом деле, просто уперся, баран бараном: делал вид, что искренне не понимает, зачем премьеру такого масштаба нужно делать «в какой-то занюханной церкви, в арабской деревушке под Иерусалимом»... Леон, как водится, до объяснений не снизошел, пришлось объясняться ей — не привыкать бросаться на амбразуру: я перегу их, как синицу — окунь!

— Да пойми ж ты, — втолковывала Филиппу, — ведь это именно место, где и должна звучать эта оратория, место действия евангельской притчи. Во-первых, Иерусалим, а мне кажется, Леону очень хочется, чтобы Гаврик свою первую серьезную партию спел в Иерусалиме. Во-вторых, это и есть возвращение, то самое возвращение, о котором он думал еще на больничной койке. Филипп, все так густо сплелось — неужто я должна объяснять — тебе, тебе! — чтó для Леона значит возвращение в Иерусалим.

Но у Филиппа свои пристрастия и свои обиды. Так
и не простил Леону прошлого, о котором ничего не знал.
Вслух отговорился делами и еще полушутливым: «Нет
уж, эти бараньи ребрышки не в моем вкусе, это — без
меня»...

С ребрышек она немедленно перескочила в мыслях на
банкет: надо заехать в ресторан к Али, проверить, все
ли там готово к вечеру. Вспомнила, что за беготней и
нервотрепкой с утра не ела по-человечески. Ах, сейчас бы
супца горячего!

Шаули, старый холостяк, искоса поглядывал на
профиль сидящей за рулем молодой женщины, которая вдруг лихо и свободно пошла на обгон бордовой
«инфинити», элегантно обошла ее и плавно вернулась
в правый ряд.

Стильная, думал он, властная, талантливая... Взяла
и выучилась водить, обманув все медкомиссии. И во-
дит классно! Вот сукин кот этот коротышка Кенарь:
всю жизнь срывал лучших баб, а жену добыл вообще —
пальмовую ветвь, черт его дери, золотой приз кинофе-
стиваля!

— Видел твой фильм для Би-би-си о подростках-да-
унах, — вспомнил он кстати; мысли цеплялись одна за
другую. — Последние минуты, где ты бесконечно дер-
жишь прямой кадр на улыбке того пацана... Слушай, я
прослезился, как старый мерин. Не знаю, как ты это
делаешь... А что — планы? Есть что-то новенькое?

— Ага, один проект, очень интересный, с прицелом
на все мыслимые высоты. С точки зрения операторс-
кой — настоящий вызов. Расскажу за ужином, если
решусь: такой замысел, знаешь, я даже пока не треп-
люсь — из суеверия...

Какое там суеверие, подумал он, это так, профессиональное кокетство: ничего она не боится, эта его

440 Айя. Она — библейская Руфь; скала, о которую разобьются все беды...

Вот она закладывает виражи вверх по Иерусалимскому коридору, поглядывая на часы (опаздываем, черт!), и попутно рассказывает о ребятах из университета Мельбурна:

— Эти умницы изобрели какие-то бионические датчики, которые вживляются в передние доли мозга (все, само собой, еще на стадии опытов над животными), и незрячий видит, не видя! Понимаешь?

— Нет. Что это значит: «видит, не видя»?

Она отмахивается: да я и сама пока не понимаю. Вот, лечу туда семнадцатого, вгрызусь, вызубрю все, изучу...

Так бы и ехал всю жизнь, держа руку на ее плече: сила от него такая, вера, упругая радость! Только на этом плече уже другая рука, усмехнулся он, — намертво и навсегда. Так что утихни и ручонку-то убери подальше, тем более что вот уж и поворот на Абу-Гош...

* * *

Все ближние к аббатству Святой Марии улочки забиты машинами, да и все это большое селение под Иерусалимом в дни международного музыкального фестиваля становится одной большой разлапистой, разбросанной по трем холмам стоянкой. Хорошо, что у Айи зарезервировано «служебное» монастырское место.

Чуть ли не бегом они пересекают двор, усыпанный желтоватой галькой, и мимо исполинских финиковых пальм устремляются к каменной лестнице в молитвенный зал — там нараспашку двери, а публика — кому не досталось билетов — толпится всюду: во дворе, на ступенях базилики, на верхних ярусах сада. В горном воздухе звук расплывается далеко, и пение хора, и звучание оркестра, и голоса солистов прекрасно слышны во дворе. Айя делает знак какой-то девушке, видимо из организаторов фестиваля, а та одними жестами и округленными глазами ей показывает: «Ажиотаж! Катастрофа! Такого здесь еще не было!»

Айя достает пригласительные, и они с Шаули с трудом проникают внутрь, пробираясь в толпе...

Молитвенный зал базилики битком забит. Плечом к плечу стоят даже на ступенях лестницы, ведущей в крипту.

Несмотря на то, что и хор, и оркестр сегодня присутствуют малыми составами (большому количеству исполнителей трудно здесь разместиться), акустика этого помещения, построенного с характерной римской простотой, чудесно множит звуки, ограняя их строгостью высокого арочного пространства.

Мощные четырехугольные колонны зала, своды потолков, стены покрыты фрагментами изумительной византийской росписи, и даже то, что лица на фресках в мусульманскую эпоху были стерты, то, что святые, апостолы и пророки смотрят в людскую жизнь бледными овалами размытых лиц, придает музыке великую безадресность, ту вселенскую высоту, где нет уже ни границ, ни народов, ни вер...

Как протыриться к своим местам (где-то впереди, рядом с Магдой) сквозь плотный заслон публики, над которой парит, сплетаясь, дуэт двух высоких голосов?

Наконец Айя с Шаули просачиваются в угол, откуда виден подиум центрального нефа. Хор и оркестр в эти минуты остановлены дирижером, а две фигуры, Леона и мальчика, так близко стоящие друг к другу, будто срослись, в нерасторжимой связи двух голосов ведут партию *одной мятежной, но смирившейся души...*

Вот, медленно раскачиваясь, голос вины и блуда начинает вкрадчивое кружение вокруг длинных нот — удав, эротично расцветающий в чаще лиан, — постепенно усложняя и увеличивая напряжение, всякий раз по-новому окрашивая тембр. После каждого эпизода инкрустация мелодии все богаче и изощреннее, голос поднимается все выше, выталкивая из груди вверх ослепительные шары раскаленного звука, воздвигая плотину из серебристых трелей, ввинчивая в прозрачный полусумрак церковных аркад восходящие секвенции, гоня лавину пузырьков ввысь, ввысь... так ветер нагоняет облака, пылающие золотом заката.

Леон и сам неосознанно приподнимается на носки туфель и досылает, и досылает из-под купола глотки все новые огненные шары, что сливаются в трепещущий поток, будто это не одинокий голос, а сводный хор всей небесной ликующей рати, среди коей растворяется без остатка окаянная душа.

Три форте, выданные его легкими, диафрагмой, связками и резонатором, заполняют все пространство базилики, чтобы обрушиться стоном отчаяния:

— «Отче! Я согрешил против неба и пред Тобою и уже недостоин называться сыном Твоим!»

На этом «Фа-ата!» — на фортиссимо он берет ля второй октавы и, чуть слабее повторив: «Майн фа-а-а...» — спускается на ре потрясающим по красоте знаменитым своим портаменто, сфилировав звук на выдохе до трех пиано: «...та!»

...но возникает и прорастает из родного зерна голос сына, а голос греха и вины постепенно уступает первозданной чистоте детства, сходит на пианиссимо, отодвигаясь на второй план и вовсе растворясь... И вот уже над мрачными низинами ледяного тумана

звучит — как далекое воспоминание — мальчишеский
альт:

— Я — Го-олос!.. Я — Го-олос!...

Он вылетает из дверей молитвенного зала и звенит
над листвою олив, над цветастыми ярусами кустов в
монастырских садах, вплетаясь в могучий хаос паль-
мовых крон Эммауса: божественный поплавок в про-
зрачной толще воздуха, звенящий ключ во вселенной:

— Я — Го-олос!... Я — Го-олос!...

*Почему мне кажется, что я их слышу?.. Ведь я не
должна, не могу их слышать. Почему они звучат во мне
так глубоко, что я даже различаю тембры?.. Помнишь,
совсем маленьким Гаврик по утрам прибегал к нам в постель, расталкивал, проваливаясь в подушки между
нами, и я слышала твой голос через его тельце, потому
что держала его за одну пяточку, а ты — за другую. Ты
называл его проводником счастья...*

Шаули замер, застыл: он впервые слышит дуэт Кенаря с сыном. С трудом вырвался из Брюсселя посреди серьезного дела, исключительно из-за настойчивых
просьб Айи — она прислала целых три письма. Сейчас
рад был, что вырвался. Вернее, не рад... это чувство
даже радостью не назовешь. Скорее потрясением: в
глубокой тишине базилики крестоносцев два голоса —
два крыла — восходили ввысь, парили, переплетаясь,
сливаясь в мольбе, в высочайшем напряжении чув-
ственных высот...

И все же сын знает свое — подчиненное — место,
и после пропетого хором «дэр эрбли-индете Фа-ате-
ер...» («ослепший отец») вновь вступает его отец, ради
которого столько людей съехались сегодня отовсю-
ду и толпятся в зале, на лестницах, во дворе и даже за
стенами аббатства: выдающийся контратенор Леон

444 Этингер — голос невероятного диапазона, редчайший в мире тембр расплавленного серебра, поистине властелин звуков.

И плачет голос Блудного сына, истекает нежнейшей любовью, и течет-течет, и парит-парит, улетая и трепеща в растворенной взвеси золотого церковного воздуха.

И этот стон по утраченной жизни, это безбрежное невесомое парение — как дыхание небес над черной копотью ада.

Затих в глубокой паузе хор; умолк оркестр, захлебнувшись в середине дуги остановленного дирижером полета. Лишь голос в неустанной мольбе все восходит и восходит к горним высям, лишь голос один — бессмертный, бестелесный...

Лучезарный Голос в беспросветной тьме...

2010—2014, Иерусалим

Автор выражает беспредельную благодарность за помощь в сборе материалов к роману:

Анастасии Дергачевой, Роману Скибневскому, Сергею Баумштейну, Ладе Баевой, Василию Хорошеву, Лейле Ионовой, Евгении Душатовой, Полине Ивановой, Алексею Осипову, Алексею Зайцеву, Ричарду Кернеру, Рафаилу Нудельману, Рите Соколовой, Диме Брикману, Константину Доррендорфу, Петру Резникову, Марии Рубинс, Сергею Лейферкусу, Вере Рубиной, Валерию Горлицыну, Татьяне Гориной, Борису Тараканову, Антону Федорову, Дмитрию Сахарову, Александру Стрижевскому, Алексу Либину, Владимиру Бейдеру, Евгению Сатановскому, Марине Бородицкой.

Содержание

Литературно-художественное издание

ДИНА РУБИНА. СОБРАНИЕ СОЧИНЕНИЙ

Дина Рубина

РУССКАЯ КАНАРЕЙКА
БЛУДНЫЙ СЫН

Ответственный редактор *Н. Холодова*
Редактор *А. Грызунова*
Художественный редактор *Н. Ярусова*
Компьютерная верстка *К. Москалев*

ООО «Издательство «Эксмо»
123308, Москва, ул. Зорге, д. 1. Тел. 8 (495) 411-68-86, 8 (495) 956-39-21.
Home page: **www.eksmo.ru**   E-mail: **info@eksmo.ru**

Өндіруші: «ЭКСМО» АҚБ Баспасы, 123308, Мәскеу, Ресей, Зорге көшесі, 1 үй.
Тел. 8 (495) 411-68-86, 8 (495) 956-39-21
Home page: www.eksmo.ru   E-mail: info@eksmo.ru.
Тауар белгісі: «Эксмо»
Қазақстан Республикасында дистрибьютор және өнім бойынша
арыз-талаптарды қабылдаушының
өкілі «РДЦ-Алматы» ЖШС, Алматы қ., Домбровский көш., 3«а», литер Б, офис 1.
Тел.: 8 (727) 2 51 59 89,90,91,92, факс: 8 (727) 251 58 12 вн. 107; E-mail: RDC-Almaty@eksmo.kz
Өнімнің жарамдылық мерзімі шектелмеген.
Сертификация туралы ақпарат сайтта: www.eksmo.ru/certification

Сведения о подтверждении соответствия издания согласно
законодательству РФ о техническом регулировании можно получить
по адресу: http://eksmo.ru/certification/

Өндірген мемлекет: Ресей
Сертификация қарастырылмаған

Подписано в печать 14.10.2014. Формат 84х108^1/$_{32}$.
Печать офсетная. Усл. печ. л. 23,52.
Тираж 80 000 (1 завод 65 000). Заказ 3211.

Отпечатано с электронных носителей издательства.
ОАО "Тверской полиграфический комбинат". 170024, г. Тверь, пр-т Ленина, 5.
Телефон: (4822) 44-52-03, 44-50-34, Телефон/факс: (4822)44-42-15
Home page - www.tverpk.ru Электронная почта (E-mail) - sales@tverpk.ru

ISBN 978-5-699-76883-7

Оптовая торговля книгами «Эксмо»:
ООО «ТД «Эксмо». 142700, Московская обл., Ленинский р-н, г. Видное,
Белокаменное ш., д. 1, многоканальный тел. 411-50-74.
E-mail: **reception@eksmo-sale.ru**

По вопросам приобретения книг «Эксмо» зарубежными оптовыми
покупателями обращаться в отдел зарубежных продаж ТД «Эксмо»
E-mail: **international@eksmo-sale.ru**
International Sales: International wholesale customers should contact
Foreign Sales Department of Trading House «Eksmo» for their orders.
international@eksmo-sale.ru

По вопросам заказа книг корпоративным клиентам, в том числе в специальном
оформлении, обращаться по тел. +7 (495) 411-68-59, доб. 2261, 1257.
E-mail: **vipzakaz@eksmo.ru**

Оптовая торговля бумажно-беловыми и канцелярскими товарами для школы и офиса
«Канц-Эксмо»: Компания «Канц-Эксмо»: 142702, Московская обл., Ленинский р-н, г. Видное-2,
Белокаменное ш., д. 1, а/я 5. Тел./факс +7 (495) 745-28-87 (многоканальный).
e-mail: **kanc@eksmo-sale.ru**, сайт: www.**kanc-eksmo.ru**

В Санкт-Петербурге: в магазине «Парк Культуры и Чтения БУКВОЕД», Невский пр-т, д.46.
Тел.: +7(812)601-0-601, www.bookvoed.ru/

Полный ассортимент книг издательства «Эксмо» для оптовых покупателей:
В Санкт-Петербурге: ООО СЗКО, пр-т Обуховской Обороны, д. 84Е. Тел. (812) 365-46-03/04.
В Нижнем Новгороде: ООО ТД «Эксмо НН», 603094, г. Нижний Новгород, ул. Карпинского, д.
29, бизнес-парк «Грин Плаза». Тел. (831) 216-15-91 (92, 93, 94).
В Ростове-на-Дону: ООО «РДЦ-Ростов», пр. Стачки, 243А. Тел. (863) 220-19-34.
В Самаре: ООО «РДЦ-Самара», пр-т Кирова, д. 75/1, литера «Е». Тел. (846) 269-66-70.
В Екатеринбурге: ООО «РДЦ-Екатеринбург», ул. Прибалтийская, д. 24а.
Тел. +7 (343) 272-72-01/02/03/04/05/06/07/08.
В Новосибирске: ООО «РДЦ-Новосибирск», Комбинатский пер., д. 3.
Тел. +7 (383) 289-91-42.
E-mail: **eksmo-nsk@yandex.ru**
В Киеве: ООО «РДЦ Эксмо-Украина», Московский пр-т, д. 9. Тел./факс: (044) 495-79-80/81.
В Донецке: ул. Артема, д. 160. Тел. +38 (032) 381-81-05.
В Харькове: ул. Гвардейцев Железнодорожников, д. 8. Тел. +38 (057) 724-11-56.
Во Львове: ТП ООО «Эксмо-Запад», ул. Бузкова, д. 2. Тел./факс (032) 245-00-19.
В Симферополе: ООО «Эксмо-Крым», ул. Киевская, д. 153.
Тел./факс (0652) 22-90-03, 54-32-99.
В Казахстане: ТОО «РДЦ-Алматы», ул. Домбровского, д. 3а.
Тел./факс (727) 251-59-90/91. **rdc-almaty@mail.ru**
Интернет-магазин ООО «Издательство «Эксмо»
www.**fiction.eksmo.ru**
Розничная продажа книг с доставкой по всему миру.
Тел.: +7 (495) 745-89-14. E-mail: **imarket@eksmo-sale.ru**